Zandkoningin

Helen Benedict

Zandkoningin

Vertaald door Lucie van Rooijen

Artemis & co

ISBN 978 90 472 0224 0
Oorspronkelijke titel *Sand Queen*
Oorspronkelijke uitgever Soho Press
Omslagontwerp Marry van Baar
Omslagillustratie © John Lund, Sam Diephuis / Getty Images
Foto auteur © Emma B. O'Connor

Verspreiding voor België:
Veen Bosch & Keuning uitgevers n.v., Antwerpen

Voor mijn kinderen en de kinderen van Irak,
dat jullie vrede mogen ervaren in je leven.

En voor mijn vader,
Burton Benedict,
1923-2010.

Wat zoet is kan verzuren, inderdaad
Niets rotter dan een lelie die vergaat.

Shakespeare, Sonnet 94

I

CHECKPOINT

Als ze zich helemaal klein maakt, zal ze misschien nooit meer iemand pijn doen.

KATE

Het is goddomme de grootste spin die ik ooit van mijn leven heb gezien. Van de ene harige poot tot de andere is dat beest net zo lang als mijn onderarm. Dus eerst wil ik zeker weten dat hij dood is. Por er met de kolf van mijn M-16 tegenaan tot hij slap en zanderig omrolt. Dan pak ik hem aan één poot op, zeul 'm mee de tent in alsof het een boodschappentas is en spijker hem op de tentstok naast het hoofdeind van mijn bed, onder mijn crucifix. Dan houdt Macktruck zich wel even gedeisd, voorlopig tenminste. Hij is doodsbang voor spinnen. Eikel.

Het gefluit buiten de tent is hard vandaag; een eng geluid waar je kippenvel van krijgt en waar ik maar niet aan gewend raak. De woestijnwind fluit hier dag en nacht. Het sissende geluid van de wind die langs je helm suist. Het kreunende gefluit als hij door de concertina-afrastering blaast. Ik sta even onder het warme canvas te luisteren. En dan overvalt het me weer, die pijn diep vanbinnen die maakt dat ik in elkaar wil kruipen om te huilen.

'Jezus, Brady, wat doe jij nou?' Dat zegt Will Rickman, een magere soldaat uit mijn sectie met een puistenkop en een adamsappel die twee keer zo groot is als zijn herseninhoud.

Ik veeg mijn handen af aan mijn broek. 'Niks.'

Rickman komt dichterbij en bekijkt mijn spin met toegeknepen ogen. 'Moet je kijken, man. Walgelijk. D'r komt verdomme zwarte smurrie uit.'

'Zo praat je niet over Pluisje.'

Rickman trekt zijn wenkbrauwen op. Maar het enige wat hij zegt, is: 'Kom, ze staan te wachten.'

Ik pak mijn M-16 en loop achter hem aan met een zonnebril voor mijn ogen, een sjaal over mijn mond. In elkaar gedoken voor de wind, die het zand tegen mijn wangen striemt, ren ik naar de Humvee en wurm me achterin bij de andere mannen van mijn ploeg: DJ en onze commandant, sergeant-majoor Kormick.

'We hebben wel wat beters te doen dan wachten tot jij klaar bent met je make-up, Brady,' roept Kormick boven de wind uit tegen me terwijl hij de Humvee met een knarsende ruk in de eerste versnelling zet. 'Laat ons niet nog eens wachten. Begrepen?'

'Begrepen, sergeant.'

Terwijl we over de onverharde weg naar het checkpoint rijden en de mannen zoals gebruikelijk zitten te ouwehoeren, kijk ik naar het vroege ochtendlicht door de kier in het raampje achterin. Vuilgrijs zand strekt zich uit zover ik kan kijken en gaat zo geruisloos over in het opwaaiende stof dat de horizon onzichtbaar wordt. Aan weerszijden van de weg staan rijen rechthoekige olijfgrauwe tenten, de daken slap en bedekt met stof. De tenten links zijn voor ons, die rechts achter de concertina voor de gevangenen. Maar verder is er hier alleen maar een onafzienbare grijze waas. En een boom.

Ik vind het mooi zoals die boom daar midden in de woestijn moederziel alleen achter de concertina staat. Ik noem hem Marvin. Ik heb inmiddels zoveel uren naar Marvin staan kijken dat ik elke kronkel van zijn grillige kleine takken, elke punt van zijn smalle bladeren ken. Ik praat soms tegen hem, even horen hoe het gaat.

We hobbelen nog een minuut of twintig door. Ik ben helemaal suf en te moe om mijn gedachten op een rijtje te zetten. We draaien diensten van twaalf tot vijftien uur, en toch lukt het me nooit om te slapen. Het is gewoon te warm en ik deel een tent met drie-endertig snurkende, scheten latende kerels, om maar te zwijgen van de gevangenen die maar een paar meter verderop zitten en de godganse nacht lopen te bidden en schreeuwen.

Als we weer in de buurt van het checkpoint komen, komt die pijn diep vanbinnen weer opzetten. Bloedirritant.

En ja hoor, daar heb je ze. Een stuk of vijftig burgers die achter de concertina staan te wachten, hun soepjurken wapperend in de wind. Ze komen nu al wekenlang elke dag bij zonsopkomst en staan dan uren in de zon te wachten, roerloos als struiken. De meesten zijn vrouwen. Moeders en zussen, echtgenotes en dochters op zoek naar hun mannen.

Kormick rijdt de Humvee tot voor het checkpoint en we stappen uit. Ik hang mijn wapen aan de riem over mijn schouder en loop met mijn ploeg naar de concertina; het zand waait in mijn neus en keel, zodat ik moet hoesten. God, wat ik niet overheb voor een teug frisse lucht, eentje zonder zand, die niet stinkt naar verbrande stront en diesel. Lucht zoals thuis: frisse, koele berglucht.

'Brady!' roept Kormick me achterna terwijl hij me met een ruk van zijn hoofd terugwenkt. 'Als je naar die hadji's toe gaat, zeg dan dat we ze binnenkort een lijst opsturen. En zorg dat ze oprotten.'

'Ja, sergeant.'

'En Brady? Wat meer tempo vandaag.'

Ik ben niet trager dan wie ook hier, maar ik doe wat hij zegt. Al heb ik geen idee over wat voor lijst hij het heeft. Er is helemaal geen lijst. En zelfs al hadden we er een, hoe kan ik in godsnaam tegen deze mensen zeggen: 'We sturen u nog wel een lijst met namen van de gevangenen', als we net al hun huizen met de brievenbussen erbij hebben platgebombardeerd – als ze in Irak al brievenbussen hebben?

Toen we in maart, meteen na de inval en het begin van de oorlog, vanuit Koeweit op weg hiernaartoe door Basra reden, was het één grote vlakte. Alleen maar rokende puinhopen. Mensen in hutjes van afval en karton. Bergen afval die zo hoog waren dat je er niet eens overheen kon kijken en die de ergste stank veroorzaakten die ik ooit van mijn leven heb geroken. Lijken op straat, geplet en bloederig als overreden herten op de snelweg bij ons thuis, maar dan met mensengezichten. Kormick zadelt mij er altijd mee op om met deze mensen te praten. Hij denkt dat de aanblik van een vrouwelijke soldaat hun harten en hoofden zal winnen. We hebben net hun steden platgegooid, hun mannen opgesloten en hun kinderen vermoord, en dan denkt hij dat één wijf met een wapen en zand in haar reet het allemaal even goed kan maken?

Zodra ik voor de concertina van het checkpoint ga staan, breekt de chaos weer los: burgers die elkaar verdringen om bij me in de buurt te komen, krijsend en zwaaiend met foto's. Een checkpoint hoort veilig te zijn, maar dat van ons is niet meer dan een keet van multiplex, niet veel groter dan een tuinschuurtje, een wankele houten toren, een concertina-afrastering en een handjevol slecht getrainde, gewapende reservisten. En zand natuurlijk. Heel veel zand.

'Stel je voor dat je op een verlaten strand naar de zee zit te kijken', heb ik een keer aan Tyler geschreven. 'Haal dan de zee weg en doe er zand voor in de plaats, helemaal tot het eind van de wereld. Daar zit ik.'

Ik mis Tyler ontzettend. De zeepgeur van zijn haren, zijn grote warme lijf tegen het mijne. En zijn ogen – hij heeft de mooiste bruine ogen die je ooit hebt gezien. Kaneelbruine ogen. We zijn bij elkaar sinds de vijfde klas, wat wel gek is, want eerst vond ik hem maar niks. In die tijd ging ik voor de gangmakers, stoere foute kerels, niet voor stille nerds als Tyler McAllister, die begon te mompelen en rood werd als we iets tegen elkaar zeiden. Maar toen nodigde hij me een keertje uit om te komen luisteren als hij gitaar speelde en zong in een café dat The Orange Dog heette, en ik was zo verbaasd dat een loser als hij gitaar speelde dat ik ja zei.

The Orange Dog in Catskill is het enige café in ons stukje van de staat New York dat een beetje in de buurt komt van een muziek-café, hoewel er geen alcohol wordt geschonken. Dat was dan ook de enige reden waarom ik er van mijn ouders op mijn zeventiende naartoe mocht. Ik vroeg mijn beste vriendin Robin mee omdat we het samen nogal goed deden bij de jongens: Robin lang en donker, met een roomwitte huid en grote bruine ogen; ik klein met sproeten en rood kroeshaar en ogen die zo licht zijn dat ze bijna geen kleur hebben. Ze haalde me op in haar roestige derdehands Saturn voor de rit van veertig minuten vanuit Willowglen, waar we woonden, naar Catskill in het zuiden. In die tijd was dat voor ons een hele expeditie.

Zodra we het café binnenliepen, was ik gelukkig. Het rook naar hout en bier (het was een kroeg geweest), zoals dat hoort bij een muziekcafé. Aan één kant was een bar waar je hippieachtige dingen kon krijgen zoals wortelcake en ijskoffie. Her en der stonden morsige oude banken en stoelen die de eigenaars waarschijnlijk uit het grofvuil hadden gevist. Gekleurde lampenkappen hingen laag neer van het plafond en wierpen zachte lichtcirkels op een ratjetoe van salontafels – het leek wel een woonkamer die tijdens een feest overhoop is gehaald, en ik vond het perfect. Nadat Robin voor ons allebei gemberbier had gehaald, lieten we ons in twee rode fauteuils vol vlekken zakken en strekten onze benen om onze strakke jeans en laarsjes met hoge hakken te bewonderen.

Het café liep al snel vol. Boerenkinkels en plaatselijke pubers op zoek naar meisjes. Een stel ouwe dronkenlappen die waarschijnlijk per ongeluk waren binnengelopen. Robin en ik keken elkaar gnuivend aan. Wij waren ver verheven boven al die lui. Zij waren provinciaaltjes. Wij natuurlijk niet.

Ik had geen idee wat ik die avond van Tyler kon verwachten, of dit een date was of dat hij ons gewoon had geronseld als publiek. Ik wist nog niet veel over jongens omdat ik geen broers heb en nog nooit een vast vriendje had gehad. Elke jongen met wie ik iets was begonnen, was óf een oetlul die vreemdging, óf te dom voor woorden.

Dus daar zaten we dan, Robin lang en elegant, ik klein en energiek, totdat ze eindelijk de muziek en het licht wegdraaiden en er een wiebelig spotje op een eenzame hoge kruk op het podium werd gericht. Toen kwam Tyler op, en hij zag er veel cooler uit dan ik me ooit had kunnen voorstellen, met een akoestische gitaar over zijn schouder, een strak zwart T-shirt en lang haar dat in zijn ogen hing. Hij ging op het puntje van de kruk zitten, zoals ongetwijfeld duizenden muzikanten vóór hem, met zijn gitaar op zijn knie, en ik weet niet waarom, maar ineens was ik idioot zenuwachtig. Ik had het gevoel dat ik hem al jaren kende. Alsof we ons hele leven op dit optreden hadden gewacht en ervoor hadden gewerkt, ernaartoe hadden geleefd. Alsof dit hem zou maken of breken en ik het heel belangrijk vond.

Later die avond kwam ik erachter dat Tyler helemaal geen nerd was. Hij was gewoon verliefd op me.

Dat was twee jaar geleden, en sindsdien is er veel gebeurd. Tyler zit nu thuis in Amerika op de universiteit, hij studeert muziek en heeft allerlei schnabbels. En ik zit hier al drie maanden midden in deze kutwoestijn tussen wauwelende burgers en vraag me af wat ik hier in godsnaam doe.

Al snel wringt een oud echtpaar zich door de meute naar me toe; de vrouw klampt zich vast aan de arm van haar man. Ze zien er allebei onvoorstelbaar oud en verschrompeld uit. De vrouw is van top tot teen in het zwart gehuld, haar wangen doorgroefd met duizenden rimpeltjes, haar donkere ogen tranend onder haar rimpelige voorhoofd. De man heeft wit haar en is knoestig, met een klein bruin gezicht als een okkernoot. Terwijl ze elkaar stevig vasthouden strompelen ze naderbij, en dan krijgen ze in de gaten dat ik een vrouw ben. Het gebruikelijke verraste knorgeluidje, alsof ik een soort clown ben die het Amerikaanse leger heeft gestuurd om hen te vermaken. Dan proberen ze er hun voordeel mee te doen.

'Kijk, mevrouw,' zegt de man in een gebrabbel dat heel in de verte op Engels lijkt, en zijn vrouw houdt me met bevende hand een foto voor. 'Mijn zoon. Hij is hier? Hij leeft?'

Ik kijk ernaar, niet omdat het me interesseert, maar omdat het mijn werk is. Een Arabier met wijd opengesperde ogen en een Saddamsnor, net als miljoenen anderen. Ik knik alsof ik hem herken en het oude stel wordt helemaal opgewonden. De vrouw glimlacht zelfs, ze mist vijf tanden. Er straalt zoveel hoop van haar rimpelige gezicht dat ik me moet afwenden. We hebben hier zevenduizend gevangenen en er komen elke dag nieuwe bij. Hoe kan ik in godsnaam iemand herkennen van een ranzige ouwe foto?

'Als hij hier is, dan weet ik zeker dat hij veilig is,' zeg ik.

'Dank u, dank u, mevrouw soldaat,' antwoordt de man met bevende stem. Dat geeft me een rotgevoel.

'Ga nou maar naar huis,' zeg ik tegen hem en de rest van de meute. 'Als we een lijst met gevangenen hebben, laten we het wel weten. Maar nu moeten jullie weg.' Met een armgebaar probeer ik ze te verjagen.

Er gebeurt niets. De burgers blijven zich gewoon om me verdringen, ze joelen en duwen die stomme foto's in mijn gezicht. Ik hoor hier niet eens zo in mijn eentje tussen een stel inboorlingen te staan – een van hen kan me elk moment door mijn kop schieten. Ik kijk even over mijn schouder. Verdomme, waar zit die puistenkop van een Rickman nou? Hij hoort mijn buddy te zijn en hier bij me te staan, me te dekken. Maar nee hoor, hij staat lekker veilig achter de afrastering te ouwehoeren met soldaat eerste klasse Bonaparte, ook wel bekend als Boner. Ik sta hier in mijn eentje. Zoals altijd.

'Meid, waarom lig je hier zo onder de lakens gekropen? Kom er nou maar uit, anders trek ik je er zelf uit, net als gisteren. Dat vond je niet zo leuk, hè?'

Gisteren? De soldaat kan zich gisteren niet meer herinneren.

Een vlaag kou als de verpleegster het laken wegtrekt. Haar nachthemd is nat en opgepropt en stinkt naar pis. Kloppende pijn in de rug.

'O, moppie. Zware nacht gehad, hè? Kom, sta maar op, dan gaan we je lekker even opfrissen.'

De verpleegster slaat haar mollige armen om de soldaat heen en trekt haar nat en stinkend uit het ziekenhuisbed.

De verpleegster en de soldaat verstrengeld in een wals van schaamte.

NAEMA

Het gebeurde gisteravond, toen we dicht naast elkaar bij mijn grootmoeder aan tafel zaten te eten. Het was nog maar een week geleden dat we de oorlog en ons huis in Bagdad waren ontvlucht om bij mijn oma in te trekken, in haar huis in een dorp in de buurt van Umm Qasr, dus we waren nog wat van slag en probeerden te bedenken hoe we onze dagen zouden invullen.

'Ik wil dat jullie allebei blijven doorleren zolang we hier zijn,' zei papa tegen mijn broertje en mij. 'En geen smoesjes.'

'Maar ik heb al mijn boeken thuis laten liggen, dus ik kán helemaal niet leren,' antwoordde Zaki, terwijl hij zich aan de tafelrand vasthield en op de achterpoten van zijn stoel balanceerde. 'Ik help je wel het huis te beschermen, papa.'

Met een glimlach woelde mijn vader, het lamplicht weerspiegelend in zijn dikke brillenglazen, door het haar van mijn broertje. 'Doe niet zo gek, mannetje, je moet vijf uur per dag leren. Daarna mag je me helpen. En ga eens rechtop zitten, straks maak je oma's stoel nog kapot.'

Zaki dook weg voor papa's hand, maar was wel gehoorzaam. 'Muzikanten hebben geen opleiding nodig,' mompelde hij terwijl hij zijn haar zorgvuldig terugstreek over zijn voorhoofd. 'Wij zijn kunstenaars.'

Ik moest lachen. Arme Zaki. Hij is nog maar dertien en denkt nu al dat hij genoeg talent heeft om popster te worden. Daar hoor ik maar weinig van als hij tekeergaat op zijn gitaar. Meer dan dromen heeft hij niet. Maar we laten hem in de waan, want wat is een kind nu zonder dromen?

'Naema zal je lesgeven,' zei mama beslist. Met haar lange rug stond ze over tafel gebogen om haar moeder linzensoep op te scheppen. Oma Maryam is zo oud dat ze bijna al haar tanden mist, en haar handen beven zo erg dat ze moeite heeft om zonder morsen te eten. 'Zij kan je Engels en techniek leren,' ging mama verder. In onze familie ben ik degene die Engels spreekt, mijn grote talent, hoewel ook papa het vrij goed kan. Vroeger oefenden we altijd samen door naar de BBC te luisteren.

'Maar Naema kan helemaal niet lesgeven! Ze geeft me altijd op mijn kop.'

'Zo praat je niet over je zus,' voer oma uit met haar krakerige stem. 'We moeten allemaal...'

Buiten klonken kwade stemmen. Er werd met zoveel geweld op de deur gebonkt dat het leek alsof het huis zou instorten. 'Wat gebeurt er?' vroeg oma, haar ogen groot van angst.

'Soldaten!' fluisterde ik. 'Amerikanen!'

'Allemaal naar de achterkamer, nu!' beval papa.

'Opendoen!' brulden de soldaten en ze trapten zo hard tegen de deur dat hij kraakte in zijn scharnieren.

Voordat iemand me kon tegenhouden, rende ik naar de deur en ontgrendelde hem. Als ik deze Amerikanen in het Engels aanspreek, laten ze ons vast met rust, dacht ik nog naïef.

'Naema, kom hier!' riep papa.

Had hij dat maar niet gedaan! Dan waren we misschien rustig gebleven en was al dit verschrikkelijks niet gebeurd. Maar je kunt het niet weten. Nee, ik kan papa niets verwijten.

De soldaten stormden naar binnen, eerst een, toen nog een, daarna een derde. Ze waren afschuwelijk in hun gigantische uniformen, met hun gezichten verborgen achter zonnebrillen en onder helmen, zwaaiend met hun enorme vuurwapens, woedende stemmen die allerlei beledigingen brulden. Ze duwden me opzij alsof ik lucht was en renden op mijn vader af. Met een klap op zijn hoofd sloegen ze hem tegen de vlakte.

'Papa!' gilde Zaki. We weten allemaal hoe kwetsbaar papa is, dat zijn benen keer op keer zijn gebroken door de beulen van Saddam. Dat zijn hart bijna is bezweken onder de pijn.

Een van de soldaten wendde zich tot Zakithen, kleine Zaki, die nog niet eens tot mijn kin komt en mager is als een lat, en trapte hem in zijn maag. Schreeuwend van pijn klapte hij dubbel. Ze smeten hem op zijn buik naast papa op de grond.

'Niet doen, alstublieft!' smeekte ik in het Engels. 'Hij is nog maar een kind!' Maar ze hoorden me niet. Voor hen had ik geen stem, bestond ik niet.

Mijn moeder klampte zich vast aan oma, die zat te jammeren, ongetwijfeld door alle terugkerende herinneringen aan de beulen van Saddam, kerels die vast net als deze haar huis waren binnengevallen om haar man de dood in te slepen.

Twee soldaten trapten die arme papa en Zaki met hun vuile laarzen op hun nek, zodat ze met hun gezicht tegen de grond werden gedrukt. Toen bonden ze hun handen met tiewraps op hun rug en trokken van die vreselijke puntkappen over hun hoofd. Ik hoorde papa half stikken en Zaki jammeren van angst.

'Niet doen!' riep ik weer. 'Dit is een kind, mijn vader is ziek! Zo stikken ze nog! Alstublieft!'

'Bek houden!' blafte een soldaat me toe en hij duwde me zo hard tegen mama en oma aan dat we tegen de muur vielen. Het enige wat ik van zijn gezicht kon zien, was een verwrongen grimas van haat en angst.

Ze trokken papa en Zaki aan hun geboeide handen overeind alsof ze zakken graan waren in plaats van mensen, en met hun wapen tegen de rug van papa en Zaki gedrukt duwden en trapten ze hen naar buiten. Ik rende ze achterna en zag nog net dat twee soldaten hen omhooghesen en achter in een truck gooiden, waardoor ze vast hun botten braken of hun vel openhaalden. Ik hoorde hoe Zaki het uitschreeuwde van pijn. Maar mijn vader gaf geen kik.

'Doe ze geen pijn!' smeekte ik. 'Doe ze alstublieft geen pijn!'

'Waarom doen ze dit?' jammerde mama met haar hoofd in haar handen toen ze wegreden. 'Waarom toch?'

Toen voelde ik de woede als een tweede huid over me heen groeien. Dat was het moment waarop ik meedogenloos en gevoelloos werd.

Dus deze ochtend, nu ik de vier kilometer van oma's dorp naar de Amerikaanse gevangenis loop, ben ik vastbesloten alles in het werk te stellen om te achterhalen wat er met onze mannen is gebeurd – zowel met de mijne als met die van mijn lotgenoten. Die arme Umm Ibrahim, wier ellende en rouw van haar gezicht zijn af te lezen en wier man door Saddam is gearresteerd en vermoord, vertelt me dat haar drie zoons nu door deze gevangenis zijn opgeslokt, zodat ze helemaal niemand meer heeft. De kleine Abu Rayya en zijn vrouw, die al twee kinderen hebben verloren aan de oorlog met Iran, werden gedwongen toe te zien hoe hun enig overgebleven zoon en laatste troost midden in de nacht in elkaar werd geslagen en werd afgevoerd, net als papa en Zaki. En de oude weduwe Fatima, een vriendin van oma, die deze voettocht al drie weken dagelijks aflegt: haar broer, haar steun en toeverlaat zit hier ook vast.

'Vertellen ze jullie iets bij de gevangenis?' vraag ik deze weduwe onderweg. 'Maakt uw broer het goed?'

'Ik weet het niet, meisje,' antwoordt ze terwijl ze haar oude hoofd schudt. 'Ze vertellen ons niets. We kunnen alleen maar afwachten.'

Als we eindelijk bij de gevangenis zijn – en het is een lange, angstige tocht met al die soldaten die in hun tanks en vrachtwagens voorbijrazen – zien we dat er al allemaal andere families staan; ze vormen een menigte voor de concertina die de ingang van de gevangenis verspert. Dus voegen we ons bij hen, verzengd door de zon en gegeseld door de wind, om te beginnen aan het kwellende wachten dat iedereen kent die door oorlog en de geschiedenis tot passiviteit wordt gedwongen.

Terwijl we daar urenlang staan, de meesten van ons in stilte, met hier en daar wat mensen die elkaar met povere woorden gerust proberen te stellen, kijk ik door de meedogenloze afrastering naar de gevangenis die erachter ligt. De Britten en Amerikanen hebben zoveel haast om ons gevangen te nemen dat ze niet eens de moeite hebben genomen een echte gevangenis te bouwen. Het zijn niet meer dan tenten. De ene na de andere rij is neergepoot in het zand, de olijfgroene wanden al verblekend in de zon, de lucht ertussenin dik van het stof, de rollen concertinadraad eromheen vol met miljoenen puntige mesjes. Al kijkend realiseer ik me dat de soldaten dit niet ervaren als een gevangenis, maar als bescherming. Ze hebben zichzelf hier gebarricadeerd, veilig en nietsziend achter hun hekken en checkpoints, terwijl wij, zussen en dochters, ouders en grootouders, ons hierbuiten in de echte wereld bevinden en het leed van de echte wereld ondergaan.

Ik sta daar met mijn treurige metgezellen totdat de zon van de einder is opgeklommen tot bijna boven aan de hemel, en dan zie ik eindelijk een piepkleine soldaat naar het hek sjokken waar wij staan te wachten. Hij lijkt nauwelijks vooruit te komen onder zijn zware last, met zijn helm die eruitziet als een omgekeerde soepkom en die idioot grote zonnebril op zijn smalle gezicht. Het lijkt wel een kind in de kleren van zijn vader. Maar het is helemaal geen kind. Het is een moordenaar en een bezetter.

Ik zie hem schreeuwend en wuivend met die gekke armpjes van hem dichterbij komen, en ik voel zo'n haat in mijn hart opwellen dat ik mezelf niet terugken. Dan zie ik dat er iets raars met hem aan de hand is, dat er iets niet klopt. Ik kijk nog eens goed.

Het is een meisje.

Ik zou hardop lachen als ik daar nog toe in staat was. De Amerikanen moeten wel wanhopig zijn om hun meisjes de oorlog in te sturen.

Zodra de mensen om me heen ook zien dat de soldaat maar een meisje is, helemaal alleen met ons, worden ze brutaal. 'Je hebt onze zoons vermoord!' roepen ze terwijl ze haar insluiten. 'Je liegt tegen ons, trut!'

Ik doe ook een stap naar voren om haar uit te schelden, maar dan bedenk ik me. Zulk gedrag heeft helemaal geen zin. Ik kan beter de kans afwachten om mijn Engels aan te bieden aan dit werktuig van vernietiging, want zo Allah wil zal ze ons misschien in ruil vertellen wat zij en haar soortgenoten met onze mannen hebben gedaan.

KATE

Ik begin zenuwachtig te worden. Hoe hard ik ook schreeuw en die twee verschrompelde oudjes en de rest van die stomme inboorlingen probeer weg te jagen, ze verzetten geen stap. Ze blijven zich om me heen verdringen, schreeuwend in het Arabisch en met die kutfoto's van ze die ze tegen me aan duwen. Ik wil net iemand een harde zet geven met mijn M-16, als een vrouwenstem boven de menigte uit roept: 'Ik spreek Engels, kan ik helpen?'

Geschrokken kijk ik achterom. Een Irakees meisje van mijn eigen leeftijd maakt zich los uit de meute, loopt recht op me af en kijkt me zonder enige vrees aan.

'Spreek je echt Engels?' vraag ik verbijsterd.

Ze kijkt me aan zonder antwoord te geven. Ze draagt een lange, koffiebruine soepjurk en een hemelsblauwe hoofddoek, die strak om haar hals en voorhoofd zit. Ze heeft een smal, lichtbruin gezicht, knap, op de mond na dan, die is dichtgeknepen tot een dunne, frikkerige streep. Haar ogen – enorme, goudgroene ogen – staan extreem wantrouwig.

'Ja,' zegt ze uiteindelijk zacht. 'Ik kan tolken, als u dat wilt.'

'Wil je dat doen? Cool. Goed, zeg dan maar tegen die vrienden van je dat we een lijst met gevangenen opstellen en die binnenkort zullen geven. Maar nu moeten ze weg.'

'Dat zal ik zeggen. Maar eerst wil ik graag iets vragen. We zouden graag willen weten, deze mensen en ik, wanneer onze mannen vrijkomen.'

'Dat weet ik niet,' zeg ik terwijl ik haar wantrouwig opneem. 'Zeg maar tegen ze dat ze niet bang hoeven te zijn, we behandelen de gevangenen goed. En zorg nou maar dat ze weggaan.'

Het meisje kijkt me opnieuw aan. Ze is een halve kop groter dan ik, maar dat zegt niet zoveel, want ik ben maar een meter zestig. 'Is dat echt waar, belooft u dat?' vraagt ze. 'Want jullie hebben mijn vader en broertje opgesloten terwijl ze onschuldig zijn.'

Ja, dat zal wel. Dat is iedereen hier in deze godvergeten zandbak, volgens jullie dan. Maar hardop zeg ik alleen: 'Natuurlijk is dat waar. Nou, zeg dat maar van die lijst en zorg dat die lui vertrekken. Want deze situatie begint voor ons allemaal gevaarlijk te worden. Ook voor jou.'

Ze blijft nog heel even kijken, draait zich dan om naar de meute en roept iets in het Arabisch. Maar in plaats van dat de mensen weggaan, raken ze alleen maar nog meer opgewonden, ze praten en schreeuwen allemaal door elkaar. Kut. Ik kijk achterom naar mijn sectie. Sergeant-majoor Kormick en Boner zitten in het hok, waar ze niets kunnen zien. Rickman staat daar ook als een cactus in het zand, hij droomt zeker over de eerste keer dat hij bij een meisje mocht voelen of zo, het is nog zo'n jonkie. Jimmy Donnell zit daarboven met zijn M-60 in zijn wachttoren. En DJ staat op de weg, auto's te doorzoeken. Er is goddomme niemand bij me in de buurt, er let niemand op, en dat is tegen de regels. Kut in het kwadraat.

Het meisje wendt zich weer tot mij. 'Ze zeggen dat ze zullen gaan, maar pas als ze weten wanneer u die lijst van onze mannen hebt.'

'Binnenkort. En zeg nou maar dat ze moeten oprotten!' Ik breng mijn wapen omhoog, met de loop naar boven.

Haar ogen gaan kil over mijn gezicht. 'En wat doen jullie met de kinderen? Die jongens die jullie hebben gearresteerd? Mijn broertje, dat jullie hebben meegenomen, is nog maar dertien.'

'We stoppen de jongens veilig bij elkaar op een aparte afdeling. En nou wegwezen!'

'Bedoelt u dat hij niet bij mijn vader is?' Even kijkt ze ontzet, haar kille houding ineens verdwenen. Maar dan perst ze haar lippen weer samen tot een strenge lijn. 'Mijn broertje heet Zaki. Kijk,' gaat ze verder terwijl ze me net als die twee oudjes een foto geeft.

Het laatste waar ik zin in heb is een familiekiekje van een of andere Irakese griet bewonderen, maar ik doe het om haar te vriend te houden. Op de foto staat een mager ventje op een tapijt net zo dom in de camera te grijnzen als mijn vrienden op MySpace doen. Zijn zwarte pieken hangen in zijn ogen, die net zo goudgroen zijn als die van zijn zus, en hij heeft een langgerekt, hoekig gezicht dat vast knap zal zijn als hij volgroeid is, maar nu ziet het er heel raar uit, alsof het hoofd van een volwassene op een kinderlijf is geplakt. Naast hem, vooroverleunend in een stoel, met zijn hand op de schouder van de jongen, zit een gladgeschoren man van rond de vijftig met kort grijs haar, een dikke bril en hetzelfde langgerekte gezicht, maar met een heel droevige glimlach.

Het is altijd raar om foto's van mensen te zien voor er iets ergs met ze gebeurt. Als ze het nog niet in de gaten hebben. Als ze nog niets zien aankomen.

'Dat is mijn vader,' zegt het meisje. 'Hij is vierenvijftig. Hij heeft het aan zijn hart – hij heeft al twee hartaanvallen gehad. Daarom maak ik me zo'n zorgen om hem. Hij is niet gezond genoeg om hier met honderden andere mannen te zijn, hij heeft er de kracht niet voor. Mijn vader heeft onder Saddam in de gevangenis gezeten, hij is gemarteld! Mijn broertje is nog maar een kind! En jullie Amerikanen arresteren ze? U begrijpt er niets van!'

Dit gezeik hoef ik niet aan te horen, ik zou er niet eens naar moeten luisteren, maar ik kan maar beter beleefd blijven. 'Luister,' zeg ik. 'Ik vind het rot voor je, die hele situatie, maar er zitten hier duizenden gevangenen. Toch bedankt voor je hulp. Serieus.' Ik steek mijn hand uit. 'Ik ben Kate. Kate Brady. *As-salaam aleikum.*'

Van drie maanden Irak heb ik in elk geval opgestoken hoe je dat moet zeggen. Zo ongeveer.

Ze kijkt even naar mijn hand zonder hem aan te raken. 'Ik ben Naema Jassim. Hou de foto maar. Dan herkent u ze makkelijker.' Ze is even stil en kijkt me geconcentreerd aan, alsof ze in mijn hoofd probeert te kijken. 'Miss Brady... Kate, ik heb een voorstel. Als jij belooft om mijn broertje en mijn vader te zoeken, kom ik elke ochtend terug om voor je te tolken, goed? Deze mensen hier zijn kwaad. Ik denk dat je mij nodig hebt om ze een beetje in toom te houden.' Ze buigt voorover en wijst naar de foto. 'Hier, mijn vader heet Halim Mohanammad al-Jubur. En mijn broertje, dat op de grond zit, heet Zaki Jassim. Wil je alsjeblieft naar ze uitkijken?'

Zulke maffe Arabische namen onthou ik natuurlijk nooit. Het ene oor in, het andere uit. 'Zeg dat nog eens?'

'Ik kan het wel opschrijven, als je wilt.'

'Goed dan, maar wel vlug.' Ik haal een pen uit mijn *operations vest* en ze krabbelt de namen achter op de foto.

'Kijk jij naar ze uit als ik voor je tolk?' vraagt ze weer.

'Oké, goed, ik zal mijn best doen.' Ik stop de foto en de pen in een van mijn zakken. Ik ga haar niet vertellen dat ik de gevangenen nooit zie, alleen maar als ze achter in de vrachtwagens worden binnengebracht, en dan zijn ze allemaal geboeid, met kappen op, dus ik zie altijd alleen maar lijven met een zak erop. Maar dat ga ik haar niet vertellen, want ze heeft gelijk. Ik heb haar inderdaad nodig.

Op dat moment wringt een vrouw zich tussen ons in en duwt me een baby in de armen. Het kind ziet grauw en is slap en graatmager. Ik denk dat het een meisje is, maar ik kan het niet goed zien. De armen en het gezicht zitten vol etterende zweren. Walgend deins ik achteruit, maar ze blijft dat weerzinwekkende ding maar tegen me aan duwen – zoiets doen die lui nou nooit bij de mannelijke soldaten. Omdat ik bang ben dat het kind op de grond valt als ik het niet aanneem, pak ik het beet en hou het zo ver mogelijk bij me vandaan. Het stinkt. Een misselijkmakende, weeïge stank, als een dooie rat die een hele tijd opgesloten heeft gezeten in een kelder.

Ik kijk er even naar. De baby beweegt niet eens. Ze hangt daar maar in d'r jurkje over mijn armen, slap als een vod, terwijl haar moeder me wanhopig aankijkt. Ik weet wat ze wil. Ze wil een dokter en medicijnen. Ze wil dat ik met haar dochter naar een ziekenhuis ga. Maar we hebben helemaal geen dokter. We hebben geen medicijnen. En we hebben verdomme al helemaal geen ziekenhuis.

Ik duw de baby weer in haar armen en probeer haar duidelijk te maken dat ik niets voor haar kan doen. 'Ga naar huis!' zeg ik telkens tegen haar. 'Ga nou!' Ze verroert zich niet. Ik kijk om me heen of ik Naema zie, in de hoop dat ze me uit de brand kan helpen, zoals ze had beloofd. Maar ze is weg.

Als ik de moeder eindelijk zo ver heb gekregen dat ze met haar baby vertrekt, en met haar ook alle andere burgers, is het elf uur 's ochtends en brandt de zon een gat in de lucht. Toen mijn eenheid aankwam, in maart, was het nog niet zo smoorheet – sterker nog, we vroren 's nachts half dood. Maar nu is het juni, en de laatste keer dat ik een wolk zag, was ik zo verbaasd dat ik er een foto van maakte. Het moet hierbuiten vandaag vijfenvijftig graden zijn, zonder overdrijven. Stel je voor, je zet de oven zo hoog om een pizza op te warmen, klimt erin en doet het deurtje dicht en op slot, zodat je er nooit meer uit kunt. Zo voelt het hier.

Ik drink mijn fles water leeg – pistemperatuur, de smaak van plastic – maar dat is niet genoeg. Mijn hoofd voelt al alsof er iemand met een breinaald in zit te prikken, vanbinnen lijkt mijn mond wel een stofzuigerzak en ik heb nog negen uur dienst voor de boeg. Ik moet meer water hebben, wat betekent dat ik naar het hok moet, waar we de flessen in een koeler bewaren. Maar sergeant-majoor Kormick zit nog in het hok, en hoewel het hem geen ruk uitmaakt of Rickman zijn werk goed doet, houdt hij er voor mij andere regels op na. Als hij ziet dat ik van mijn post af ben, krijg ik het voorlopig nog van hem te horen.

Ik haal een tube handgel uit mijn vestzak en smeer mijn handen ermee in, in de hoop dat ik zo de pus van die trieste baby van me af krijg. Ik gebruik dat spul zo vaak dat mijn handen aan de binnenkant vervellen, alsof ze zijn verbrand in de zon, maar het lijkt niet echt te helpen. Sinds ik in deze zandbak ben aangekomen, ben ik ruim vijf kilo afgevallen en word ik niet meer ongesteld. Mijn vingernagels zien er ook niet meer uit, helemaal zacht en week. Ze laten steeds los van mijn nagelbed en vallen af als oude korsten. En mijn haar valt met plukken tegelijk uit. Maar goed, we zijn allemaal wel op de een of andere manier ziek. We zitten altijd te geinen dat je het eerste halfjaar van je diensttijd je ingewanden uitschijt, ze het tweede halfjaar uitkotst, en als je dan naar huis gaat, kots en schijt je tot je weer wordt uitgezonden. Sommigen zeggen dat het zandvlooienkoorts is, anderen dat het door vervuild water komt. Wij noemen het de Buccabeesten.

Daar zitten we trouwens: Camp Bucca, de grootste Amerikaanse gevangenis in Irak. Die ligt helemaal in het zuiden, bij de grens met Koeweit, in het armste, leegste stuk van de woestijn. Adres: Verweggistan. Het is zo arm en leeg dat er, toen we vanuit Koeweit hiernaartoe op weg waren, telkens kinderen op blote voeten op ons konvooi kwamen afrennen. Ze hielden hun handen als een kom bij hun mond om om water of eten te bedelen, en ze sprongen zelfs op onze trucks tot we ze ervanaf moesten duwen, zo op de weg. Sommigen van die kinderen waren niet ouder dan twee, met van die grote zwarte ogen in hun smalle gezichtjes. Graatmager en haveloos, maar schattig als zigeunerkindjes. Maar toen we ze water wilden geven, zei de commandant van het konvooi dat dat niet mocht omdat die peuters misschien wel een bom bij zich hadden.

Als ik zelf geen water krijg, val ik nog flauw, wat Kormick ook zegt, dus ik haal diep adem en loop naar het hok, klaar voor nog meer gezeik.

'Hé, Tieten!' roept Boner nog voor ik in de buurt kom. Met een zucht loop ik naar de deur van het hok, waar hij nu op wacht staat. Hij blokkeert de doorgang met zijn wapen, grijnzend als de droplul die hij is. Boner wordt zo genoemd omdat het stijve betekent, maar ook omdat hij klein en gedrongen is, met een bobbelige kale kop, als een knie. Hij komt net van de middelbare school, maar gedraagt zich alsof zijn hersenen in groep vijf zijn blijven steken.

'Laat me er eens langs, kaalkop. Ik heb dorst. Verga van de dorst.'

Hij bekijkt me van top tot teen, en dan vooral mijn borsten. Daar hebben de jongens in mijn peloton het altijd over – dat ik dikke tieten heb – maar het is slap geouwehoer. Op de middelbare school deed ik aan hardlopen, korte en lange afstand, en hardlopers hebben geen dikke tieten. Ze zijn mager en zitten strak in hun vel, en zo ben ik ook gebouwd, alleen ben ik nu magerder dan ooit. Een kleine, broodmagere soldaat met oranje sproeten die als paddenstoelen omhoogschieten onder de woestijnzon.

'Laat eens voelen,' zegt Boner dan verlekkerd. Ik weet dat het niet serieus bedoeld is, hij moet het gewoon even proberen, puber die hij is. Maar ik heb geen zin in die geintjes van hem.

'Laat me erlangs, pielewapper. Ik ben uitgedroogd.'

Hij schudt zijn hoofd. 'Toe dan. Even een vluggertje?'

'Hoor eens, ik heb net een halfdooie baby vastgehouden. Laat me verdomme met rust.'

Boner staat daar maar te grijnzen en verspert me nog steeds de weg. Ik zie Kormick Skittles eten en een wijvenblad lezen in het hok. Het liefst zou ik al dit gedoe vermijden en weggaan, maar als ik niet snel water krijg, val ik nog flauw. Dat weet ik omdat het me al drie keer is overkomen. Dan beginnen mijn oren te suizen, ik val flauw en kom weer bij als een van de jongens een infuus in mijn arm prikt om me vocht toe te dienen. Waarna Kormick me weer aan mijn kop begint te zeuren dat ik een waardeloos zeikwijf ben.

'Sergeant?' roep ik. 'Zeg eens tegen Boner dat hij me langs moet laten. Ik val zowat flauw van de dorst.'

'Laat haar eens langs, Boner,' zegt hij verveeld. Hij kijkt niet eens op.

In het hok pak ik een paar flesjes en drink ter plekke een flinke sloot water.

'Oké, terug naar je plek,' zegt Kormick dan. Hij kijkt naar me op. 'En Tieten? Kom niet meer van je post.'

'Nee, sergeant.'

'Goed zo, lieverd. Je ziet er weer prima uit, lekker schoon en fris. Ga hier maar even zitten, dan ga ik die knul van je even halen.'

De soldaat laat zich op de rand van het bed vallen en staart naar haar handen, die bevend in haar schoot liggen. Bleek en opgezwollen. Onderwaterhanden.

Welke knul?

Ergens in een hoek piept iets. Het plafondlicht schijnt fel. Overal wit: het hoge bed. De luxaflex. De muren en de vloer en het plafond. Haar opgezette voeten. Bevende handen.

Een gigantische klok op de tv tikt één seconde. Twee.

'Katie?' Een lange man komt de kamer binnen.

De soldaat krimpt ineen.

'Niet schrikken. Ik ben het.' De stem van de man klinkt onvast.

De soldaat krabbelt naar de andere kant van het bed, komt overeind en drukt zich tegen de muur. Pas dan bekijkt ze hem echt. De man is jong en bleek en heeft lang haar.

'Je weet niet wie ik ben, hè?' zegt hij.

Het lijkt net of de man huilt.

NAEMA

De plunderingen maakten dat mijn familie uiteindelijk Bagdad ontvluchtte. We waren gebleven tijdens de bombardementen in maart, we hadden de explosies doorstaan die de ramen versplinterden en de aarde openspleten, die lijken deden rotten op straat en de lucht vergiftigden met de stank van schroeiend vlees. Na elke aanval klommen papa, mama, Zaki en ik met een zakdoek voor onze mond het dak op om de schade te bekijken. Het huis aan de overkant, waar we altijd vijf kleine zusjes zagen spelen, bestond nu alleen nog maar uit puin en bakstenen; al die kinderen waren dood. Het café waar ik op weg naar de universiteit thee haalde, was veranderd in een berg kapotte stenen en verwrongen metaal. De oeroude gebouwen, de moskeeën en markten, de chique boulevards met wuivende palmen van Bagdad – we zagen ze allemaal verpulverd worden tot puin en bloed. Toch konden we ons geliefde Bagdad net zomin in de steek laten als wanneer het onze stervende moeder was geweest.

Eind mei echter zagen de straten zwart van de dieven en misdadigers en wanhopige, woedende armen uit Sadr City, door de oorlog bevrijd als wespen uit een stukgescheurd nest – en dat konden we niet verdragen.

Aanvankelijk dachten we dat de Amerikanen er een eind aan zouden maken. Zij hadden tenslotte hun tanks en wapens, hun soldaten, en wij hadden niets omdat ze ons leger en onze politie hadden ontmanteld. Maar nee. Ze lagen al rokend en fotograferend op hun tanks te luieren in de zon, terwijl plunderaars onze winkels, onze huizen, onze musea leegroofden. Zaki kon niet terug naar school omdat we bang waren dat hij zou worden ontvoerd of vermoord door criminelen die Jan en alleman oppakten om losgeld binnen te halen. (Dat arme zoontje van de buren, een jochie van twaalf, was om zijn cd-speler doodgeschoten op straat.) Ik kon om dezelfde reden en uit angst te worden verkracht niet naar college op de Medische Faculteit van Bagdad. Er werden veel meisjes en vrouwen verkracht.

'We kunnen hier niet meer blijven,' zei papa op een ochtend na het karige ontbijt dat we bij elkaar hadden weten te scharrelen, zijn smalle gezicht grauw en bedrukt. 'Jullie moeder en ik hebben besloten naar het huis van jullie grootmoeder te gaan. Umm Qasr is vreselijk gebombardeerd, maar de Amerikanen zijn daar nu weg en het is er rustiger dan hier. Jullie mogen elk maar één tas meenemen. We vertrekken morgenochtend bij zonsopkomst.'

'Morgen?' Met paniek in zijn ogen sprong Zaki op van tafel. 'Maar ik heb helemaal geen afscheid genomen van Malik, of van de anderen! Kunnen we niet nog een paar dagen wachten?'

'Nee, kleintje, het is te gevaarlijk.' Papa stond op en sloeg zijn armen om Zaki heen; hij klopte hem op zijn rug en boog voorover om hem een kus op zijn hoofd te geven. 'Gisteren heb ik de hele dag staan wachten op benzine om te kunnen vertrekken,' voegde hij er zacht aan toe. 'We hebben geen tijd te verliezen. Ga nu maar inpakken, kinderen, en maak het alsjeblieft niet moeilijker dan het al is.'

Maar ik kon de schaamte in papa's stem horen. Ik wist dat hij het laf vond om Bagdad te ontvluchten, zelfs toen; dat hij het gevoel had dat hij zijn stad in de steek liet terwijl ze hem juist zo hard nodig had.

Ze zeggen soms dat het zo moeilijk is om een keus te maken uit al je spullen als je op deze manier je huis moet ontvluchten; dat is al eeuwenlang het verhaal van vluchtelingen. Maar ik vond het niet moeilijk. Het enige wat ik nodig had, waren een paar kleren en mijn medische boeken om te kunnen blijven studeren. Foto's, snuisterijen, kinderspullen van vroeger – wat deden die er nu nog toe? Als ik herinneringen wilde, dan had ik ze in mijn hoofd. Ik had zonder iets in de auto kunnen springen, zo graag wilde ik ontsnappen aan het beeld van mijn stad die werd verwoest en geplunderd.

Nee, wat mij zwaar viel was om mijn vrienden te moeten achterlaten, en vooral mijn verloofde, Khalil. Ik belde hem op zodra papa ons had verteld dat we onze spullen moesten pakken, en hij kwam meteen naar me toe. Ontzet klampten we ons aan elkaar vast. 'Ik zal de minuten aftellen tot we weer bij elkaar kunnen zijn,' zei hij gejaagd terwijl hij me stevig tegen zich aan hield. 'En zodra de oorlog voorbij is en we *insjallah* weer samen zijn, vieren we onze nieuwe vrijheid, ons nieuwe Irak, goed, mijn lief?'

'Ja, zo Allah wil, ja,' antwoordde ik huilend. Maar toen papa zacht tegen Khalil zei dat hij moest gaan, kon ik het niet verdragen hem te zien weglopen. Ik moest me afwenden en snel naar een andere kamer gaan, want ik was bang. Ik voelde al aan dat zelfs de krachtigste liefde en de meest serieuze belofte kunnen worden vernietigd door een oorlog.

Mama had het er vooral moeilijk mee dat ze haar huis moest achterlaten. Ze was opgegroeid in een eenvoudig boerendorp, geheel volgens de oude boerengewoonten, dus voor haar waren ons huis in Bagdad en onze bezittingen een bewijs van wat ze allemaal had bereikt, en ze kon de gedachte niet verdragen er ook maar iets van te moeten achterlaten. De hele avond brak ze zich het hoofd over welk theeservies ze moest meenemen, welke sjaals, welke schalen en jurken en foto's en brieven, tot ik gek werd van ongeduld.

Ook Zaki was helemaal van de kaart. Jarenlang had hij als een bezetene souvenirs van zijn favoriete muzikanten verzameld, en nog meer jaren illegale bandjes en cd's, die hij liefdevol in categorieën in zijn kast had gezet, alsof hij een nest bouwde om bescherming te zoeken tegen de wereld. Hij moest onbedaarlijk huilen toen papa zei dat hij dat alles moest achterlaten, net zoals hij had gehuild omdat hij werd gescheiden van zijn vrienden. Zijn enige troost was dat toen hij in de deuropening verscheen, met zijn gitaar net zo wanhopig tegen zijn borst geklemd als hij zich vroeger aan zijn babydekentje had vastgeklampt, zelfs papa het hart niet had hem te dwingen zijn gitaar achter te laten.

De volgende morgen bij zonsopkomst stapten we in onze oude rode auto om te vertrekken. Mama huilde openlijk, papa keek strak voor zich uit, zijn bril nu al groezelig van het stof en het zweet. Zaki zat in elkaar gedoken bij mij op de achterbank met zijn gitaar stevig vastgeklemd. 'Niet omkijken, Zaynab,' zei papa tegen mijn moeder. 'Dan doet het alleen maar nog meer pijn. En zo Allah wil zullen we weer terugkomen als dit voorbij is.'

We wisten dat we daar niet van uit moesten gaan, maar die hoop hadden we nodig.

Het werd een lange, warme, tergend trage rit. Op elke straathoek was een verkeersopstopping en stonden er soldaten met woedende, zonverbrande gezichten te schreeuwen en onbegrijpelijke gebaren te maken. Checkpoints, wegblokkades of tanks versperden elke weg die we in moesten, zo leek het althans. Mensen renden alle kanten op, hun mond opengesperd in paniek. Plunderaars marcheerden als mierenlegers langs de wegen, met hun gestolen buit in de armen of achter zich aan slepend: rode pluchen stoelen uit theaters, restauranttafels, dossierkasten, vazen en televisies en standbeelden. Ik vroeg me af wat ze toch aan al die spullen hadden. Waarom we onze eigen stad leegroofden.

De vele wegblokkades dwongen ons telkens weer de verkeerde kant op, en één keer liet een soldaat ons recht op een markt af rijden.

Net toen we daar waren, kwam er een brullende militaire truck aangereden, en de artillerist erbovenop richtte zijn moordwapen op de vrouwen die hun aubergines en meloenen stonden te verkopen. De soldaten schreeuwden en zwaaiden met hun armen, maar we snapten niet wat ze wilden. Stoppen? Keren? Linksaf, rechtsaf? Waarom gaven ze niet duidelijk aan wat ze wilden? De auto voor ons probeerde te keren en uit de weg te gaan, maar blijkbaar raakte de bestuurder in paniek en trapte hij op het gaspedaal in plaats van op de rem; zijn auto schoot keihard op een marktkraam af, waarbij hij twee kinderen en hun moeder omverreed. Toen begonnen de soldaten te schieten – waarom? Schreeuwende, rennende mensen, kanonexplosies, groente doordrenkt met bloed. Vijf doden, onder wie een moeder en haar baby, het roze jurkje van het kind onder het bloed, haar arm een rafelige stomp. Zaki stak zijn hoofd uit het raam en braakte.

Papa's gezicht verstrakte – ik zag het in de binnenspiegel. Langzaam reed hij achteruit, keerde en zigzagde de auto als een naald om de marktkraampjes heen naar de andere kant. Hij reed niemand omver en liet zo zien dat het wel mogelijk was.

We deden er vier uur over om Bagdad uit te komen. Mama hervond eindelijk haar kracht en hield op met huilen. Ze leunde voorover, met haar smalle rug gestrekt om door de stoffige voorruit te kunnen kijken, alert op het minste of geringste gevaar. Papa reed door zonder een woord te zeggen, zijn kaken op elkaar, zijn handen stevig om het stuur geklemd, zijn tengere schouders gebogen van de spanning. Zaki kroop bevend weg in mijn armen, de kleine man die hij zo graag wilde zijn geveld door angst.

Ik zat vastberaden rechtop. Op dat moment wist ik dat het mijn kracht moest zijn die ons erdoorheen zou slepen. Zaki was te jong, mijn vader te zwak en mijn moeder te kapot van het verlies. Het was nu aan mij, en mij alleen, om te zorgen dat mijn familie dit zou overleven.

KATE

Als ik met mijn moeizaam verkregen water weer terug ben op het checkpoint, installeer ik me voor de rest van mijn werkdag. Het zou helpen als ik de lange, saaie uren kon doden met iets van een gesprek, maar noch DJ, noch Rickman, die eindelijk op zijn post staat, lijkt zin te hebben om te praten. Maar dat hebben ze nooit. Of ze domweg te moe zijn of dat ze het niet leuk vinden om met een vrouw te werken, ik weet het niet, maar meestal doen ze alsof ik onzichtbaar ben.

DJ, die eigenlijk Derek Johnson heet, is de leider van onze ploeg, die bestaat uit Rickman, hijzelf en ik. DJ is een knappe, zwarte vent uit Brooklyn die op zijn drieëntwintigste al getrouwd en vader is, en als Rickman of Kormick niet in de buurt is, is hij best te pruimen. Maar de enige in mijn sectie die echt met me praat is Jimmy Donnell - als hij tenminste niet onbereikbaar in zijn wachttoren zit. Jimmy is niet ver bij mij vandaan opgegroeid, in Slingerlands, een buitenwijk van Albany, en hij ziet eruit als zoveel Ieren uit mijn geboorteplaats: lang en slungelig, met zwart haar, hoge jukbeenderen en felblauwe ogen achter zijn gevechtsbril. (Daarom wordt hij ook Frik genoemd.) Hij vertelde me dat hij samen met zijn twee jongere broertjes bij zijn moeder woont, die psychische problemen heeft. Hij zegt altijd dat hij die kereltjes zo mist, en ik zeg altijd dat ik Tyler zo mis.

Mijn ploeg gaat als volgt te werk: als er een voertuig langs de basis komt, houdt DJ het aan en laat hij alle inzittenden uitstappen. Meestal is het een gedeukte oude rammelkast volgestouwd met een familie die de oorlog probeert te ontvluchten, maar toch fouilleren we ze met twee man, terwijl de derde de auto vanbinnen doorzoekt en aan de onderkant met een spiegel op een stok. Tot nog toe hebben we geen bommen of granaten gevonden, maar wel heel wat AK-47's, wat nogal verwarrend is omdat we totaal niet weten of we te maken hebben met een gezin dat een wapen heeft om zichzelf te beschermen, of met een stel Amerika-hatende opstandelingen. We hebben ook verstopte juwelen en dinars gevonden, de munteenheid van Irak die inmiddels niet meer waard is dan pleepapier. Soms nemen we het in, soms ook niet. Dan arresteren we de mannen of we laten ze gaan, afhankelijk van hoe ze zich opstellen en van ons humeur.

De reden waarom ik deze functie heb gekregen is omdat alleen een vrouw Irakese vrouwen mag fouilleren en ik de enige vrouw in mijn sectie ben. Ik ben trouwens zowat de enige vrouw in het hele kutpeloton. Behalve mij zijn er nog Yvette Sanchez en Drieoog. Wij drieën plus negenendertig bronstige, ballenkrabbende mannen.

Deze ochtend fouilleer ik twee vrouwen. De eerste is een tiener in een wijde broek en een lang shirt die giechelt als ik haar betast. Maar de tweede is een moeder van middelbare leeftijd in traditionele kledij met drie kinderen op de achterbank, en ze is doodsbang. Ik probeer te glimlachen en me aardig op te stellen, gebaar dat ik haar lichaam niet ga beetpakken of iets onbetamelijks ga doen, dat ik alleen maar de rug van mijn handen gebruik, maar ik geloof niet dat ze er echt blij mee is. Ze zal tenslotte toch haar benen moeten spreiden, haar armen moeten strekken en zich door haar gewaad heen helemaal door mij moeten laten betasten. En dan moet ze ook nog eens slikken dat ik een soldaat ben, en het woord 'aardig' is niet van toepassing op soldaten. Voor hetzelfde geld loopt ze zo bij die aardige soldaat vandaan en wordt ze even later neergeknald door iemand die er precies zo uitziet als ik. Ik ben trouwens ook al behoorlijk opgefokt, want hoe weet ik nou of een van die bange of giechelende dames niet een maniak is die gehakt van ons gaat maken? Die lui zijn tot alles in staat, dat is ons tenminste verteld: ze gebruiken baby's als schild, smokkelen wapens onder positiejurken. En wat nog erger is: aan de buitenkant kunnen we niet zien of het onschuldige burgers zijn of dat het foute boel is.

Na die twee vrouwen gebeurt er echter urenlang niets. Er kruipt een vlieg over mijn arm. Een andere probeert in mijn oor te kruipen. De zon sukkelt langs de hemel. Dan komt er eindelijk een oud busje aanrijden. Er zitten twee mannen in die eruitzien als vader en zoon, de oudste met de gebruikelijke imbecielensnor, de jongste een jaar of zestien. We laten ze uitstappen, en ze doen zo zenuwachtig dat we meteen argwaan krijgen. We kunnen dan misschien niet praten met die lui, maar we zijn er heel goed in geworden om hun lichaamstaal te lezen en hun angst te ruiken. DJ en Rickman trekken ze bij het busje vandaan, zorgen dat ze hun armen uitsteken en fouilleren ze, terwijl ik binnenin rondneus en hoop dat er geen boobytrap in zit. Achterin vind ik een blik benzine en een paar lappen vol olie, die misschien gebruikt worden om de auto schoon te maken, maar voor hetzelfde geld om brand mee te stichten. Dan til ik de passagiersstoel op. Vier kalasjnikovs.

'DJ!' roep ik, terwijl ik er een als trofee omhooghou. 'D'r liggen hier vier van die krengen!'

'Krijg nou wat,' zegt hij, en in een oogwenk duwen Rickman en hij de twee mannen tegen het busje en boeien ze. De jongen begint te huilen. Er verschijnt een natte plek in zijn broek. Ineens vraag ik me af of Naema's broertje ook in zijn broek heeft gepist toen hij werd gearresteerd. Hij is tenslotte nog maar dertien, als ik tenminste iets mag geloven van wat die griet zegt.

'Tering,' mompelt DJ walgend. Met zijn M-16 in hun rug duwt

hij de mannen voor zich uit naar het hok zodat ze kunnen worden afgevoerd naar de gevangenis, en hij laat Rickman bij mij achter.

Maar na dat verzetje kruipt de rest van de dag tergend langzaam voorbij. De woestijnzon brandt het zand weg en roostert me van alle kanten alsof ik een pinda ben. De lucht is hard en blauw, een plastic deksel dat de woestijn hermetisch afsluit. Vliegen zoemen om mijn ogen en uitgedroogde lippen. Die breinaalden prikken nog steeds in mijn hoofd, wat alleen maar erger wordt doordat mijn helm zo zwaar is. Mijn mond is droog van een woestijndorst waar geen hoeveelheid water tegenop kan. Kramp in mijn buik van de Buccabeesten. Jeuk langs mijn ruggengraat, benen en kruis van de zweetuitslag, stof, zandvlooien en pure verveling die je ziel doet verschrompelen. En DJ en Rickman zeggen nog steeds geen woord.

Zo rond een uur of vier heb ik zoveel water gedronken dat mijn blaas op knappen staat. Zo gaat het hier altijd: je moet voortdu-rend vocht aanvullen vanwege de hitte (in het leger drinken we niet, we vullen vocht aan), maar dat betekent dat je ook continu moet pissen. Ik probeer die kutblaas zolang mogelijk te negeren, maar ik weet dat ik weer blaasontsteking krijg als ik niet uitkijk. Ik heb het al twee keer gehad omdat ik niet naar een van de vier stin-kende dixi's wilde, het enige wat mijn eenheid heeft bij wijze van wc's. Je hebt hier ook nergens struiken of bomen om achter neer te hurken, afgezien van Marvin, en Marvin is niet veel dikker dan mijn been. Hij staat trouwens achter de afrastering, en misschien liggen er wel allemaal AP'tjes omheen, antipersoneelsmijnen die zijn blijven liggen van de vorige oorlog. Maar zo'n blaasontsteking is klote. Je hebt het gevoel dat je zo nodig moet dat je nergens an-ders meer aan kunt denken, maar als je probeert te pissen komt er niks uit, of het brandt als azijn. Als de ontsteking te lang aanhoudt, krijg je koorts en pis je bloed.

Dus loop ik naar DJ en vraag toestemming om te gaan. 'Ja hoor,' zegt hij. 'Neem de tijd. D'r is hier toch niks te doen in dit rotgat.'

Ditmaal loop ik met een wijde boog om Kormick en Boner heen en glip achter het hok, snij met mijn mes een van mijn waterflessen open, rits mijn broek los en hou de fles tussen mijn dijen. Het wordt een knoeiboel, maar het is beter dan neerhurken en mijn kont laten zien. Als ik klaar ben, gooi ik de pisfles op de grond en schop er wat zand overheen. Zo doen wij vrouwen dat in de woestijn.

Terug op het checkpoint zie ik dat DJ en Rickman net zo afgepeigerd zijn als ik. Onze gezichten zijn kurkdroog en verschrompeld door de wind en de zon en we zitten onder het maanstof, het witte poeder dat boven op het woestijnzand ligt en opdwarrelt bij elke stap die je zet en dat in je longen, neusgaten en oren gaat zitten en schuurt op allerlei plekken waar het niets te zoeken heeft. Het zweet loopt in mijn ogen en over mijn borst en rug. Mijn ondergoed is helemaal doorweekt en mijn uniform voelt als een slaapzak die in warm water is gedompeld. Waarom we geen enkele vorm van beschutting krijgen, zal ik nooit begrijpen. Jimmy Donnell heeft tenminste nog een miezerig dak boven zijn hoofd in zijn multiplex toren. Maar hier op de grond hebben we helemaal niets.

Ik wou dat er een andere vrouw op het checkpoint stond. Ik wou dat Tyler bij me was. Ik wou dat ik iemand had om mee te praten, maakt niet uit wie.

Ik vraag me af of Tyler het zou begrijpen als ik hem probeerde uit te leggen hoe het hier is. Ik denk het niet. Hij zou waarschijnlijk alleen maar zeggen dat ik er zelf om heb gevraagd door in dienst te gaan, want daar is hij nooit een voorstander van geweest. We hadden er vaak ruzie over. Hij zei dat ik in het leger dat lieve zou kwijtraken waar hij zo dol op was, dat deel van mij dat nog teer was als een kind, maar hij heeft nooit begrepen dat ik dat nou juist wilde. Ik was het zat om zo'n meisje te zijn dat door iedereen over de bol wordt geaaid, de goeierd die zich opgeeft als vrijwilliger voor fancy fairs en kerkbazaars – zo'n meisje naar wie iedereen glimlacht, maar niemand luistert. Dus toen ik de rekruteerder van het leger op school hoorde praten over hoe eervol het is om je land te dienen, klonk me dat als muziek in de oren. Zoiets wilde ik, iets waardoor ik eindelijk zou worden opgemerkt. Maar goed, mijn halve school gaf zich op – de helft die het meeste respect kreeg.

Ik kon niet wachten om het aan papa te vertellen, die dag dat ik mijn besluit had genomen. Hij was altijd trots als ik jongensdingen deed: lid worden van de hardloopploeg, hordelopen, dat soort dingen. Dus zodra ik die dag uit de schoolbus kwam, stormde ik naar binnen en riep: 'Pap, waar ben je?'

'Ssst,' siste mijn mollige moeder terwijl ze het portaaltje binnen kwam schommelen, waar ik mijn laarzen stond uit te schoppen. 'Niet zo schreeuwen. Je vader is net thuis.'

Als mijn vader thuiskomt van zijn werk heeft hij een ritueel waar we ons allemaal aan moeten houden voor we iets tegen hem mogen zeggen. Zelfs mama. Eerst doet hij zijn holster en pistool af en bergt ze op in het dressoir in de eetkamer. 'Een huis is niet voor wapens,' zegt hij altijd. 'Een huis is voor rust en gebed.' Dan gaat hij staan, lang en rijzig in zijn grijze uniform, met zijn rechte rug en zilvergrijze haren, slaat een kruis en zegt het dankgebed voor het eten, en mama, mijn zusje April en ikzelf herhalen ieder woord: 'Heer, zegen ons en deze gaven die wij van Uw mildheid mogen ontvangen, door Christus, onze Heer. Amen.'

Deze routine volgen we al zolang ik me kan herinneren, maar het heeft me nooit weerhouden van een zekere fascinatie voor dat pistool, wat papa ook zegt. Als klein meisje wilde ik het al stiekem uit het dressoir halen en vasthouden. De kracht, het gewicht ervan voelen. Het respect dat het hem opleverde.

Zodra we klaar zijn met het dankgebed en allemaal gaan zitten om te eten, mogen we praten, zolang we maar eerst onze hand opsteken. 'Papa?' vroeg ik toen ik aan de beurt was. 'Weet je nog dat ik die geschiktheidstest voor het leger heb gedaan?'

Hij knikte. 'Heb je de uitslag?'

'Ja! De rekruteerder zei dat ik het heel goed had gedaan. Hij zei dat ik volgens de test geknipt ben voor de militaire politie. Ik wil het gaan doen, pap. En als...'

'Rustig aan, schat.' Hij wendde zich tot mijn moeder, die aan het andere eind van de tafel zat, haar ronde gezicht glanzend en roze door een overmaat aan make-up. 'Wat vind jij, Sally?'

'Wordt Katie politieagent?' flapte April er uit; haar blonde hoofdje kwam maar nauwelijks boven de tafel uit. April was toen pas vier.

'Niet voor je beurt praten, schatje,' zei mama. 'Maar nee, je zus wil soldaat worden.' Mama keek me fronsend aan. 'Heb je gebeden om advies, Kate? Heb je de Heer hierover geraadpleegd? Weet je zeker dat dit de weg is die Hij voor jou gekozen heeft?'

'Ja, mam. Ik heb heel veel gebeden. Ik weet dat dit goed voor me is.'

'Niets overhaasten, Katie,' zei papa toen. 'Het is een grote stap. Maar als je ervoor kiest, lijkt het me een goed idee. In het leger zul je volwassen worden.' Dat was in maart 2000, lang voor 9/11, dus we dachten geen van allen aan oorlog.

'Dus het mag?'

'Als je er heel goed over hebt nagedacht en je staat er nog steeds achter, dan wel. Maar ik geef alleen toestemming als je bij de reservisten gaat. Eerst moet je een opleiding afmaken.'

'Ik ben zo trots dat je je land wilt dienen, lieverd!' jubelde mama. 'Dat is een teken dat je een goed christen bent.'

Maar Tyler zag het anders. 'Ik heb er respect voor dat je iets nobels wilt doen, maar het leger is niet de juiste plek,' zei hij telkens. 'Zeker niet voor een meisje.' Hij zong oude folksongs voor me over gewonde soldaten en liefde die voor altijd verloren ging, Bob Dylanliedjes over hoe slecht de oorlog is. En hij liet me kijken naar al die enge films over Vietnam: *Platoon* en *Apocalypse Now* en *Full Metal Jacket*. Hij zei zelfs dat het verkeerd was van mijn ouders om mijn beslissing om in dienst te gaan te steunen, alleen gebruikte hij niet het woord 'verkeerd'. Hij noemde het 'ondoordacht'.

'Maar het is nu anders,' zei ik tegen hem. 'De rekruteerder zei dat ik de hele wereld over zal reizen om de vrede te bewaren. Hij zei dat ik dingen zal doen waar ik de rest van mijn leven trots op kan zijn.'

Tyler keek me even aan met een moedeloze, verdrietige blik in zijn kaneelbruine ogen. 'Trouw dan met me voordat je gaat.'

'Doe even serieus! We zijn pas zeventien. We zijn nog niet eens van school af.'

'Ik bén serieus.'

'Luister, ik ga heus wel met je trouwen. Maar eerst moeten we ons nog ontwikkelen.'

Dus ik ging bij de reservisten, schreef me in bij katholieke universiteiten – naar andere mocht ik niet van mijn ouders – en ging naar de zomertraining van het leger, waarvan ik gespierd terugkwam, klaar om te vechten. Wat vond ik mezelf stoer! Negen weken lang had ik kilometers gemarcheerd met zware bepakking op mijn rug en onderwijl liedjes gezongen over bloed en bommen, geleerd om man tegen man te vechten, een bajonet in een zak in de vorm van een mens gestoten en geschreeuwd: 'Dood!' en: 'Ja sergeant!' en 'Hoeah'. Ik weet nog dat we altijd een couplet scandeerden tijdens het marcheren:

Waardoor groeit het groene gras?
Bloed, bloed, helrood bloed.
Waardoor bloeien mooie bloemen?
Darmen vol met drek.

En ik vond het nog leuk ook. Ik vond het leuk om me zo sterk en capabel te voelen. Ik vond het leuk om mezelf te bewijzen. Wat dit alles te maken had met de vrede bewaren was me niet meer helemaal duidelijk, maar ik nam aan dat die duidelijkheid wel zou komen. Eén ding stond vast: ik was niet meer zo'n meisje dat je over de bol aait.

In september 2001 begon ik op Saint Catherine's College, vlak boven Albany, in dezelfde week dat die gestoorde klootzakken het World Trade Center en het Pentagon aanvielen. Als ik zou worden opgeroepen om iets aan die klootzakken te doen, dan was ik er klaar voor! Maar er gebeurde niets. De oorlog in Afghanistan begon. Ik rondde mijn eerste jaar af. Ik was veel bij Tyler, luisterde als hij gitaar speelde en voelde me nutteloos en buitenspel gezet. Mijn hele leven leek stil te staan.

Toen, in februari 2003, halverwege mijn tweede jaar, kreeg ik eindelijk de e-mail waarop ik had gewacht. Er stond in dat ik was gedetacheerd bij de 800ste Brigade van de Militaire Politie vanuit Uniondale, New York, en dat we over twee dagen werden uitgezonden. Totale chaos! Ik had maar achtenveertig uur de tijd om mijn opleiding stop te zetten, mijn spullen te pakken en afscheid van iedereen te nemen – mijn docenten, mijn vrienden, Tyler en mijn familie. Ik moest ook een testament opstellen en allerlei papieren ondertekenen over wat er moest gebeuren als ik om het leven zou komen, iets waar ik eerlijk gezegd niet echt bij stil had gestaan. Papa en mama hadden me tenslotte altijd geleerd dat het aan God is wanneer we sterven. En dan maakt het niet uit of je in een oorlog gaat vechten of thuis sokken gaat zitten breien.

De avond voor mijn vertrek nam mama me mee naar de kerk om te bidden om bescherming en om gezegend te worden door onze priester, pastoor Slattery. 'Moge de Heer over je waken, mijn kind,' zei hij met dat gekke Ierse accent van hem terwijl ik geknield voor hem zat en hij een kruisteken boven mijn hoofd maakte. Toen zei hij dat ik mezelf altijd met dezelfde nederigheid als de maagd Maria moest neerleggen bij de wil Gods. 'Een soldaat wordt gevraagd zijn leven te geven voor dat van anderen, net als Jezus,' ging hij verder. En nadat we het onzevader en een paar weesgegroetjes hadden gebeden, citeerde hij een vers uit de Psalmen dat hij had uitgezocht om me moed in te spreken: *De*

Heer richt de vernederden op en drukt de goddelozen neer.

Dat is wat ik ga doen, dacht ik trots. De vernederden oprichten, de goddelozen neerdrukken. Daar zijn soldaten voor.

Op de ochtend van mijn vertrek kwam Tyler met mijn ouders en April naar New Jersey om me uit te zwaaien op Fort Dix, samen met alle andere huilende vaders en moeders, geliefden en kinderen. Zelfs vanaf de vliegtuigtrap kon ik hem nog in de menigte zien staan, grote kerel die hij is. Rugbyschouders, sterke, rechte rug. Lang bruin haar dat wapperde in de wind. En daaronder zijn zachte gezicht vol liefde en verdriet.

Als ik hier bij het checkpoint sta, zie ik soms nog voor me hoe hij die dag keek. Alsof hij me in de gaten houdt. Alsof hij iets weet wat ik niet weet.

Als onze shift er eindelijk op zit, veertien lange uren sinds we vanmorgen zijn begonnen, rijdt Kormick ons terug naar onze tenten. Iedereen is in een rotstemming, doodmoe en vreselijk geïrriteerd, en vergaat van de jeuk. De enige zegen is dat Boner er niet bij is. Die zit in Jimmy Donnells ploeg, en zij vertrekken apart.

De rit terug naar onze tenten duurt twintig minuten, lang genoeg om even een dutje te doen, dus ik laat mijn hoofd tegen de koeler achter me zakken en doezel een beetje met mijn ogen halfopen, als een kat. Rickman zit opgevouwen naast me en voorin zit DJ naast Kormick, maar we zeggen allemaal geen woord. We zijn zelfs te uitgekakt om onze mond te bewegen, laat staan boven de wind en het gekraak van de Humvee uit te schreeuwen die door de steenwoestijn rammelt. Terwijl we doorhobbelen, stuitert mijn nek tegen de harde koeler en mijn knieën zitten bijna bij mijn oren door alle zooi die in de auto is gestouwd: wapens en water en munitie en verbanddozen en MRE's en gereedschap en wc-papier en natte doekjes en god weet wat. Ik heb overal pijn en bij elke hobbel voelt het alsof mijn hoofd eraf zal vallen. Maar ik ben gewoon te afgepeigerd om me erover op te winden.

'Jezus, wat een saaie dag,' schreeuwt Kormick ten slotte boven het lawaai uit.

'Ja, stomvervelend, dat checkpoint,' schreeuwt DJ terug. 'Totaal geen actie.'

'Ik heb wel actie gezien,' doet puistenkop Rickman zijn duit in het zakje, blij met de kans mee te kunnen praten met de grote jongens voorin. 'Brady's kont, open en bloot in de wind.'

'Heb jij Brady's kont gezien?' smaalt Kormick.

'Ja. Toen ze ging pissen. Zag er lekker roze uit.'

'Hé, Brady.' Alweer Kormick.

Ik reageer niet, hoewel ik Rickman graag zou vertellen dat hij een vuile leugenaar is. 'Ik zeg iets tegen je, Biggenkont,' zegt Kormick.

'Zo heet ik niet,' zeg ik behoedzaam. Waarom heeft hij vandaag zo de pik op me?

'Zo heet ik niet, *sergeant*,' snauwt hij.

Ook daar reageer ik niet op.

'Je wou zeker dat je een lul had, hè, Brady?' zegt Kormick dan. 'Een echte lul als een vent, zodat je kunt pissen als een vent? Dan zou er tenminste niemand naar je roze kontje hoeven kijken, of wel?'

'Dat is altijd nog beter dan naar al die pielewappertjes van jullie te moeten kijken,' zeg ik voor ik er erg in heb.

DJ grinnikt.

Kormick kijkt me kwaad aan in de binnenspiegel, zijn blauwe ogen toegeknepen en met een zandrand om de plek waar zijn zonnebril de hele dag heeft gezeten. Toen de andere twee vrouwen in mijn peloton en ik hem voor het eerst zagen, kregen we zowat een toeval. Wauw, we krijgen een filmster als sergeant, dachten we, met zo'n markante kop met blauwe ogen en blond haar. Maar dat knappe begint nu belachelijk te worden. De kwaadaardige versie van Brad Pitt.

'Hoe haal je het in je hoofd om zo tegen mij te praten, Biggenkont?'

'Sergeant?' zegt DJ voorzichtig. 'We hebben allemaal een lange dag gehad. Zullen we erover ophouden?'

'Hou je bek, DJ. Jullie moeten allemaal je gore bek houwen.' Maar daarna zegt Kormick geen woord meer.

De rest van de weg leggen we in stilte af.

De verpleegster neemt de soldaat zachtjes bij de arm. 'Rustig maar,' zegt ze. 'Het is al goed, lieverd. Niemand zal je iets aandoen. Kom maar even zitten.'

Ze loopt met de soldaat naar de andere kant van het bed en laat haar zitten. 'Het is een flashback,' zegt ze tegen de huilende man. 'Het gaat zo weer over. Misschien moet je zelf ook maar even gaan zitten, schat. Dan kan ze je beter aankijken.' De soldaat kijkt hoe de man op de bezoekersstoel gaat zitten en naar voren leunt, met zijn ellebogen op zijn knieën en zijn pony bungelend voor zijn betraande ogen. 'Katie?' Zijn stem klinkt nog steeds onvast. 'Je weet toch dat ik Tyler ben, hè?'

Nu weer wel. Misschien. Maar als ze probeert te knikken, schiet de pijn door haar nek omhoog zodat ze haar mond vertrekt tot een grimas. Haar gezicht voelt hard en onbeweeglijk, alsof iemand er een masker op heeft geplakt. En ze heeft geen zin om te praten.

'Gaat het al wat beter met je rug?' vraagt de man dan. 'Word je hier een beetje goed verzorgd?' Hij gaat rechtop zitten en kijkt om zich heen. 'Het ziet er wel oké uit. Netjes. Je weet maar nooit wat je aantreft in zo'n veteranenziekenhuis, hè?'

Hij doet alsof hij glimlacht. Dat bevalt haar niet.

'Het eten zal hier wel goor zijn, hè? Weet je nog dat mijn blindedarm werd weggehaald, dat ik het eten zo smerig vond?'

Ze kijkt naar de glanzende vloer. Blauwachtig wit, als de huid van een lijk. Haar voeten in de ziekenhuissloffen hebben dezelfde lijkkleur, maar ze zijn opgezwollen, als rottende vis.

'Je krijgt de groeten van je ouders. Ze komen vrijdag.'

Daardoor vindt de soldaat haar stem weer terug. 'Ze kunnen oprotten met hun groeten. Ik wil niet dat ze vrijdag komen.'

'O, Katie.' De man buigt zich weer naar haar over met een hulpeloze blik. 'Dat meen je niet.'

NAEMA

Mijn arme moeder is in alle staten. Zodra ik terugkom van mijn langdurige bezoek aan de gevangenis, vliegt ze in paniek op me af. 'Allah zij geprezen, je leeft nog!' roept ze, terwijl ze zich aan me vastklampt. 'We hebben zo lang op je zitten wachten. Vertel gauw – wat heb je voor nieuws?'

'Niets,' zeg ik terwijl ik uitgeteld op een stoel val. Ze geeft me een glas water en ik neem een grote teug, uitgedroogd na al die uren in de zon te hebben gestaan. 'Ze hebben me niets verteld.'

Kreunend wrijft mama over haar gezicht. Haar lange, grijzende haar valt over haar handen, haar blouse en broek zijn helemaal gekreukt. 'Waarom overkomt ons dit toch? Hoe kunnen die Amerikanen je onschuldige vader nu opsluiten? Hoe kunnen ze nu een klein jongetje arresteren? Zaki is nog niet eens volgroeid! Zien ze dat dan niet?'

'Ik weet het,' zeg ik zachtjes. 'Ik weet het, mama.' Ik kijk de kamer rond. 'Waar is oma?'

'Eindelijk in bed. Deze afschuwelijke nacht was te veel voor haar.'

Bleek weggetrokken hurkt mama neer naast mijn stoel. We hadden geen van beiden geslapen nadat papa en Zaki waren gearresteerd. Toen de soldaten ze meenamen, wilde ik hen achternarennen om te zien waar ze naartoe gingen, maar mama hield me tegen. 'Je kunt nu niet gaan, zo 's nachts in je eentje, dat wordt je dood! We moeten wachten en morgenochtend met de weduwe Fatima en de anderen meegaan.' Dus bleven oma, zij en ik de hele nacht op, ziek van bezorgdheid en angst, speurend naar het eerste licht van de dageraad zodat we op pad konden. Maar toen het eindelijk licht werd, was oma er zo slecht aan toe dat mama haar niet alleen kon achterlaten. 'Ga maar,' zei ze tegen me, en haar stem brak. 'Maar wees voorzichtig, moge Allah je beschermen.'

Nu kijkt ze fronsend naar me op. 'Naema, wat denk je dat ze met je vader zullen doen? Zullen ze hem net zo martelen als Saddam heeft gedaan? En Zaki? Zullen ze hen laten verhongeren?'

Ik neem haar handen in de mijne en kus ze. 'Ik weet het niet, mama. Maar ik heb vandaag een vrouwelijke soldaat gesproken, en ze leek me geen folteraar, eerder een kind.'

'Maar wat heb je van de andere families gehoord? Zijn er die hun mannen hebben gezien? Zijn er mannen vermoord?'

'Nee, wat ik al zei, niemand weet iets. Er is niets gezegd over doden, we hebben niets gehoord. We moesten buiten wachten voor grote rollen prikkeldraad die ze rondom de gevangenis hebben gelegd, en we stonden te ver bij de tenten vandaan om iets te zien.'

Ik sta op en trek mijn moeder overeind. 'Probeer moed te houden, probeer niet van het ergste uit te gaan. Die soldaat zei dat er binnenkort een lijst met gevangenen komt. Ik zal elke dag teruggaan tot ik meer weet, dat beloof ik.'

'Maar het is zo gevaarlijk!' Mama doet een stap achteruit, nerveus haar slanke handen wringend. 'Ik weet niet wat erger is, dat ik jou daarnaartoe laat gaan en je van alles kan overkomen, of hier hulpeloos zitten zonder iets te weten. Kon ik maar met je mee!'

Ik sla mijn armen om haar heen. 'Ik weet dat het moeilijk is, maar ik kan wel voor mezelf zorgen, en je weet dat ik nooit alleen ga. Er zijn genoeg mensen met wie ik kan meelopen – ik ben al bevriend geraakt met die aardige weduwe, Fatima. Ik vind wel nieuws over papa en Zaki. Je moet geduld hebben.'

Maar als ik haar vasthou, word ook ik overspoeld door verdriet en verlangen. Om papa en Zaki weer thuis te hebben. Om Khalil, mijn geliefde, zijn troost en wijsheid. En om de eenvoudige routine van school, werk en maaltijden die ons leven in Bagdad altijd bepaalde, en mijn angst dat dat alles nu voorgoed voorbij is.

Ik vraag me af of die kleine Amerikaanse soldaat die ik vandaag heb ontmoet, wel weet wat ze ons aandoet. Als ik haar weer zie, zou ik haar dat willen vragen. Hoe zou jij je voelen, zou ik zeggen, als ik je moeder haar kinderen afnam, zoals jullie met de mijne hebben gedaan? Hoe zou jij je voelen als we over je steden en dorpen vlogen en raketten en clusterbommen lieten vallen tot jullie doden rottend en uiteengereten op straat lagen? Hoe zou jij je voelen als we jullie leger en politie ontmantelden en de bedrijven verwoestten die jullie water reinigen, zorgen dat jullie verkeerslichten werken, jullie huizen koelen en verwarmen en verlichten? Hoe zou jij je voelen als we door jullie verdediging lam te leggen de weg vrijmaakten voor misdadigers en fanatici die jullie beroofden en vermoordden en verkrachtten, en jullie dan, als je jezelf probeerde te beschermen, arresteerden of neerschoten omdat jullie zogenaamd terroristen waren? Hoe zou jij je voelen als we jullie uit je huizen verdreven, je vrienden en geliefden en families uiteenjoegen, jullie kinderen vermoordden...?

Ja, dat zou ik haar allemaal willen vragen, maar ik zal het niet doen. Want wat kan ze nu terugzeggen? Ze is jong en onwetend. Een marionet, meer niet.

KATE

Zodra die zeikstraal van een Kormick ons uit de Humvee laat, sleep ik mezelf de tent binnen en laat me op mijn nest vallen. Voor de miljardste keer wou ik dat ik al die zakkenwassers met een tover- stokje uit mijn blikveld kon laten verdwijnen. Kormick slaapt goddank in de tent van de onderofficieren, maar Rickman en DJ liggen pal aan de overkant, zodat ik nog geen seconde bij hen van- daan kan zijn. Ze trekken hun laarzen uit, meurend als altijd, ma- ken hun MRE open en beginnen te eten. DJ biedt me zijn zak chips aan – we ruilen altijd etenswaar in de hoop op een beetje afwisse- ling – maar ik schud mijn hoofd. Ik ben hem dankbaar dat hij Kor- mick de mond heeft gesnoerd, maar wil nu niets ruilen. Met hem niet, met niemand niet.

Met mijn arm over mijn ogen lig ik op mijn meurbaal, de slaapzak die ik gebruik als matras, en probeer adem te halen. Het is altijd warm en stoffig in de tent omdat we zand in plaats van een vloer hebben en tentflappen in plaats van airco. Het is ook overvol, met aan weerszijden achttien groene veldbedden en on- ze zooi weggestouwd op elk beschikbaar plekje ertussenin: plun- jezakken en vuile onderbroeken, helmen en M-16's, kistjes en sokken en rugzakken. Zelfs de tentstokken hangen vol: vervagen- de foto's van vriendinnetjes en echtgenotes, konijnenpoten die geluk moeten brengen en sleutelhangers, of in mijn geval Pluisje de spin en mijn crucifix. En dan zijn er natuurlijk nog de mannen. De hele tent stinkt naar ze. Zweet en scheten, baarden en ballen.

'Hé, Sproetenkop.' (Zo noemen mijn vrienden me. Dat is tenminste beter dan Tieten of Biggenkont.) Ik haal mijn arm van mijn ogen, blij om eindelijk een andere vrouw te zien. Drieoog loopt naar me toe in haar bruine T-shirt en camobroek. Ze ziet er net zo zanderig en afgepeigerd uit als de rest en laat zich met haar volle gewicht op het bed naast het mijne vallen. Ze is ruim een meter tachtig en heeft een rond rood gezicht, als een Russin, kort donker haar en zwarte spleetogen. En ze heeft de bouw van een bulldozer. Ze zou de meeste kerels in mijn peloton zo kunnen optillen en als een zakdoekje kunnen opvouwen.

'Al gegeten?' vraagt ze.

'Nee.'

'Dacht ik al. Eet maar. Kom op. D'r blijft hier helemaal niets van je over.'

Ze geeft me een MRE – *Meal Ready to Eat*, een kant-en-klare maaltijd. MRE's zitten in van die bruine plastic zakken met een hoofdgerecht van karton dat ze eruit laten zien als vet vlees, en verder junkfood waar je aderen van dichtslibben en een zakje met chemisch spul waarmee je die rotzooi zonder vuur kunt opwarmen, en dat waarschijnlijk nog beter smaakt dan wat je ermee warm moet maken. MRE's staan erom bekend dat je darmen er net zo verstopt van raken als van gips – we noemen het *Meals Refusing to Exit*, maaltijden die er niet meer uit komen – en de maag maar een minuut of tien vullen, maar iets anders krijgen we hier niet, afgezien van onze al net zo gore T-Rantsoenen, van die vliegtuigmeuk, want noch het kutleger, noch de stinkend rijke aannemer, KBR-Halliburton, is eraan toegekomen een vreetschuur voor ons te bouwen.

Ik ga rechtop zitten en scheur het pakje open, haal een koude bal vet tevoorschijn en dwing mezelf een hapje te nemen. Drieoog zit ondertussen een massief blok spaghetti met tomatensaus naar binnen te werken alsof d'r moeder het heeft klaargemaakt.

Drieoog wordt zo genoemd omdat er op een dag midden op haar voorhoofd een smerige zwarte bobbel prijkte. Hij is nu wat geslonken, maar een tijd lang was het nogal een knoeperd. Eerst dachten we allemaal dat het een puist was, een hele dikke, maar toen werd hij absurd groot, zowat een golfbal met een zwarte stip er midden op. Ze moest eraan geopereerd worden. Er bleek een of ander insect eitjes in te hebben gelegd en er een lekker nestje van te hebben gemaakt voor zijn gezin.

In werkelijkheid heet Drieoog Lynnette McDougall, wat totaal niet bij haar past, en ze is vijfentwintig, nogal een oud wijf vergeleken met de meeste anderen. Ze is niet ver bij Jimmy Donnell en mij vandaan opgegroeid, in Coxsackie, New York. Haar vader zit bij de brandweer, maar toen haar ouders gingen scheiden, verhuisde ze met haar moeder naar Virginia om in te trekken bij een dikke vette politieagent die haar moeder altijd in elkaar slaat. Drieoog vertelde dat ze na 9/11 in dienst was gegaan om bij ze weg te zijn en om *The American Way* te beschermen, maar volgens mij is de echte reden dat ze lesbisch is. Ik weet het tenminste bijna zeker, want ze praat en beweegt zich als een vent. Lesbo's vinden het leger top.

'Hé,' zegt ze terwijl ze naar de spin op mijn tentstok wijst. 'Wat is dat nou?'

Ik kijk omhoog naar zijn harige poten. 'O, da's Pluisje. Een aardigheidje voor Macktruck.'

Grinnikend schudt ze haar hoofd. Ze begrijpt wat ik bedoel.

Nadat ik nog een paar vetbollen naar binnen heb gewerkt, haal ik de foto van dat Irakese meisje Naema tevoorschijn, en geef hem aan Drieoog. 'Heb je een van deze kerels weleens gezien?' Drieoog is bewaker bij de gevangenistenten, dus ze ziet meer gedetineerden dan ik.

Ze kijkt er even naar. 'Hoe kan ik dat nou weten? Ik vind ze d'r allemaal hetzelfde uitzien. Waar heb je deze vandaan?'

Ik vertel haar over mijn deal. 'Kun je een beetje opletten of je ze ziet? Die meid spreekt waanzinnig goed Engels, ze zou heel goed kunnen helpen.'

'Mij best,' zegt Drieoog schouderophalend, en geeft de foto weer terug. Ze verplaatst haar blik naar Rickman en DJ, die zoals gebruikelijk aan onze lippen hangen. 'Laten we gaan. Ik moet me opfrissen.'

We pakken onze M-16's en lopen samen naar buiten, als brave strijdmakkers. Toen we pas waren geland in Koeweit, zei het commando dat vrouwen 's nachts niet naar de latrines of ergens anders naartoe mochten lopen zonder een andere vrouw als buddy, en datzelfde geldt hier voor Camp Bucca. Zo kunnen we elkaar beschermen tegen verkrachting door een van onze fijne kameraden.

Het is vrij ver lopen naar de latrines omdat we ze helemaal bij de berm hebben neergezet, een groot zandduin dat we met een bulldozer rondom het kamp hebben opgeworpen als veiligheidswal. Weet niemand in het leger meer wat Jezus zei over huizen bouwen op zand? *Toen het begon te regenen en de bergstromen zwollen, en er stormen opstaken en er van alle kanten op het huis werd ingebeukt, stortte het in, en er bleef alleen een ruïne over.* Regelrechte bullshit, die veiligheidswal.

'Nou, wat is er, zuurpruim? Heeft God weer op je cornflakes gepist?' zegt Drieoog als we ons een weg door het donker zoeken. Het enige licht is afkomstig van de maan. We mogen geen zaklamp gebruiken omdat we dan een doelwit zouden zijn voor mortieren.

'O, dat komt door Kormick. Die was in een kutbui vandaag.'

'Ach, kom op. Hij valt best mee.'

'O ja? Hij moest me de hele dag hebben.'

Drieoog gromt. 'Dan zul je wel iets verkeerd hebben gedaan. Wat heb je uitgespookt?'

'Helemaal niks!'

'Natuurlijk wel. Kom op, Sproetenkop, wanneer leer je het spelletje van die jongens nou eens meespelen? Meer wil hij niet. Dan laat hij je wel met rust.'

Ik kijk op naar haar gezicht, maar in het donker kan ik niets zien, niet onder die helm. 'Hoe bedoel je, het spelletje meespelen?'

'Dat weet je best. Jij hebt je keus gemaakt. Je moet hier een bitch of een slet zijn, dat weet iedereen, en omdat jij geen bitch wilt zijn als blije christen, blijft er nog maar één ding over. Daarom zitten die kerels zo achter je aan. Ze willen allemaal in je broek, sergeant Filmster incluis. Maar jij wilt je niet laten pakken, en daar worden ze pissig van.'

'Dus jij zegt dat ik met hem naar bed moet? *Fuck you!* Niet dat ik denk dat je gelijk hebt.'

'Nee, ik zeg dat je duidelijk moet zijn, meid. Als jij niet plat wilt, dan moet je veel valser worden.'

'Net als jij?'

'Ja, schatje. Net als ik.'

Terwijl we zwijgend verder lopen, bijt ik mijn tong af om niet te zeggen dat de mannen haar alleen maar met rust laten omdat ze overduidelijk een pot is en omdat ze eruitziet als de achterkant van een vuilniswagen. Vooral met die gigabult op haar voorhoofd. Maar ik hou mijn mond. Ik ben christen, zoals ze al zei. Er wordt verdomme van me verwacht dat ik mijn andere wang toekeer. En misschien heeft ze toch gelijk. Misschien ben ik niet duidelijk genoeg.

Ik doe alleen echt mijn best. De godganse dag probeer ik me keihard op te stellen, maar het past gewoon niet bij me. Ik ben niet overtuigend. Ik klink als een naïeve boerentrien die grof en bijdehand probeert te zijn. En zo klink ik omdat ik, nou ja, omdat ik er ook een ben.

'Weet je wat jij moet doen?' zegt Drieoog. 'Je moet een vriendje nemen. Dat is de enige manier voor zo iemand als jij. Eén klojo om alle anderen af te schrikken.'

'Maar ik kan ze geen van allen uitstaan! En ik ben niet van plan om vreemd te gaan, ik ben met Tyler.'

'Je hebt het niet voor het kiezen, meissie. Denk er maar eens over na.'

We zijn nu bij de latrines, de vier dixi's waar ik het over had, wat tot nog toe alles is wat we hebben neergezet voor de honderdvijfenzeventig man van mijn eenheid. Ze stinken naar verwachting, dus we proberen niet te kokhalzen, doen snel ons ding en gaan weer. Er zijn ook geen douchehokjes om ons te wassen. Bij wijze van douche gooien we een fles water over ons heen – een hoerenbadje, zo noemen de jongens het – en eens in de zoveel tijd hangen we een poncho op en gaan onder een draagbare douchezak staan. Maar meestal zitten we onder een dikke laag woestijnmodder: zand, stof en zweet, allemaal vermengd tot een lekkere bruine prut en opgedroogd op onze huid in de zon. Onze uniformen staan zo stijf van het zilte zweet en het zand dat je ze rechtop kunt neerzetten, als een spookleger.

Waarom het zo moet weet ik ook niet. Amerika is toch het rijkste land ter wereld? Waarom moeten wij soldaten dan in godsnaam in een zwijnenstal leven? Het is nog erger dan toen ik ging kamperen met Tyler en April, en wij houden wel van primitief. Geen campings of tenten, alleen maar een slaapzak op de dennenbodem en een rol pleepapier in je zak. Maar het is nooit walgelijk, zoals hier in Bucca.

Tyler en ik vinden het zo leuk dat we het hele jaar door gaan kamperen, zelfs in de sneeuw. Maar ons favoriete kampeerseizoen is de herfst, als de bladeren opvlammen en de lucht zo helder is dat hij zelfs midden op de dag de maan niet kan verbergen. Dan gaan we naar de Catskill Mountains, vlak bij waar we wonen, en maken een lange, zware tocht naar boven, waar gaaien hun waarschuwingen krassen in de bomen. Dan zoeken we een plekje met zachte dennennaalden en mos, installeren ons en maken een vuurtje om op te koken: meestal geroosterde hotdogs en in de hete as gepofte aardappels, en als April mee is marshmallows die verbrand zijn vanbuiten en papperig vanbinnen, dat vindt ze lekker. Na het eten gaat Tyler gitaar spelen en zingen, terwijl ik opruim en April heerlijk opgerold in haar slaapzak ligt, klein en gelukkig, haar mond plakkerig van de suiker.

We wachten tot ze in slaap valt, en dan kruipt Tyler in mijn slaapzak en liggen we daar lekker dicht tegen elkaar aan te kijken hoe de sterren door de bomen schitteren en praten we zachtjes over alles wat in ons opkomt. Snuiven elkaars geuren en woorden op. Gladde huid, zachte adem. Onze cocon.

Als Drieoog en ik weer terug zijn in de tent, ligt Macktruck pontificaal in zijn boxershort op zijn bed, zijn blubberbuik open en bloot en een homp kauwgum in zijn wang. Als ik hem alleen al zie krijg ik kotsneigingen. Een paar weken terug vroeg ik sergeant eerste klasse Henley, onze pelotonleider, of die luie zak niet ergens anders kon gaan liggen, maar hij weigerde. 'Dat moet u zelf maar oplossen, soldaat, en als u dat niet kunt, dan moet u het maar leren,' zei hij alleen maar. Dus terwijl Drieoog rechts van me ligt en Yvette Sanchez daar weer naast, moet ik elke nacht met die idioot links naast me slapen, en in onze tent betekent dat op maar zestig centimeter tussenruimte.

'Daar komt mijn natte droom,' roept hij als ik binnenkom. Hij heeft zijn bed wat dichter naar het mijne geschoven. Alweer.

'*Moven*. Je zit in mijn ruimte.' Ik toren boven hem uit met mijn wapen over mijn schouder.

Hij reageert niet. Mack is een jaar of tweeëndertig, harig als de ballen van een gorilla en met een zwemband die zelfs de Buccabeesten niet kunnen doen slinken. Hij heeft zo'n zware baardgroei dat zijn gezicht zelfs blauwig ziet als het pas geschoren is. En wat nog erger is: hij pruimt en spuugt de hele dag tabak. Niemand kan hem uitstaan, zelfs Rickman niet.

'Ik meen het, eikel. Opschuiven.'

Hij hijst zichzelf overeind, zijn pens zakt over zijn short, en een walm van muf zweet en tabak komt van hem af. Dan buigt hij zich voorover en trekt zijn bed dichter tegen het mijne dan ooit. Elke avond haalt hij die stompzinnige truc met me uit, terwijl de andere jongens grinnikend toekijken. Zijn kleine comedyact.

'Als je niet opschuift kots ik nog over je heen, zo erg stink je,' zeg ik tegen hem.

'Hé, Macktruck!' roept Rickman lachend vanaf de andere kant van de tent. 'Mag Tieten wel zo tegen je praten?'

Mack bromt. En dan gebeurt het. Zoals mijn bedoeling was. Hij komt overeind en staat oog in oog met zijn grootste angst: Pluisje.

'Fuck!' schreeuwt hij, en hij deinst met een doodsbange blik achteruit. Als hij met de achterkant van zijn knieën tegen zijn bed stoot, valt hij keihard achterover, met zijn dikke benen in de lucht.

Iedereen begint te joelen. Eén-nul voor Kate.

Rood en sputterend krabbelt hij overeind, zet zijn bed met een ruk weer op zijn plek en klimt erop, lachend als een boer met kiespijn. Hij kijkt niet naar me.

Ik pak de voering van mijn poncho, een camodeken, en bind hem vast aan een paar touwtjes die ik aan het tentdak heb genaaid. Dat is de enige muur die ik tussen mijzelf en deze griezel heb. Ik hang hem al op sinds hij me op onze tweede nacht hier schunnige voorstellen toefluisterde. Dan ga ik liggen, doe mijn gebruikelijke avondgebed, trek het laken dat ik van thuis heb meegenomen over me heen en doe mijn sportkleding aan, het T-shirt en de korte broek waarin ik slaap omdat het lekkerder zit en minder warm is dan een pyjama. Maar hoe ik in vredesnaam weer zo'n helse nacht moet doorkomen weet ik niet. Ik heb hoofdpijn. Buikpijn. Pijn in mijn blaas. Het is bloedheet en ik verga alweer van de dorst, maar ik kan niet meer dan één slokje water drinken, want als vrouw is het gewoon te gevaarlijk om naar buiten te gaan om te plassen.

Heeft Drieoog gelijk? Is het mijn eigen schuld dat het zo gaat?

Zodra ik de volgende ochtend wakker word, graai ik naar mijn fles water en klok het hele ding leeg. Ik heb de halve nacht wakker gelegen omdat ik zo'n droge bek had, en toen ik eindelijk in slaap sukkelde, droomde ik dat ik met mijn mond open zwom in het meertje bij mijn huis en mezelf zo naar de overkant dronk. Alleen veranderde elke slok die ik nam in zand.

Ik maak Drieoog en Yvette ook wakker, zodat we samen ons gebruikelijke rondje kunnen gaan hardlopen voor we naar onze afzonderlijke shifts moeten. Dit is onze enige kans om even weg te zijn bij al die klojo's met wie we samenwerken, en het enige vrije moment dat we ook echt iets leuks doen. Ik vind het 't fijnste moment van de dag. Het is tenminste van mezelf.

We sluipen de tent uit, nog steeds in de sportkleding waarin we hebben geslapen, en doen wat rekoefeningen voor we vertrekken. Het is nog koel van de nacht en de lucht is leiblauw. Verder zijn er alleen nog maar een paar jongens in de buurt die net als wij hardlopen, en de pechvogels die stront moeten verbranden. Omdat we hier geen riolering hebben, hebben zij de fijne taak de vaten onder de latrines uit te slepen, er benzine en dieselolie overheen te gooien en ze in de fik te steken, waarna ze er met een lange stok in gaan roeren, zodat ze zwarte, stinkende gifwolken boven het kamp verspreiden, die wij allemaal mogen inademen in onze slaap.

We joggen over de onverharde weg die midden door het kamp loopt, nog te slaperig om te praten. Ik voel mijn benen strekken en mijn lichaam soepel en sterk worden, zoals altijd wanneer ik hardloop. Het maakt dat ik terugverlang naar de hardloopwedstrijden op de middelbare school – de tijd dat ik nog bij mijn verstand was.

'Heeft Macktruck zich vannacht nog gedeisd gehouden door die spin?' vraagt Drieoog na een tijdje.

'Niet echt.'

'We moeten die eikel eens een lesje leren,' zegt Yvette. Yvette is nog kleiner dan ik, maar ze heeft een harde, schorre stem die ieders aandacht trekt. 'Hebben jullie nog ergens flosdraad?'

'Flosdraad?' vraagt Drieoog. 'Waarom?'

'Dat zul je wel zien.'

Yvette komt altijd met waanzinnige ideeën. Ze is een rare mix van keihard en mild. Haar leven lang is ze van het ene naar het andere pleeggezin gestuurd omdat haar moeder verslaafd is en haar vader uit beeld is verdwenen. Zo zijn er een hoop mensen in mijn eenheid, maar Yvette is de enige die ik ken die de oorlog niet vervloekt. 'Het heeft me uit het getto gehaald,' zegt ze altijd. 'God zegene Amerika.' Als de oorlog beter is dan waar ze vandaan komt, dan weet je dat het wel heel erg moet zijn geweest.

Maar ik mag haar wel. Ze is een donkere Puerto Ricaanse, zo mager als een lat met een klein gezicht dat er ouder uitziet dan ze is, met gemillimeterd haar. Ze vloekt de stront uit de reet van een kakkerlak, nog erger dan de meeste kerels in onze eenheid. Maar als je aardig tegen haar bent, loopt ze over van goedheid. Meer dan Drieoog, van wie ik soms geen hoogte kan krijgen.

Terwijl we hardlopen, komt de zon op en het landschap is heel even echt mooi. Vurige oranje strepen aan de hemel. Het stof in de lucht dat fonkelt als verpulverde robijnen. Het zand dat zachtroze opgloeit.

Zonsopkomst en zonsondergang zijn schitterend in de woestijn. De rest van de tijd is het hier afgrijselijk.

Ik speur de hemel even af op zoek naar vogels, een oude gewoonte. Thuis waren Tyler en ik echte vogelaars, hoe suf dat ook klinkt. In het voorjaar en de zomer zaten we altijd in de schemering achter op de veranda bij mijn ouders, precies op het moment dat de zwaluwen door de lucht duiken om insecten te vangen voor het avondeten, en speurden we naar vogels in de lange vallei die zich uitstrekte tot de bergen achter ons. We deden altijd een wedstrijdje wie de meeste kon ontdekken. Elke avond wiekte er een grote blauwe reiger over de velden, als een forens van kantoor op weg naar huis, maar dan zonder aktetas, maar die was voor ons allebei te makkelijk met zijn lange rafelige vleugels en pijlvormige staart. In het voorjaar spotte ik altijd als eerste de roodborstkardinaal, terwijl Tyler altijd als eerste de nerveuze boomklever op onze voedertafel zag, voordat de gaaien en katvogels hem wegjoegen.

Ik was dan ook heel benieuwd naar de vogels die ik in Irak zou zien. Voor vertrek zocht ik ze op in een vogelgids. Eentje was de hop, een idioot beest met de rug van een specht, de kop van een duif en de snavel van een snip, met een gestreepte kuif als een clownsmuts op zijn kop. En er schijnen hier leeuweriken en ibissen, adelaars en ooievaars te zitten – het soort vogels dat je thuis alleen maar in de dierentuin ziet, nooit in het wild. Ik wil ze zo graag zien! Maar tot nu toe heb ik er nog niet een gesignaleerd.

Waar blijven vogels tijdens een oorlog eigenlijk? Vliegen ze ergens anders naartoe? Verstoppen ze zich? Vliegen ze in brand en vallen ze zwartgeblakerd op de grond? Of ademen ze net als wij de rook van bommen en verarmd uranium en brandende lichamen en olie en stront in en kruipen ze ergens weg om dood te gaan?

'Kijk, ik heb iets voor je meegenomen,' zegt de man met het lange haar als hij niet meer huilt. Hij stopt zijn hand in zijn jaszak.

De soldaat krimpt ineen en schuift weer naar achteren op het ziekenhuisbed.

'Nee, nee, rustig maar.' Langzaam haalt hij een roze doosje tevoorschijn, glanzend als een paasei. Hij biedt het haar aan.

'Dit is van April. Ze mist je verschrikkelijk. Ze zei dat ik je beterschap moest wensen en dat je op tijd thuis moet zijn voor haar verjaardag. Acht jaar al, onvoorstelbaar toch? Ze wordt zo snel groot.'

Zonder haar aan te raken zet hij het doosje op het bed.

Ze pakt het voorzichtig op, koestert het in haar onderwaterhanden. April is goed. April is veilig.

'Ga je het niet openmaken?'

De soldaat kijkt naar het doosje.

'Katie?' De man leunt weer naar voren, met zijn ellebogen op zijn knieën. 'Kijk me eens aan, alsjeblieft?'

Ze aarzelt. Maar ze kijkt hem wel aan, met een achterdochtige blik.

'Je bent weer thuis, weet je nog? Het is geen oorlog meer. Je bent niet meer bij die mensen. Het is nu voorbij, hier is het veilig.'

De man heeft hetzelfde vriendelijke gezicht als Tyler, dezelfde smekende, kaneelbruine ogen. En ook dezelfde lok bruin haar over zijn voorhoofd. Maar hij doet iets wat Tyler nooit zou hebben gedaan.

Hij liegt.

NAEMA

Het gaat niet goed met oma Maryam. De schok van de soldaten die haar huis binnenvielen en papa en Zaki meenamen, heeft zijn weerslag op haar geestesgesteldheid. Ze was al broos en liep met een kromme rug, maar ze was nog wel helemaal bij. Nu doolt ze tussen het heden en het verleden en lijkt niet te begrijpen dat het niet Saddams soldaten waren die haar geliefde kleinzoon en schoonzoon hebben opgepakt, maar de Amerikanen. In haar ogen zijn alle soldaten gelijk, ongeacht hun uniform, ongeacht hun drijfveren. Het zijn allemaal moordenaars.

Mama en ik proberen haar op te beuren door haar in de mooiste kamer van het huis te laten slapen, die ze normaal gesproken alleen gebruikt voor gasten, met zoet geurende biezen matten op de grond en blauwe en rode tapijten aan de wanden. We schikken haar favoriete kussens onder de ramen, zodat de heldere kleuren en het gouddraad ervan de zonneschijn kunnen weerkaatsen die door de luiken wordt gefilterd en zo vrolijke stralen door de kamer kunnen verspreiden. En als de hitte van de dag het huis heeft veranderd in een inferno, dragen we haar naar het dak, waar we allemaal kunnen slapen in de relatieve koelte van de nacht.

Maar oma merkt niets van alle moeite die we ons getroosten. Ik neem haar temperatuur, haar bloeddruk en haar hartslag op zoals ik bij geneeskunde heb geleerd, maar het enige wat haar mankeert is ouderdom en hartzeer. Toch wil ze niets anders eten dan dunne pap. Ze weigert op te staan, behalve om leunend op mama's arm naar het gemak te gaan, of ze zit aan tafel over haar soepkom gebogen, zuchtend en met haar ongebruikte lepel in haar hand geklemd. Ze kreunt en is nerveus en wringt haar knokige handen, haar blik vertroebeld door verwarring en verdriet. En ze roept telkens weer om opa, hoewel die al twintig jaar dood is.

Ik vind het vreselijk om oma zo te zien, zo anders dan de levendige en ondeugende vrouw die ze vroeger was. Toen Zaki en ik nog klein waren, vonden we het zo heerlijk om naar haar toe te gaan! Dit kleine huisje en haar dieren; haar zachte, ronde lichaam dat geurde naar de jasmijn waarmee ze haar lange haar parfumeerde; haar samenzweerderige glimlach die allerlei verboden geneugten beloofde zodra onze ouders de andere kant op keken.

Elk jaar met *Eid al-Fitr*, het Suikerfeest, stopte papa ons in de auto – de lak ervan nog felrood en krasvrij – en reed de bijna vijfhonderd kilometer vanuit Bagdad hiernaartoe voor de vakantie. Beladen met taarten en broden die mama had gebakken en de knullige cadeautjes die Zaki en ik op school hadden gemaakt – meestal scheve kommetjes van klei – kwamen we moe en stoffig aan, maar al watertandend bij de gedachte dat de vasten van de ramadan voorbij waren. Dan stond oma ons altijd op te wachten in de deuropening, gehuld in de zwarte *abaya* die ze al draagt sinds opa werd vermoord, haar oude gezicht vol rimpeltjes van vreugde om ons te zien.

Als we binnen waren, gingen Zaki en ik bij het raam de seconden aftellen tot de zon achter de einder verdween. En zodra het zover was, kwam oma aanlopen met haar speciale dadelballetjes met boter, gekruid met kardemom en anijs, die we naar binnen schrokten tot we misselijk waren. Dan stuurde ze ons naar buiten om te spelen, zodat de volwassenen rustig konden praten terwijl ze het feestmaal bereidden; misschien wel *masgouf*, een overlangs opengesneden vis geroosterd met kruiden, of *kibbe*, mijn favoriet: gekruide lamsballetjes met een korstje van gebroken tarwe.

In die tijd speelden Zaki en ik urenlang buiten. We joegen oma's kippen op en raapten hun eieren. We leerden haar geiten melken en de jonge geitjes voeren met hun zijdezachte vacht en kronkelende lijfjes. En we klommen in de fruitbomen in de buurt om zoveel mogelijk sinaasappelen en dadels te plukken voor we gesnapt werden, of renden naar de buren om met de kleinkinderen van de aardige Abu Mustafa al-Assawi en zijn vrouw te spelen.

Maar we genoten vooral van de warme nachten dat we met oma op het dak sliepen, zoals mama en ik nu doen. Dan lagen Zaki en ik naast elkaar, we keken naar de sterren die boven ons dansten en stelden oma de ene na de andere vraag over haar leven. Voor ons leek haar verleden wel een geschiedenisboek, want ze had geleefd volgens de oude tradities, zo anders dan de moderne tijd die wij kenden, en na een ellendig bestaan had ze het geluk gevonden, als de heldin in een volksverhaal. Op haar veertiende had ze moeten trouwen met een man die oud genoeg was om haar vader te zijn, en werd ze jarenlang geteisterd door zijn klappen en de pijn en de verschrikking van de nachten dat hij naar haar bed kwam. Ze werd zwanger nog voor ze volgroeid was en stierf bijna tijdens het baren van haar doodgeboren kind. Maar na vijf jaar werd ze bevrijd van deze ellende. Haar man overleed, misschien wel vergiftigd door zijn eigen wreedheid, en een jaar later hertrouwde ze met een man die ook ouder was dan zij, mijn grootvader, maar die wel vriendelijk en liefdevol was. 'Hadden jullie hem maar gekend, schatjes van me,' zei ze tegen ons. 'Als klein meisje was jullie moeder zo dol op hem! Op de dagen dat hij niet hoefde te werken, speelde zij kappertje met hem en moest hij de hele ochtend stilzitten, terwijl zij deed alsof ze zijn haar knipte en hem schoor, zodat zijn kleren onder het zeepsop kwamen te zitten, alleen maar om hem dicht bij zich te houden.' Dan grinnikte oma en beantwoordde geduldig nog meer van onze vragen, of ze vertelde ons de dorpsroddels over de dikke tabaksverkoper en zijn bazige vrouw tot ze ons in slaap had gesust. Oma hield wel van smeuïge verhalen.

Toen we ouder werden, maakte Zaki zich altijd uit de voeten om te gaan voetballen met de jongens in het dorp, terwijl ik in de keuken bleef om oma te helpen met het eten en om nog meer verhalen te horen. Ik vond het heerlijk, die tijd alleen met haar waarin we haar heerlijke dadelballetjes door de sesamzaadjes of suiker rolden terwijl zij de oude dorpsverhalen opdiste: stoute kinderen die werden opgegeten door demonen, ontrouwe echtgenoten die werden opgelicht door reizende kooplieden, djinns die uit aardewerken potten kwamen om een wens in vervulling te laten gaan.

Ik weet nog dat Zaki een keer een pasgeboren geitje stond te voeren, toen oma ons riep voor het avondeten. Hij stopte het geitje onder zijn hemd, waar het in slaap viel door zijn lichaamswarmte, en ging naar binnen. Het geitje bleef het grootste deel van de maaltijd onopgemerkt doorslapen, maar werd uiteindelijk wakker en begon te kronkelen en met zijn hoefjes te trappen. We keken allemaal verbaasd op, maar oma vertrok geen spier. Ze keek een poosje naar het vreemde gewurm en getrap in het hemd van mijn broertje en zei kalm: 'Zaki, volgens mij heb je te veel gegeten.'

Dat alles ligt nu achter ons. De geiten zijn geslacht voor hun vlees. De fruitbomen zijn versplinterd door Amerikaanse bommen. De jongens met wie Zaki speelde zijn opgesloten, verbannen of gedood. En oma Maryam is te ongelukkig om grapjes te maken of verhalen te vertellen. Zoals mama en ik te ongelukkig zijn om ernaar te luisteren.

KATE

Als ik met Yvette en Drieoog terugkom van het hardlopen, ligt Mack nog steeds te pitten. Meestal pakt hij elke seconde slaap die hij krijgen kan, vaak ten koste van een wasbeurt – daarom meurt hij natuurlijk ook zo erg – maar dat is nu precies wat we willen. Yvette geeft ons een knipoog, legt haar vinger op haar lippen en vist geruisloos flosdraad uit haar plunjezak, gebarend dat wij hetzelfde moeten doen. Dan bindt ze er vliegensvlug Macks benen mee vast aan zijn bed, terwijl wij hetzelfde doen met zijn armen, buik en borst – hij ligt te slapen als een os. De jongens in de tent komen stilletjes grijnzend om ons heen staan. In een mum van tijd is onze Macktruck als een varkensrollade vastgebonden.

Wat Yvette dan doet is geniaal. Ze richt haar geweer op een open tentflap, schreeuwt: 'Aanvallen!' en schiet.

Mack is meteen klaarwakker en doodsbang probeert hij overeind te springen. Maar dat gaat natuurlijk niet. Die kop van hem! Een tijdje ligt hij zo paniekerig te worstelen dat ik bijna medelijden met hem krijg. Bijna. De rest valt op de grond van het lachen.

Nadat de opwinding weer een beetje is gezakt en we de jongens opdracht hebben gegeven om Mack te bevrijden, wat ze pas doen als hij al veel te laat is voor zijn shift, spoelen wij vrouwen het zweet van het hardlopen van ons af met een fles water, doof voor het gejoel om ons heen dat het tijd is voor 'Wet T-shirts', en pakken onze

T-Rantsoenen. De ochtend is het enige tijdstip dat ik eten naar binnen krijg, voor ik te veel last heb van de hitte en mijn zenuwen – als je T-Rantsoenen tenminste eten kunt noemen. Groen ei uit een tube dat drilt als de bovenarmen van een oud wijf, een soort brij van ondefinieerbare... nou ja, brij. Ik werk het in elk geval allemaal naar binnen, want de energie kan ik wel gebruiken. Dan gaan we naar onze sectie, en tot vanavond is dat de laatste keer dat ik een vrouw zie, althans een Amerikaanse vrouw.

Als mijn ploeg aankomt bij het checkpoint, staan niet alleen de gebruikelijke burgers er al, maar zie ik ook meteen dat meisje, Naema. Als ik haar wil gaan begroeten, blaft Kormick: 'Brady!' Hij noemt me tenminste geen Tieten of Biggenkont.

Ik draai me om en sjok naar hem terug; het maanstof stuift als talkpoeder om mijn laarzen omhoog, en ik vraag me af wat ik nu weer over me heen zal krijgen.

'Neem dit maar mee. Misschien houden die hadji's zich dan even koest.' Hij steekt me een vel papier toe, zijn kaak strak onder zijn zonnebril. 'Tempo.'

Ik kijk naar het papier dat hij me heeft gegeven: een handgeschreven lijst met een stuk of vijftig namen. Is dat alles, die beloofde lijst? Fuck.

Als ik bij de afrastering kom, begroet Naema me met een koele blik. Ditmaal staat ze voor de meute; ik neem aan dat de mensen haar nu erkennen als hun tolk. Ze heeft een lavendelkleurige hoofddoek om die haar minder goed staat dan de blauwe. Ze krijgt er een grauwe huid van en de kringen onder haar ogen zien eruit als blauwe plekken. Of misschien is ze gewoon te bezorgd om te slapen. Dat zou ik ook zijn als mijn vader en mijn broer hier zaten.

'*Salaam aleikum,*' zeg ik weer, en ik probeer opnieuw haar hand te schudden.

Ze negeert hem net zo koeltjes als de vorige keer, maar ditmaal beantwoordt ze mijn begroeting tenminste. '*Aleikum salaam.*'

We wensen elkaar vrede toe, wat gezien de omstandigheden nogal ironisch is.

'Ze hebben me vandaag een lijst met namen van gevangenen gegeven,' zeg ik. 'Althans van een paar.'

Haar gezicht klaart op. 'Mag ik hem zien?' Ze steekt haar hand uit. Ik weet eigenlijk niet of ik haar het papier volgens het protocol wel mag geven, dus ik kijk over mijn schouder om te zien wie er meekijkt. Vanochtend is DJ mijn buddy en hij staat vlakbij, in tegenstelling tot puistenkop Rickman. Op zich kan ik het wel waarderen dat er eindelijk eens iemand zijn werk doet, maar tegelijkertijd zou ik willen dat hij zich afzijdig hield. Hij ziet er zo afschrikwekkend uit met zijn M-16 in de aanslag, zijn gezicht verborgen onder zijn kevlar helm en zijn zonnebril. Hij lijkt goddomme de Terminator wel.

'Geef hier!' bitst Naema, en voor ik het weet, heeft ze de lijst uit mijn hand gegrist. 'Ja, Zaki staat erop!' zegt ze, terwijl haar ogen over de lijst gaan. 'Godzijdank! Maar mijn vader, waar staat die? Ik zie hem er niet bij staan.'

'De lijst is niet volledig,' antwoord ik snel. 'Er komt later meer.' De menigte verdringt zich weer om ons heen, en ik word er bloednerveus van. Ik hoop dat dat mens met die stinkbaby niet weer opduikt. 'Lees maar snel voor,' zeg ik. 'En zeg dat ze moeten vertrekken.'

Naema houdt de lijst voor de mensen omhoog totdat ze stil worden. Dan leest ze alle namen hardop voor.

Sommige mensen beginnen meteen te roepen, terwijl andere hun hoofd laten hangen en in snikken uitbarsten. Als ik die verweerde, zonverbrande en treurige gezichten vol smart om me heen zie, knapt er iets in me. Een zekerheid misschien, een overtuiging dat ik goed bezig ben of zo, ik weet niet. Wat het ook is, ik voel het knappen.

De mensen drommen nu om Naema heen, ze schreeuwen hun vragen alsof zij hier de autoriteit is en niet ik, en dat bevalt me niks.

'Ze vragen wat er gaat gebeuren met de mannen die jullie hier vast-houden,' roept ze boven het lawaai uit.

'We moeten ze verwerken,' roep ik terug.

Ze kijkt me niet-begrijpend aan.

'Ik bedoel dat ze moeten worden verhoord, en dan worden de-genen die onschuldig zijn vast vrijgelaten.' Wat een onzin. Ik heb geen flauw idee wat we gaan doen met de duizenden gevangenen die we hebben opgepakt. Ik denk niet dat er iemand is die het weet. En als het wel zo is, dan gaan ze het mij niet vertellen.

'En de jongens? Hoe zit het met de kinderen die jullie hier als beesten hebben opgesloten?'

'Idem,' antwoord ik.

Naema maakt zich los van de graaiende handen en baant zich een weg terug naar mij. 'Kate... zei je niet dat je zo heette?'

'Ja.'

'Kate, voor ik hier door de oorlog terechtkwam, studeerde ik ge-neeskunde. Ik ben niet achterlijk. Je moet niet tegen me liegen. Ik vraag je nog eens: wat gaan jullie doen met onze mannen?'

'Ik lieg niet! Ik vertel alleen maar wat ze tegen mij hebben ge-zegd! Ik ben maar een Bolle. Weet je wat dat betekent? Dat ze me helemaal niets vertellen, dat ik niets weet. Ik kan jullie niet hel-pen.'

'Ja, dat is waar. Je stelt niets voor,' zegt ze rustig.

Ik weet dat ik me daar kwaad over zou moeten maken, maar ik ben alleen maar moe. 'Luister, het enige wat ik kan doen is infor-meren bij mijn meerderen. Misschien vertellen ze me helemaal niets, maar ik kan het proberen.'

'Waarom zou ik geloven dat je dat zult doen?'

'Omdat ik deze oorlog niet heb verzonnen.'

Waarom zeg ik dat nou weer? Ik kijk vlug om me heen, maar als DJ het heeft gehoord, laat hij het niet merken. Ik kan de krijgsraad achter me aan krijgen en de rest van mijn leven achter de tralies belanden door zoiets tegen een Irakese te zeggen.

Naema kijkt me aan met haar vreemde goudgroene ogen. 'Je ziet er nogal jong uit voor een soldaat,' zegt ze dan.

Dat verbaast me. 'Nou, ik ben negentien. Maar veel van ons zijn jong.'

'Maar waarom ben je soldaat? Waarom heb jij als vrouw dit pad gekozen? Soldaten nemen het leven. Vrouwen schenken het leven.'

Daar weet ik geen antwoord op. Ik weet niet eens hoe ik erover denk. 'In mijn land moeten veel mensen het leger in om hun studie te kunnen betalen,' zeg ik zwakjes. 'Mannen en vrouwen. En we willen ook ons land dienen, weet je? Zei je nou dat je geneeskunde studeert?'

'Ja. Ik ben vierdejaars.'

'Goh, ik wist helemaal niet dat dat hier kon.' Dat is waar. Ik dacht dat Irakese meisjes niets anders mochten dan trouwen.

Naema lijkt het bijna grappig te vinden. Zolang we staan te praten staat ze daar rijzig en trots, met rechte rug en een heldere, geconcentreerde blik. Naast haar voel ik me een bochelaar, vies en zanderig, zwaarbeladen met mijn dertig kilo soldatenuitrusting.

'Weet je dan niets over mijn land?' zegt ze. 'Ik kom uit Bagdad. Mijn vader geeft werktuigbouwkunde aan de universiteit en is dichter, en mijn moeder is oogarts, tenminste, dat waren ze voordat ze door jullie oorlog hun baan kwijtraakten. Wat dacht je, dat we allemaal geitenhoeders waren?'

'Nee, zo bedoel ik het niet. Sorry.' Ik probeer te glimlachen, maar voel me alleen nog maar dommer. 'Mijn moeder zit ook in de gezondheidszorg,' ga ik verder, wanhopig zoekend naar een manier om het gesprek de goede kant op te sturen. 'Nou ja, ze is medisch secretaresse. Ze werkt voor een verloskundige. En mijn vader is sheriff. Je weet wel, een politieagent?'

'Aha.'

Wat bedoelt ze daar nou weer mee?

'Weet je wat mijn broertje Zaki wil worden?' zegt Naema dan, wat vriendelijker. 'Hij wil zanger worden, net als jullie Bruce Springsteen. Hij zit dag en nacht gitaar te spelen. We worden er allemaal gek van.'

Kennen ze The Boss in Irak? Ik probeer mijn verbazing te verbergen. 'Mijn verloofde speelt ook gitaar,' zeg ik. En heel even glimlachen we bijna naar elkaar.

'Brady, dat was de sergeant op de radio,' roept DJ, en ik schrik ervan. 'Hij zegt dat we die hadji's moeten wegsturen.' Ik wou dat hij dat woord niet gebruikte waar Naema bij was. 'Hij zegt dat ze een veiligheidsrisico vormen.' DJ steekt zijn geweer in de lucht en zwaait ermee rond in een poging de lokale bevolking te verjagen. Ik wou dat hij dat niet deed.

Het merendeel van de burgers duikt in elkaar en maakt zich uit de voeten. Maar een paar blijven met een verwarde blik staan.

'DJ, hou daarmee op!' zeg ik vlug. 'Straks breekt er nog paniek uit. Dit meisje spreekt vloeiend Engels. Zij kan wel zeggen dat ze moeten gaan.'

DJ bekijkt Naema nieuwsgierig, maar zij negeert hem en houdt haar blik op mij gericht. 'Heb je binnenkort een andere lijst?' vraagt ze.

'Ja, vast. Zeg maar tegen deze mensen dat ze morgen terug mogen komen, maar dat ze nu moeten gaan.'

Aarzelend fronst ze haar wenkbrauwen, alsof ze nog meer wil vragen. Maar DJ staart haar aan met zijn beide handen op zijn geweer, dus trekt ze zich terug en zegt iets tegen een oude man voor haar. Die geeft het door aan de mensen achter hem, en al snel verspreidt zich een gemompel door de menigte. Een voor een draaien ze zich om en sjokken weg door de woestijn, Naema incluis.

'Tot morgen!' roep ik haar achterna. Ze reageert niet.

'Je moet geen "hadji" zeggen waar ze bij zijn,' zeg ik tegen DJ als ze eenmaal weg is. 'Dat is niet respectvol.'

Hij trekt zijn wenkbrauwen op. 'En het was zeker wel respectvol dat die hufters Jones en Harman vorige week opbliezen? Jezus, Brady, aan wiens kant sta jij eigenlijk?'

Nadat Naema en de andere burgers zijn vertrokken, blijft alles nog een uurtje rustig. Althans rustig genoeg om de zandbak en alle narigheid die erbij hoort weg te denken en me te verliezen in herinneringen. Tyler. Kamperen. De bergen. Seks. In al die tijd komt er maar één auto voorbij, de gebruikelijke barrel, ditmaal bestuurd door een klein oud mannetje zonder passagiers. Hij spreekt genoeg Engels om ons te vertellen dat hij een juwelierszaak in Basra heeft en de grens probeert over te komen om naar zijn familie in Koeweit te gaan. We doorzoeken zijn auto, maar vinden niet meer dan een zak goedkope zilveren ringen. Dan sturen we hem weg, hoewel we allemaal denken dat de kans dat hij de grens over komt net zo klein is als dat wij wakker worden in Oz.

Daarna sta ik naar de kleine stakerige Marvin te staren en probeer mezelf wijs te maken dat deze hitte die je oogballen doet verschrompelen niet meer is dan een warme zomerdag thuis. Je kunt het je in deze hel bijna niet voorstellen, maar vroeger vond ik de zomer altijd heerlijk. In mijn eentje in de wei achter ons huis. Bloemen. Koeien. Gedachten. Liggend in het gras vogels kijken of een boek lezen.

Maar de mooiste zomer van mijn leven was mijn eerste zomer met Tyler, die na de vijfde klas. Hij had net zo weinig ervaring als ik, dus we vonden alles aan onze verkering geweldig. 's Ochtends wakker worden en ons realiseren dat we geen school hadden, maar dat we ons niet eenzaam hoefden te voelen omdat we elkaar hadden. Onder de blinkende sterren liggen en elkaar onze geheimen vertellen. Een beste vriend hebben met wie je kon zoenen. Samen in een wei onze maagdelijkheid verliezen op een zinderende juliavond vol vuurvliegjes en muggen.

Ik weet nog dat we een keer met een fles tequila naar Myosotis Lake gingen om naar de zonsondergang te kijken, wat het toppunt van romantiek was in Willowglen. We zaten boven op een picknicktafel te drinken en naar de meeuwen te kijken die over het meer vlogen. De zon stond al laag aan de hemel en het was windstil, zodat het water zo glad was als een zilveren spiegel die het zachtroze en zalmroze van de ondergaande zon zonder een rimpeltje weerkaatste. Toen hoorden we een plons en een vreemd knaaggeluid. 'Laten we gaan kijken,' zei Tyler geluidloos, en hij zette de tequilafles neer en liet zich van de tafel glijden.

We slopen in de richting van het geluid, dat uit de oeverbegroeiing kwam. En daar, onder een omgevallen wilg, zagen we een bever aan een tak knagen als een hongerige ouwe vent die zijn eten naar binnen schrokt. We bleven heel lang kijken en deden ons best om geen geluid te maken, want bevers zijn schuw. Maar dat beest zat zo gulzig te smakken dat ik ervan moest giechelen. Toen moest ook Tyler giechelen en barstten we allebei in lachen uit, waarop de bever geschrokken het water in dook met een luide klap van zijn staart – net zo hard als mijn M-16. In een oogwenk was hij verdwenen.

We keken hoe het spiegelende oppervlak uiteenbrak in rimpelingen en de waterige zonsondergang in steeds grotere kringen verspreidde. 'Laten we er ook in gaan,' fluisterde Tyler. Hij draaide zich om en zoende me terwijl hij mijn short en toen mijn T-shirt en ondergoed uittrok, totdat ik voelde hoe de warme, zijdezachte zomeravondlucht me net als hij kuste. Toen ook hij zijn kleren had uitgetrokken, stapten we hand in hand het glinsterende roze water in en gleden de bever achterna.

Een poosje zwommen we zo geruisloos mogelijk en luisterden we alleen maar naar de geluiden van de avond: de echo van dierengeluiden uit het bos, de roep van een uil. De lucht werd donker, veranderde het water van roze in paars. De ronde maan hulde de oevers in schaduwen. Zonder iets te hoeven zeggen, zwommen we naar elkaar toe. Tyler trok me tegen zich aan, zijn huid warm en zacht als satijn. En toen was er geen verschil meer tussen zijn huid en de mijne, onze lichamen en het meer, onze adem en de avond.

'Hé, Sproetenkop.'

Knipperend met mijn ogen kijk ik om. Het is DJ. 'Ik roep je al vijf minuten. Sta je te slapen of zo?'

'Wat is er?'

'Je moet bij de sergeant komen.'

'Waarom?'

'Weet ik het. Hij zegt dat je meteen moet komen.'

'Ga je mee?' vraag ik hoopvol.

'Nee. Ik moet hier blijven.'

'Zeker weten?'

DJ knikt. Hij heeft wel gemerkt dat Kormick de laatste tijd de pik op me heeft; hij snapt het wel. 'Sorry, Sproetenkop. Ik wou dat het kon, maar ja.'

'Ja, oké. Shit.'

Ditmaal staat Kormick buiten, met opgeblazen borst en omhooggestoken kin. 'Brady, we hebben nieuwe orders gekregen,' blaft hij zodra ik aan kom lopen. 'Jij en Frik worden overgeplaatst naar bewaking – jullie komen in een nieuwe ploeg. Wij krijgen Drieoog om die hadjiwijven te fouilleren.'

'O. Oké.' Ik vraag maar niet waarom we ineens worden overgeplaatst, want in het leger lijkt eigenlijk nergens een reden voor te zijn, hoewel het best eens zou kunnen dat het ze niet bevalt dat ik aanpap met Naema. Maar voor mij is het goed nieuws. Het betekent dat ik blijf samenwerken met Jimmy Donnell, de enige vent in mijn sectie die echt aardig is, en ik ben in één keer bevrijd van twee klootzakken: Kormick en Boner.

'Dus dit is je laatste dag bij ons, Brady,' gaat Kormick verder. 'Je bent er vast kapot van. Kom binnen, ik heb nog meer instructies.'

Iets in zijn stem klinkt niet goed. Er gaat een rilling door me heen.

'Ik moet terug,' zeg ik snel terwijl ik een stap bij hem vandaan doe. 'DJ staat daar in zijn eentje. Ik kan mijn buddy toch niet alleen laten, sergeant?' Ik glimlach zo'n beetje.

Maar Kormick wil er niets van weten. 'Hoor je niet wat ik zeg, soldaat? Naar binnen, zei ik.' Zijn kaak steekt vooruit en hij heeft zijn tanden op elkaar geklemd, maar ik kan zijn ogen niet zien omdat ze schuilgaan achter een spiegelende zonnebril. Er glinstert zand in de blonde stoppels op zijn volmaakte kin. Hij is altijd al gespannen, maar ik heb hem nog nooit zo gespannen gezien als nu.

Ik kijk om me heen om te zien wie er nog meer in de buurt is. Zoals gewoonlijk staat Boner op wacht bij de deur van het hok. Hij staat voor zich uit te staren, de vliegen zoemend om zijn imbeciele kop. De rest van mijn sectie staat verderop bij het checkpoint.

'Het spijt me ontzettend, sergeant, maar ik heb DJ beloofd dat ik meteen terug zou komen,' zeg ik dan, en ik begin zenuwachtig te worden. 'Ik kom straks wel even langs.' Ik draai me om zodat ik weg kan lopen, maar Kormick pakt me bij mijn arm en draait me met een ruk weer naar zich toe.

'En waar ga jij naartoe? Is je op de soldatenschool niet verteld dat je moet doen wat je sergeant zegt, Biggenkont? Hè?' En met zijn hand om mijn arm geklemd sleurt hij me mee naar het hok.

Nu ben ik echt bang. Opnieuw kijk ik over mijn schouder om hulp te zoeken, maar Jimmy en Rickman staan nog steeds met hun rug mijn kant op en DJ is een vrachtwagen aan het doorzoeken op de weg. Geen van hen kan me zien. Ze kunnen me ook niet horen.

Kormick trekt me naar het hok, zodat ik struikel. 'Boner!' blaft hij.

Boner schrikt op uit zijn trance. Als hij ziet hoe Kormick mijn arm vastheeft, met die opeengeklemde kaken, kijkt ook hij ineens benauwd.

'Zin in een verzetje?' zegt Kormick tegen hem.

'Wat?'

'Boner!' Kormick wordt nu nog kwader. 'Je weet best wat ik bedoel. Kom op!'

'Eh, oké, sergeant. Als u het zegt.'

Met een opgelaten blik loopt Boner naar me toe, maar toch steekt hij zijn hand uit, recht naar een van mijn borsten. Maar vlak voor hij me aanraakt, hoor ik een geraas in mijn hoofd en het volgende moment heb ik mijn arm losgewrongen uit Kormicks greep en richt ik mijn M-16 midden op zijn kruis. 'Als je me aanraakt, schiet ik je gore ballen eraf!' schreeuw ik.

Kormick kijkt verrast en gooit lachend zijn hoofd in zijn nek. Boner staat daar met openhangende mond.

'Jezus, dat wijf kan echt niet tegen een geintje,' hikt Kormick, nog steeds lachend. Maar het is geen oprechte lach. 'Doe dat kutding weg, anders krijg je een artikel 91 aan je broek,' zegt hij op serieuzere toon tegen me, hoewel hij nog steeds doet alsof hij moet grinniken. 'Insubordinatie tegen een onderofficier. En niet te vergeten dreigen met een wapen, foei toch. Daar kun je flink van in de problemen raken, Tieten, dat weet je toch?'

Met mijn M-16 nog steeds op zijn kruis gericht en mijn ogen op de zijne loop ik achteruit.

Heel even is alles stil. Dan word ik van opzij zo hard tegen mijn rechterborst geslagen dat ik even geen adem krijg. Terwijl ik mijn wapen laat vallen klap ik happend naar adem dubbel door de stekende pijn in mijn borst. Ik voel dat ik word opgepakt, het hok in word geduwd en met mijn gezicht naar beneden op de tafel word gesmeten. Ik trap uit alle macht van me af en blijf me verzetten, maar enorme handen grijpen mijn nek beet en drukken in mijn luchtpijp; de vingers knijpen zo hard dat ik me niet kan verroeren, dat ik geen adem krijg. Het enige wat ik kan is mijn eigen spuug en bloed proeven.

En dan ben ik mezelf niet meer. Ik ben een vleugel. Een rafelige blauwe vleugel die verscheurd en geknakt zigzag door de eindeloze zwarte hemel gaat.

'Zo, lieverd, ik zal je kussen even voor je opschudden. Is dat niet veel lekkerder voor die arme rug van je? Neem je pillen maar in en ga lekker slapen. Het wordt tijd dat deze overwerkte verpleegster naar huis gaat.'

De verpleegster geeft de soldaat de gebruikelijke avondportie pillen in een kartonnen bekertje.

De soldaat gaat moeizaam rechtop zitten, kijkt erin en pakt ze er een voor een uit. Een oranje om haar rug, die aan gort is, te verdoven. Een gele om niet somber te worden. Een roze zodat ze kan slapen en lekker over schreeuwen en bloed kan dromen. Twee blauwe, zodat ze niet weet wat er zo verschrikkelijk veel pijn doet vanbinnen dat ze nauwelijks van de ene naar de volgende ademhaling kan komen. En een witte – volgens haar is die er om te zorgen dat ze niet in haar bed plast.

Ze slikt ze allemaal.

De kamer is nu donker, het moet al laat zijn. De verpleegkundige zapt van de gebruikelijke tv-zender met zijn reusachtige tikkende klok naar een of andere comedyserie, maar zodra ze weg is, grijpt de soldaat naar de afstandsbediening om hem uit te zetten. Ze blijft tegen de verpleegster zeggen dat de tv haar te veel is met dat snel bewegende licht, die herrie. Het nieuws. Ze blijft het zeggen. De verpleegster, die aardig is maar op de automatische piloot werkt, blijft het vergeten.

De soldaat leunt achterover in het stille donker en wacht tot de pillen haar weer wegvoeren. Ze vindt het niet fijn als ze uit haar lichaam verdwijnen, als haar geest helder begint te worden, want dan komen de herinneringen terug. Ze zou de hele dag wel pillen willen slikken om dat te voorkomen.

In haar hand heeft ze het roze doosje van April, nog steeds glanzend als een paasei, maar ze vindt het eng om het open te maken. Ze is bang dat de onschuld die erin zit voor altijd zal vervliegen.

De soldaat weet niet meer zo goed wat onschuld is.

KATE

Als ik bijkom, ben ik alleen in het hok. Neergehurkt in een hoekje op de grond, met mijn knieën tegen mijn borst en mijn rug tegen de muur.

Ik heb het wapen van iemand anders in mijn handen. Het is op de deur gericht.

Ik heb geen idee waarom ik hier zo alleen zit, of wie Kormick net op tijd van me af heeft getrokken. Ik weet alleen dat ik de eerste de beste klootzak die zijn hoofd om de deur steekt, overhoopknal.

De wind jammert door de kieren in de planken muren en blaast het maanstof in een golf over de grond. Maar als hij even gaat liggen hoor ik buiten kwade mannenstemmen schreeuwen, en daar begin ik zo van te trillen dat ik het wapen op mijn knieën moet leggen. Dan trekt de wind weer aan en raakt alles overstemd, op dat eenzame gefluit na. Maar het trillen wil maar niet ophouden.

Er wordt geklopt.

Ik schrik. 'Lazer op of ik schiet!' Mijn stem klinkt schor.

'Jimmy Donnell hier. Mag ik binnenkomen?'

'Oplazeren zei ik!'

'Kate, ik ga de deur nu opendoen. Niet schieten. Ik kom naar binnen.'

Het zand schuift een eindje over de vloer. De wind kreunt. Ingespannen kijk ik naar de deur, mijn hart klopt in mijn keel.

Langzaam en krakend gaat de deur open. Ik breng de M-16 op schouderhoogte en tuur door het vizier. Mijn kogels kunnen dwars door dat flinterdunne multiplex heen. Ik hoef mijn doel niet eens te zien.

'Als je iemand bij je hebt, ga ik schieten!' Mijn stem klinkt nog steeds schor.

'Nee, ik ben alleen, echt waar.' Jimmy steekt voorzichtig zijn hoofd om de deur. 'Mag ik binnenkomen?'

'Zweer je dat je alleen bent?'

'Ik zweer het.'

Hij komt binnen en doet de deur achter zich dicht zonder zich om te draaien en zonder van me weg te kijken. Ik focus op zijn gezicht door het dradenkruis. Hij heeft een bloedneus en een snee in zijn bovenlip. En dwars door zijn linkerbrillenglas loopt een barst.

Ik laat mijn wapen op mijn knieën zakken. 'Wat is er met jou gebeurd?'

'Ik heb gevochten met Kormick. Vanuit de toren zag ik, ik zag hem... heeft hij je pijn gedaan?'

'Waar is hij?'

'Weg. Boner ook. Met de Humvee.'

Ik wacht even om dit tot me te laten doordringen. 'Boner is degene die me heeft gestompt, hè?'

'Ja.' Jimmy kijkt me met een strak gezicht aan. 'Die klootzak moeten ze afschieten. Hij had jóú moeten beschermen, niet Kormick.'

'Is dit Kormicks wapen?' Ik knik naar de M-16 in mijn handen.

'Ja. Dat heeft hij achtergelaten toen ik hem mee naar buiten sleurde. Volgens mij heeft hij de jouwe.'

Jimmy is niet dichterbij gekomen. Hij staat nog steeds met zijn rug tegen de deur en houdt die achter zich dicht.

'Je draait de bak nog in omdat je op de vuist bent gegaan met een onderofficier,' zeg ik dan, en elk woord komt raspend mijn keel uit. 'Het spijt me.'

'Het spijt jóú?' Jimmy kijkt me vreemd aan. 'Maak je daar maar geen zorgen over. Als die klootzak mij rapporteert, dan rapporteer ik hem. DJ en ik allebei. Hij weet wat we hebben gezien.'

'Zag je dat ik mijn wapen op zijn ballen richtte? Daar kan hij me op pakken.'

'Hij zou niet durven. Ik maak me juist zorgen om jou. Gaat het wel?'

Ik zet de kolf naast mijn voet op de grond, met de loop naar het plafond gericht. Ik wil niet opstaan, omdat de achterkant van mijn broek helemaal is opengescheurd en ik overal pijn heb, en ook omdat ik mijn best doe om niet te huilen. 'Het gaat prima.'

Jimmy zet een stap naar me toe. Ik deins achteruit. 'Ik zei dat het prima gaat.'

Hij blijft staan. 'Goed.' Hij haalt diep adem. 'Luister, we moeten gaan. Denk je dat je kunt opstaan? Je rijdt terug met mijn ploeg, wees niet bang. Hier.' Hij trekt zijn shirt uit en geeft het aan mij. Het is vochtig en ruikt naar zijn zweet, maar ik trek het toch over het mijne heen aan, want het is lang genoeg om de scheur in mijn broek te bedekken. Dan trek ik mijn kogelvrije vest eroverheen aan, zodat niemand Jimmy's naamplaatje kan zien.

'Moet ik je helpen opstaan?' vraagt hij dan.

Ik schud mijn hoofd en kom moeizaam overeind, misselijk en duizelig van de stekende pijn die weer opkomt in mijn borst waar Boner me heeft gestompt. Jimmy draait zich om en loopt het hok uit. Met stramme, trage bewegingen loop ik hem achterna.

Zijn ploeg zit in hun Humvee te wachten, allemaal jongens die ik goed genoeg ken om mee te dollen, maar echte vrienden zijn het niet. Jimmy brengt me ernaartoe, vlak naast me maar zonder me aan te raken, terwijl ik me concentreer om stap voor stap rechtop te blijven lopen. Mijn oren suizen alsof ik zo ga flauwvallen en mijn benen voelen als rubber. Het volgende moment buig ik voorover en sta ik te kotsen.

Jimmy gaat tussen mij en de Humvee in staan in een poging

me af te schermen. Als ik mezelf helemaal leeg heb gekotst, brengt hij me naar de auto, hoewel ik me nog steeds niet door hem laat aanraken. We klimmen achterin. De mannen die erin zitten gapen ons aan – ik in het uniformshirt van Jimmy, helemaal verfomfaaid en onder de spetters braaksel, Jimmy met zijn kapotte bril, bloedneus en gescheurde lip. Ik kan haast ruiken hoe hun nieuwsgierigheid als gas de auto in stroomt. Maar geen van hen zegt een woord.

Ik kijk naar mijn handen. Ze trillen nog steeds.

Als de chauffeur ons afzet bij de tenten, brengt Jimmy me naar de mijne; hij slaapt in een andere tent verderop in de rij. 'Gaat het wel?' vraagt hij zacht. We weten allebei dat de tenten oren hebben.

Ik slik, proef bloed en maagzuur. Dan pak ik mijn sjaal, die waarmee ik het maanstoffilter zodat ik kan ademen, en wikkel die om mijn hals om de vingerafdrukken te verbergen.

'Iedereen komt dit te weten, hè?' zeg ik schor.

'Waarschijnlijk wel. Maar niet van mij. Hé, als een van die eikels of een ander je nog lastigvalt, dan moet je het zeggen, beloof je dat? En als je ze wilt rapporteren of zo, dan sta ik achter je.'

Ik wend me af, met Kormicks wapen tegen mijn borst als schild. Ik wil geen beschermer, ik wil geen gedoe en ik wil niet overkomen als een nog grotere loser dan ik al ben. Ik wil mijn eigen boontjes doppen. Ik ben tenslotte soldaat.

Als ik de tent binnenkom, groet niemand me. De ploegen zijn nu allemaal terug; de jongens zitten op hun veldbed op tabak of MRE's te kauwen. Dat geldt ook voor Drieoog en Yvette. Ik voel gewoon dat ze me allemaal aanstaren als ik langsloop. Ik voel dat ze het shirt van Jimmy in zich opnemen dat tot mijn knieën komt, de sjaal om mijn hals. Ik trek een strak gezicht zodat er niets aan af te lezen valt.

Als ik op mijn bed zit, trek ik mijn plunjezak eronder vandaan en vis mijn reservebroek en naaisetje eruit. Macktruck rolt knorrend met zijn slappe harige pens mijn kant op, een van zijn blauwe wangen bol van de tabak. 'Waar heb jij gezeten, feestbeest?'

Ik schud een naald uit zijn metalen doodskistje en probeer de draad erin te krijgen. Het lukt voor geen meter. Mijn handen trillen te erg. Ik heb zin om de naald recht in Mack zijn oog te prikken.

De rest van de avond zegt niemand een woord tegen me. Helemaal niemand.

NAEMA

We verkeren in een pijnlijke onwetendheid, oma, mama en ik. Het is eigenaardig stil in ons manloze huis, alsof de muren weten dat we zitten te wachten. Niets van wat we doen lijkt zin te hebben – eten, drinken, werken, praten. Door onze angst om papa en Zaki zijn we niet in staat ook maar ergens plezier aan te beleven.

Het nieuws dat Zaki op de lijst met gevangenen staat biedt ons nauwelijks troost, want we weten niet wat dat betekent. Als het betekent dat Zaki nog leeft, dan is dat natuurlijk goed. Maar wat betekent het dan dat papa er niet op staat? Is het beter om wel op de lijst te staan of juist niet? We hebben geen idee.

We proberen onze zorgen te verlichten door plannen te maken. 'Wanneer je vader en je broertje vrijkomen, insjallah, dan moeten we weg van hier,' zegt mama tegen me in de keuken, waar we samen naaien en schoonmaken. 'Ik ben bang dat een oud-collega of buurman, iemand die jaloers is op de positie van je vader, zijn naam misschien wel naar de Amerikanen heeft doorgespeeld. Waarom zouden ze hem anders arresteren? Ik denk niet dat het hier veilig is voor je vader als hij terugkomt.'

Ik knik bevestigend. We zijn maar al te zeer bekend met verraad door vrienden en collega's, met spionage en beschuldigingen, rivaliteit en wraak. We leven nu al tientallen jaren met vergiftigende corruptie. Die houdt de machthebbers in het zadel.

'Maar waar moeten we naartoe?' vraag ik. 'En we moeten oma ook meenemen. Ze is te ziek om alleen achter te blijven.'

Oma schudt haar hoofd, haar vermoeide gezicht koppig onder haar warrige witte haardos. Ze voelt zich beter vandaag omdat ze althans voorlopig is teruggekeerd naar het heden; ze is opgestaan en bij ons aan tafel komen zitten, waar ze met trillende handen een gescheurde, verschoten blouse zit te verstellen in de hoop dat hij nog wat langer meekan. 'Ik zal mijn huis nooit verlaten,' kondigt ze met bevende stem aan. 'Toen Umm Kareem wegging uit haar huis, werd het meteen ingepikt door vreemden. In deze oorlog is iedereen een dief.'

'Maar moeder, het is niet veilig om hier te blijven,' zegt mama. 'Nu Halim is gearresteerd, kunnen we niemand meer vertrouwen, zelfs je buren niet.'

'Poeh!' roept oma, en bij wijze van nadruk zwaait ze met haar oude blouse. 'Dat weiger ik te geloven. Deze mensen zijn goed en eerlijk, vooral die lieve Mustafa en Huda. We helpen elkaar al jaren te overleven. Nee, dat kan niet waar zijn.'

Mama legt een hand op oma's arm. 'Wind je nu niet op, moeder. Misschien hebben we het mis over de buren, misschien was het een van Halims collega's die hem heeft aangegeven. We kunnen alleen maar gissen. Wat moeten we anders als we niets weten?'

'Maar waar moeten we naartoe?' vraag ik weer. 'En hoe komen we de grens over? De weduwe Fatima vertelde dat de Amerikanen iedereen die probeert te vertrekken tegenhouden of arresteren.'

Mama loopt naar de andere kant van de kamer om door een raampje op de binnenplaats te kijken, waar oma een paar magere kippen houdt. 'Je vader heeft neven in Jordanië. Die hebben ons al eerder hulp aangeboden. Wanneer hij vrijkomt, weet hij vast wat we moeten doen.'

Ja, zo praten we. Wanneer papa en Zaki vrijkomen, niet als. Nooit als.

'Ik zal Fatima morgen om advies vragen,' zeg ik, want ik ben nog steeds vastbesloten elke ochtend naar de gevangenis te gaan. 'Ze heeft al zoveel meegemaakt, misschien weet zij wel waar we naartoe kunnen.'

Mama wendt zich van het raam af en kijkt me aan met een ernstige blik in haar donkere ogen. 'Wees voorzichtig met wat je haar vertelt, liefje. Vergeet niet dat je niemand kunt vertrouwen, zelfs niet iemand die aardig lijkt.'

Dan gaan we verder met onze bezigheden. Oma buigt zich over haar naaiwerk. Mama zet de linzen in de week en gaat de kippen voeren die op de binnenplaats rondscharrelen. Ik veeg het stof van de kleden en vloeren en ga dan naar wat er over is van de plaatselijke markt voor de weinige levensmiddelen die te krijgen zijn. Straks zal ik een deel van de bloem en de suiker die we uit Bagdad hebben meegenomen aan de dorpsbakker geven, zodat hij er onze dagelijkse *samoon* van kan bakken, het platte brood dat het enige is waarmee we ons oorlogsdieet van waterige soep en geitenyoghurt nog draaglijk kunnen maken.

Tijdens al mijn bezigheden koester ik echter geheime plannen. Wanneer papa en Zaki eenmaal thuis zijn, ga ik niet met hen mee het land uit, wat mama ook zegt. Dan ga ik terug naar Bagdad, naar mijn verloofde, Khalil, en mijn studie geneeskunde, want ik ben vastbesloten mijn doktersgraad te halen en iets van mijn leven te maken.

Ik noem Khalil mijn verloofde, maar in werkelijkheid is onze situatie zo onzeker dat dat niet helemaal klopt. Hij is mijn beste vriend, en ik hou van hem en verlang elk moment dat we hier in ballingschap zitten naar hem, maar we zijn nog niet officieel verloofd.

We hebben elkaar ontmoet tijdens ons tweede jaar geneeskunde, want we zijn even oud en zitten op hetzelfde niveau van onze opleiding. Zodra ik hem zag, begon mijn hart net zo rond te springen in mijn borst als dat geitje onder Zaki's blouse. Door zijn mooie donkere ogen, krullende zwarte haar en stevige schouders voelde ik me tot hem aangetrokken zoals de maan de getijden aantrekt. En toen ik hem naar mij zag kijken, wist ik dat het voor hem net zo was.

We praatten met elkaar wanneer we maar konden zonder de aandacht op ons te vestigen – tussen de werkgroepen door, op weg naar college – en kwamen dan schuchter op elkaar af, met onze boeken tegen onze borst geklemd van opwinding. Elke dag wanneer ik wakker werd, ging er een golf van vreugde door me heen bij de gedachte hem weer te zullen zien, en elke avond zat ik dromerig naar mijn boeken te staren, zo dwaas als een verliefde bakvis. We waren traag en onbeholpen, maar ik wist dat Khalil een goede man was, een man die me niet zou kwetsen of bedriegen.

De eerste keer dat hij me kuste stonden we 's avonds bij mij thuis op het dak, veilig uit het zicht van mijn familie, die binnen zat. Het was voor de oorlog, dus we waren niet bang voor bommen en durfden in het donker buiten te zijn. Khalil keek om zich heen om zeker te weten dat alleen de sterren ons zagen, nam mijn kin in zijn hand en vroeg met zijn zachte ogen om toestemming. Zijn lippen waren zo warm, kleine kussentjes van tederheid.

Vlak voor ik Bagdad ontvluchtte – we waren bijna twee jaar bij elkaar – stonden we weer bij mij op het dak bedroefd naar de resten van onze arme stad te kijken, toen hij me ten huwelijk vroeg. 'Ik heb een toekomstdroom voor ons, liefste,' zei hij. 'Ik wil later samen met jou een dokterspraktijk opzetten. En als de bombardementen en plunderingen voorbij zijn, insjallah, wil ik met jou een eigen kliniek openen. Kijk eens om je heen, Naema.' Hij zwaaide met zijn arm naar de bloedige puinhopen onder ons. 'Denk eens aan alle gewonden en zieken die onze hulp nodig zullen hebben. Denk eens aan al het goede dat we kunnen doen.'

De ruimhartigheid van zijn toekomstvisioen roerde me, net als zijn verlangen om mij erbij te betrekken. Maar ik was ook bang. Zeker, Khalil is vriendelijk en intelligent, en zeker, ik hou van zijn warme ogen en zijn zoenen, zijn toewijding aan zijn carrière en zijn geloof in de mijne. En onze ouders keuren onze verbintenis goed, dus zij zouden er geen bezwaar tegen hebben. Maar ik ben huiverig voor het juk van het huwelijk en alle verwachtingen die ermee gepaard gaan. Ik hou van Khalil, maar niet van het idee een echtgenote te zijn, en ik ben nog niet toe aan kinderen. Ik ben pas tweeëntwintig. Net als Zaki heb ik het grootste deel van mijn leven nog voor me, en net als hij heb ik mijn eigen ideeën over mijn toekomst.

Daarom gaf ik Khalil niet het antwoord dat hij verwachtte. 'Khalil,' zei ik, 'ik hou van je en ik ben dankbaar voor je aanzoek. Maar ik moet wachten. Ik moet eerst mijn eigen dromen volgen.'

Mijn eigen dromen, ja. Zo zien ze eruit: als de oorlog eindelijk is afgelopen en we, zo God het wil, echt bevrijd zijn van Saddam en zijn moorddadige zoons, en ook van de Amerikanen en hun schurkenlegers, zal ik naar Londen en Parijs, naar Istanbul en Rome reizen om meer talen te leren dan Engels en meer medische kennis en praktijkervaring op te doen, en zo alle mogelijkheden te verwerven om mijn land te kunnen helpen. Pas dan zal ik klaar zijn om weer naar huis te gaan, te trouwen en een kliniek te openen met Khalil. Als de oorlog ons tenminste allebei spaart.

Ik besef dat een vreemde mijn dromen vast absurd romantisch zal vinden – iedereen die niet begrijpt hoe erg we hebben geleden in Irak. Die jonge soldaat Kate bijvoorbeeld zou ze ongetwijfeld dwaas vinden. Of misschien staat de gedachte dat een Irakese dromen kan hebben zo ver van haar af dat die totaal niet in haar opkomt. Amerikanen zoals zij zien ons immers allemaal als 'opstandelingen', primitieve islamieten en terroristen – wezens die geen dromen mogen hebben?

Maar nee, zou ik tegen haar zeggen – want ik zou vast in discussie moeten gaan – niemand kan in Irak wonen zonder te dromen van een betere toekomst. Mijn hele leven heb ik mijn vaderland door de ene na de andere krijgsmacht vernietigd zien worden. Onze oorlog met Iran begon twee jaar na mijn geboorte en duurde tot ik tien was. De meedogenloze ontberingen die daarop volgden – onder de noemer 'sancties' opgelegd door jouw landgenoten, soldaat Kate, en hun westerse vrienden – vraten aan onze infrastructuur, onze middenklasse, onze scholen en ziekenhuizen zoals termieten een huis aanvreten tot het instort. Tijdens de oorlog met Koeweit, die begon toen ik twaalf was, werden honderdduizenden van onze landgenoten afgeslacht – opnieuw met jullie wapens. Ook Saddam gebruikte jullie wapens en jullie steun om ons tientallen jaren te martelen en te vermoorden. En nu, miss Kate, breng je ons deze nieuwe oorlog, en herhaal je dezelfde leugens als jullie voorgangers: jullie beloven ons vrijheid, maar brengen alleen maar angst en bezetting, jullie veroordelen ons tot armoede en ziekte, onwetendheid en haat, en maken de weg vrij voor gewelddadige fanatici om de macht te grijpen en over ons te heersen.

Wat heb ik anders, welgestelde, blinde, egoïstische Amerikaanse? Wat kan een Irakese anders hebben dan dromen?

II

TOREN

KATE

De eerste ochtend van mijn nieuwe functie komt Jimmy helemaal naar de ingang van mijn tent om me op te halen. Hij doet alsof hij alleen maar voor zijn shirt komt, maar ik weet dat hij eigenlijk probeert me te beschermen, wat me net zomin bevalt als gisteravond. Ik wil niet dat hij me als een gevangene naar de Humvee begeleidt, en ik wil niet dat hij allerlei roddels veroorzaakt. Ik wil vrij rondlopen om te bewijzen dat geen enkele hufter op aarde, noch Kormick, noch Boner – noch dat hele kutleger – me ervan kan weerhouden soldaat te zijn.

Als ik bij mijn nieuwe ploeg in de Humvee stap is de zon nog niet eens op, dus niemand is wakker genoeg om meer te zeggen dan hallo, goddank. Toch leun ik met mijn hoofd achterover en doe alsof ik slaap, mochten ze het willen proberen. Om de blauwe plekken te verbergen heb ik nog steeds mijn sjaal om mijn hals, waar zich allemaal zweet verzamelt. Ik heb een kloppende pijn in mijn rechterborst en mijn keel voelt zo pijnlijk en gehavend aan dat het al zeer doet als ik mijn hoofd draai. Wat de rest van mij betreft – mijn ziel, of hoe je het ook wilt noemen – die fladdert nog steeds in de lucht.

Mijn nieuwe ploeg bestaat uit drie kerels en ik: Jimmy, die is bevorderd tot sergeant en ploegleider van E5. Onze chauffeur, een blonde gespierde kleerkast genaamd Ned Creeley, met een mopsneus waardoor hij maar veertien lijkt. En Tony Mosca, alias Mosquito, een kleine harige Italiaan uit New Jersey met twinkelende bruine ogen die net zo grof in de mond is als Yvette. Ik weet dat ze over gisteravond moeten hebben gehoord – ik onder de kots en Jimmy onder het bloed – maar niemand zegt iets. Of het nu tact, schaamte of domweg luiheid is weet ik niet, maar ik vind het allang best. Wat mij betreft is het überhaupt nooit gebeurd.

Onze opdracht is het bewaken van een gevangenencomplex ergens achter in het kamp. Een complex, zo noemen we een blok van een stuk of veertig rechthoekige tenten in rijen die samen een vierkant vormen. Elke tent is vier meter lang en er zitten zo'n tweeëntwintig gevangenen in. En elk complex wordt omheind door een aarden wal en een afrastering die bestaat uit drie reusachtige rollen concertinadraad, twee onderaan en één erbovenop. Elke kant van het blok wordt bewaakt door een soldaat, hetzij vanaf de grond, hetzij vanuit een wachttoren, terwijl een paar extra mannen, zoals Jimmy, bij de ingang zijn gestationeerd.

Mijn post blijkt een toren aan de westkant, dus als mopsneus Creeley me heeft afgezet, klim ik de ladder op om rond te kijken. De toren is ongeveer zo hoog als een lantaarnpaal en bestaat uit niet meer dan een platform op een wankele steiger van multiplex en dunne balken, met een plat dak dat niet groter is dan een strandparasol. Ik zit op maar drieënhalve meter van de rollen concertina, dus als de gevangenen willen, kunnen ze behoorlijk dicht in de buurt komen. Maar er is geen enkele andere soldaat in zicht.

Dit is wat ik bij me heb voor mijn werk: mijn wapen. Twee MRE's. Drie literflessen water. Een pakje sigaretten. Een walkietalkie die kraakt maar het niet doet. Een radio die het ook niet doet. Een stoel. En koppijn.

Ik pruts een tijdje aan de walkietalkie om te zien of ik hem aan de praat kan krijgen, maar het is echt een prul. Het lijkt net dat speelgoeddaing dat Tyler aan April gaf voor haar zevende verjaardag, alleen deed die het beter. Ze mocht hem een keer meenemen toen ze met ons ging kamperen, en we hadden een hoop lol met ons verstoppen in het bos zodat we elkaar niet konden zien, maar wel met elkaar konden praten. Toen ze moest huilen omdat ze de hare had verloren en ze daar thuis een pak slaag voor zou hebben gekregen, hurkte Tyler bij haar neer en zei: 'Ach, iedereen raakt weleens iets kwijt. Ik koop wel een nieuwe voor je. April krijgt wat ze wil, goed?'

'Wat een stomme grap,' zei April tussen het snikken door, maar ze moest toch ook wel een beetje lachen.

Tyler doet vaak zoiets liefs. Zijn hele familie trouwens. Zijn ouders zijn heel makkelijk, net als hij met die verloren walkietalkie, al hebben ze vijf kinderen en weinig geld. Een groter verschil met mijn ouders is bijna niet denkbaar. Pa drilt ons alsof we deel uitmaken van zijn politiekorps. Regels zus, regels zo – niet alleen dat we het dankgebed moeten zeggen voor we mogen praten en dat zijn wapen moet worden opgeborgen in het dressoir, maar de hele dag door. Hij hangt zelfs dagschema's voor ons op de ijskast. Volgens mij zou hij zich door April en mij nog 'meneer' laten noemen als mijn moeder het goedvond. Hij hangt ook graag spreuken op in huis. *Je bent verantwoordelijk voor je eigen daden. Geef een ander niet de schuld van je eigen fouten. Als je je eigen graf graaft, moet je er zelf in gaan liggen.*

Dat heb ik blijkbaar gedaan. Mijn eigen graf gegraven.

Het duurt maar een minuut of tien voor de gevangenen in de gaten krijgen dat hun nieuwe bewaker een vrouw is. Aanvankelijk besteden ze geen aandacht aan me en slenteren ze rond in hun mannenjurken, sommigen met een lap om hun hoofd, de meesten niet; ze roken de goedkope sigaretten die ze gratis van ons krijgen en schoppen wat tegen de kurkdroge struikjes die op het zand groeien. Maar als een van hen dichtbij genoeg komt om mijn gezicht te zien, zijn de poppen aan het dansen. Hij begint te lachen en wenkt een paar anderen. Ze wijzen. Ze joelen. Ze gebaren voortdurend dat ik mijn helm moet afzetten om mijn haar te laten zien.

En dan komt één vent als een haantje aanlopen, haalt zijn pik tevoorschijn en begint zich voor mijn neus af te trekken.

En dit is nog maar mijn eerste uur.

Ik vind het walgelijk en schokkend, maar dat laat ik niet blijken. Ik kijk weg, blij dat mijn ogen schuilgaan achter mijn zonnebril, kauw op mijn kauwgum en probeer te doen alsof hij en de andere mannen weinig meer zijn dan mieren. Oké, zeg ik bij mezelf, God probeert me op de proef te stellen met de ene rotsituatie na de andere. Ik leer er wel mee omgaan, zal bidden als dat nodig is, het allemaal slikken als een soldaat, want dat ben ik. Ik kan het de gevangenen trouwens niet kwalijk nemen dat ze kwaad zijn. Ik bedoel, moet je die arme sloebers nou zien, opgesloten in overvolle, stinkend hete tenten om redenen die ze waarschijnlijk niet eens begrijpen. Ik weet dat de meesten van hen onschuldig zijn omdat ons zoveel is verteld. Sommigen zijn criminelen die zijn ontsnapt tijdens de oorlog – je kunt zien wie de dieven zijn omdat er bij hen een hand is afgehakt. Veel van hen zijn soldaten van Saddam die zijn gedeserteerd zodra de oorlog uitbrak en zichzelf bij ons hebben aangegeven, mager en haveloos en wanhopig op zoek naar voedsel en bescherming. Sommigen zijn natuurlijk echt slecht, Saddamgetrouwen of opstandelingen. Maar de meesten zijn maar gewone mensen die per ongeluk zijn opgepakt. Misschien wel zoals Naema's broertje.

Dus probeer ik me net als Jezus vergevingsgezind op te stellen, zoals mama en pastoor Slattery zouden willen. *Bekommer u om de gevangenen alsof u samen met hen gevangenzat,* gaat dat vers uit Hebreeën niet zo? Ze haten niet mij persoonlijk, hou ik mezelf voor, maar dat waar ik voor sta. De macht achter deze bommen, de buitenlanders die hen hebben gearresteerd en van die kappen over hun hoofd hebben getrokken. En voor zover ik heb gehoord denken alle Arabische mannen toch al dat westerse vrouwen hoeren zijn.

Over dat soort dingen denk ik allemaal na tijdens mijn eerste paar uur als gevangenbewaarder terwijl ik in mijn toren op een metalen klapstoel zit, bakkend in de hitte als een ei in een koekenpan. Daarover en over hoe erg ik Tyler mis, zijn zachte zingen, zijn ogen vol liefde – over de tijd dat ik mensen nog kon vertrouwen. Het enige waar ik van mezelf niet aan mag denken is wat er met Kormick is gebeurd.

'Kate?' Een stem stijgt op vanaf de grond.

Ik tuur over de rand van mijn platform. Jimmy kijkt naar me op vanachter een nieuw montuur. Dat staat hem veel beter dan zijn eerdere bril, zo'n dienstfiets die door het leger wordt verstrekt. *Basic Combat Glasses* heten ze officieel, BCG's, maar wij noemen het *Birth Control Glasses*, anticonceptiebrillen, omdat ze zo lelijk zijn dat je er niemand mee in bed krijgt. 'Wat doe jij hier?' roep ik tegen hem.

'Ik heb pauze. Ik werk met een stel jongens van het hoofdkwartier bij de ingang en we lossen elkaar af om de ander te matsen.' Hij houdt een kartonnen bekertje omhoog. 'IJs. Mag ik boven komen?'

IJs is hier goud waard, dus ik zeg dat hij meer dan welkom is. Hij hangt zijn M-16 over zijn schouder, klimt de ladder op en geeft me het bekertje.

'Is dat allemaal voor mij?' Ik ben nog steeds schor vanwege mijn pijnlijke keel.

'Mooi niet, we delen.' Hij kijkt me bezorgd aan. 'Je klinkt vreselijk, gaat het echt wel?'

'Ja hoor. Wees maar niet bang.' We pakken allebei een stuk ijs en staan er gelukzalig op te zuigen terwijl we over de zandvlakte uitkijken. IJsschilfers in de woestijn: het lekkerste ijs op aarde. Het helpt ook mijn keel wat te verzachten.

'Mag ik iets vragen?' zegt Jimmy dan. Hij heeft zo'n kalmerende stem, laag en rustig. Misschien vind ik het daarom wel goed dat hij tegen me praat.

'Hangt ervan af.'

'Nou, ik wil je niet onder druk zetten, maar nu je er een nachtje over hebt kunnen slapen vraag ik me af of je Kormick nog gaat rapporteren.'

Ik hou mijn blik op het zand gericht. 'En waarom zou ik dat doen? Om nog meer vrienden te krijgen?'

'Nou, voor als, je weet wel, voor als hij iemand anders probeert lastig te vallen.' Jimmy klinkt opgelaten, maar gaat toch door. 'Ik meende het toen ik zei dat ik achter je sta als je het doet. En DJ ook. We hebben het erover gehad. Die klootzak moeten ze in de bak gooien, zijn patserige carrière afpakken. En Boner ook.'

'Wat had DJ ermee te maken?'

'Hij heeft Boner aangepakt terwijl ik bezig was met Kormick.'

Ik schud mijn hoofd. Als Jimmy of DJ hun nek zo voor me uitsteken, kunnen ze hun carrière wel op hun buik schrijven. Dat kan ik niet van ze vragen. En als ik Kormick rapporteer, zal hij mijn leven alleen maar nog gezelliger maken dan het al is. Trouwens, hij heeft me niet eens echt verkracht, hij heeft het alleen maar geprobeerd, dus wat valt er te rapporteren? Dat hij me lastigviel en dat ik hem niet als een echte soldaat van me af heb kunnen houden? Nee, bij alles wat ik zeg zal ik alleen maar zo'n huilebalk lijken als alle kerels ons vrouwen toch al vinden.

'Ik zal erover nadenken,' zeg ik uiteindelijk tegen Jimmy.

'Je bent nogal een harde, hè? Ben je altijd zo geweest?'

'Wie, ik?' Ik kijk hem verbaasd aan. Hij lacht plagerig naar me. 'Echt niet. Thuis was ik een brave trien. Deelde taart uit tijdens de kerkpicknick. Je kent ze wel.'

'Zo braaf was je niet. Je had dat vriendje over wie je me vertelde.'

'Ik héb die vriend. Verloofde, om precies te zijn.'

We vissen allebei nog een stuk ijs uit de beker.

'En jij?' vraag ik dan, blij dat we het niet over Kormick hebben. 'Heb jij iemand die thuis op je wacht?' De eeuwenoude vraag. Waar soldaten het al over hebben sinds de oorlog is uitgevonden.

'Nee,' zegt Jimmy terwijl hij wegkijkt. 'Ik had een vriendin, maar toen die erachter kwam dat ik hiernaartoe zou gaan... nou ja, je weet wel.'

'Toen dumpte ze je, bedoel je dat? Je hoort je man toch juist te steunen als hij zijn land dient, blabla?'

Hij haalt zijn schouders op.

'Nou, da's mooi klote. Zo te horen verdiende ze je niet. Je vindt vast een beter iemand. Je hebt alle tijd.'

Hij kijkt even naar mij, staart dan over de concertina heen naar de gevangenen.

'We zitten verdomme midden in een oorlog, Kate. Hoezo tijd?'

Op de tweede ochtend dat ik wachtloop sta ik eerder op dan anders, vastbesloten eerst even te gaan hardlopen. Mijn keel is nog steeds pijnlijk en gevoelig, maar mijn borst voelt tenminste weer iets beter. Als ik mijn strakste sport-bh aantrek, denk ik dat ik kan hardlopen zonder dat het al te veel pijn doet. Maar het idee opgesloten te zitten in mijn toren met een lange dag vol masturberende goorlappen in het vooruitzicht zonder mijn dagelijkse portie lichaamsbeweging vind ik ronduit ondraaglijk.

Drieoog wil niet mee, en dat verbaast me. 'Laat me met rust, ja,' bromt ze alleen maar terwijl ze zich omdraait om verder te slapen. Maar Yvette staat al klaar. Ik neem het ze nog steeds kwalijk dat ze niets tegen me hebben gezegd eergisteravond na Kormick, maar omdat ik niet in mijn eentje kan gaan hardlopen – dat is te gevaarlijk en tegen de regels – waardeer ik haar gezelschap wel.

De lucht voelt dikker dan normaal, terwijl de zon nog niet eens op is, en een lichte bries doet het maanstof al opwaaien, zodat het lastig ademhalen is. 'Zo te zien krijgen we weer zo'n stomme zandstorm,' zeg ik terwijl we de weg op rennen.

'Shit. Dat wordt kut om in te rijden.' Yvette gaat nu al weken op konvooi, vaak 's nachts, wat veel gevaarlijker is dan alles wat ik moet doen. Haar specialiteit is konvooibeveiliging, wat inhoudt dat ze in een konvooiwagen naast de bestuurder zit met haar wapen uit het raam en de woestijn afspeurt naar gevaar. Ik ben nog steeds een 'basetijger', een soldaat die nog nooit van de basis af is geweest.

We rennen een tijdje zonder iets te zeggen, raken in het ritme. De zandweg is een vrij goede ondergrond, zolang je maar uitkijkt voor stenen, maar één stap ernaast in het zachte spul aan weerszijden en je verzwikt je enkel. Vóór ons loopt de weg kaarsrecht door tot hij in een waas verdwijnt. De woestijn in Irak moet de vlakste plek op aarde zijn, dat kan niet anders.

'Gaat het?' vraagt Yvette na een tijdje op gespannen toon. 'Ik heb gehoord dat er eergister gelazer was.'

'Wat heb je gehoord?'

'O, het gebruikelijke gelul. Jezus, wat is dat rot ademhalen met dat maanstof.'

We lopen een tijdje zonder iets te zeggen.

'Nou?' vraagt ze uiteindelijk. 'Je hebt nog geen antwoord gegeven.'

'O. Ja, het gaat wel, dank je.'

'Weet je het zeker? Je stem klinkt zo raar.'

'Niks aan de hand. Een beetje keelpijn.'

'Heb je daarom een das om bij zestig graden Celsius?'

'Ja.'

Ze bekijkt me sceptisch. 'Als jij het zegt. Maar je kunt altijd met me praten, meid, oké? Serieus.'

Ik kijk naar haar magere, kleine gezicht en in een flits voel ik een golf van liefde voor haar. Of misschien is het alleen maar abjecte dankbaarheid. Ze weet dat er iets met me is gebeurd en dat erkent ze, wat meer is dan wie ook in die kutcompagnie van me heeft gedaan, behalve Jimmy dan. We vertellen nooit hoe we ons echt voelen – we hebben het veel te druk met de schijn ophouden. Vooral Drieoog, met dat ruige van d'r. Er zijn dagen dat we alleen maar lijken te kunnen opscheppen, pesten of liegen. Hoe het zit met die groep broeders en zusters die we in een oorlog horen te zijn weet ik niet. In mijn compagnie zijn we eerder een groep serpenten.

Tegen de tijd dat we terugkomen bij de tent staan er onheilspellende donkeroranje strepen aan de hemel en wordt de lucht verstikt door stof. Zo goed en zo kwaad als ik kan spoel ik me af met een flessendouche, hoewel het stof er alleen nog maar erger van blijft plakken, en ga dan naar binnen om mijn uniform aan te trekken. Drieoog zit me vanaf haar bed heel vreemd aan te kijken. 'Wat is er met jou aan de hand?' vraag ik, terwijl ik mijn haar voorzichtig droogknijp met een handdoek. Ik moet voorzichtig zijn omdat het de laatste tijd zo vreselijk uitvalt. 'Je kijkt me aan alsof ik groen ben uitgeslagen.'

'Ben je al wezen schijten?'

'Wat is dat nou weer voor vraag?'

'Ik zou maar gaan kijken. Kom, ik ga wel mee.' Zij kijkt nogal ernstig, dus ze zal wel geen grapje maken, al weet je dat bij Drieoog maar nooit.

'Oké. Mij best.'

Ik schuif in mijn meurbaal om me te verkleden (ik hoef de jongens niet nog meer waar voor hun geld te geven dan ze al krijgen), pak mijn uitrusting en sjok achter haar aan naar buiten, terwijl de mannen zoals altijd onze kont nakijken. Verder zegt ze niks meer.

Als we bij de dixi's zijn, hijgend van inspanning om adem te halen door het opstuivende zand en de pizzaovenwarmte, wijst ze naar een ervan. Door het stof heen kan ik er maar een paar woorden in grote zwarte letters op zien staan. Ik loop erheen om te kijken.

TIETEN BRADY IS EEN EIKELLIKKENDE ZANDKONINGIN.

ZET HIER JE NAAM ALS JE HAAR HEBT GENEUKT.

Eronder staan veertien namen: Boner. Rickman. Mack. En bijna de helft van de jongens in mijn tent. DJ staat er tenminste niet bij. Kormick ook niet – die zal wel niet de aandacht op zich willen vestigen. Maar Jimmy wel.

Drieoog komt naast me staan en kijkt naar de lijst. 'Ik kan alleen maar zeggen dat ik je heb gewaarschuwd, meid.'

Zonder haar aan te kijken draai ik me om en loop alleen terug.

'Mam?' Ik zit achter de tent, mijn mobieltje kraakt in mijn oor. 'Ik weet dat het laat is bij jullie, heb ik je wakker gemaakt?' Mijn woorden galmen na in mijn oor.

'Katie, ben jij het?' Omdat haar stem wordt vertraagd door de afstand, overlapt hij de echo van de mijne, zodat onze zinnen door elkaar lopen.

'Ja, met mij. Heb ik je wakker...'

'Wat fijn om je stem te horen, lieverd! Je weet dat je op elk tijdstip kunt bellen. Alles goed met je? Niet gewond of zo?'

'Nee, nee, alles prima. Maar mam?' Mijn stem trilt. Ik hoor hem nagalmen op een zielig toontje. *Mam, mam...* 'Het gaat niet zo goed hier...'

'Godzijdank.'

'Nee... hoorde je wat ik zei? Ik weet niet of ik het wel aankan...'

'Wat? O ja, nu kan ik je verstaan. Vervelend dat je je zo voelt, schatje, maar je moet het niet opgeven. Je moet gewoon nog even wennen. Het wordt vast makkelijker. Als je maar bidt tot God onze Vader, dan helpt Hij je wel. Dan helpt Hij je sterk zijn.'

'Ik bén ook sterk. Dat bedoel ik niet...'

'Katie?' Pa zit op het andere toestel, maar door de echo van mijn stem en die van mama heen kan ik zijn stem bijna niet horen. 'Niet piekeren, meisje. Gewoon volhouden. Iedereen heeft het weleens moeilijk in het leger. Ik had het ook moeilijk toen ik net bij de politie kwam. Maar ik weet dat je het kunt. We hebben vertrouwen in je, liefje.'

'Maar...'

'Dapper zijn, meisje. Vergeet niet dat we van je houden. God houdt van je. Zorg dat we trots op je kunnen zijn.'

Een paar minuten later zit ik weer in de Humvee met mijn ploeg, op weg naar het complex. Jimmy zit zoals altijd voorin naast Creeley met zijn babyhoofd, de kleine harige Mosquito zit opgepropt bij mij achterin obscene grappen te maken met de jongens. Ik staar nietsziend door het gele plastic zijraam, met mijn armen stijf over elkaar geslagen. Ik voel hun ogen over me heen gaan; ik weet dat ze allemaal de latrine hebben gezien. Ze hebben er vast om zitten gniffelen toen ze naar me toe reden: de Zandkoningin, de lijst met namen, alles. Zandkoningin is een van de ergste benamingen voor een vrouw in het leger. Er wordt een spuuglelijk wijf mee bedoeld dat door de honderden geile kerels om haar heen als een koningin wordt behandeld omdat er zo'n tekort aan vrouwen is. Maar door al die aandacht krijgt ze het zo hoog in haar bol dat ze zich als een hoer op een vrijgezellenfeest laat doorgeven, zonder zich te realiseren dat diezelfde kerels thuis niet naar haar zouden omkijken.

Met andere woorden, ze is een zielige slet die te wanhopig en te dom is om door te hebben dat ze alleen maar dient als matras.

Ik probeer me groot te houden, zoals pa zei. Ik doe hard mijn best. Maar op de een of andere manier is die graffiti erger dan Kormick.

Als de Humvee stopt aan mijn kant van het complex, stap ik uit zonder iemand aan te kijken en ga op weg naar mijn toren. De zandstorm wordt met de minuut heviger, dus ik trek mijn sjaal voor mijn mond om het stof tegen te houden. Als ik nu voor eeuwig onder het zand zou worden begraven, zou ik dat helemaal niet erg vinden.

'Wacht even!' roept Jimmy naar boven. Normaal gesproken rijdt hij door met de anderen, maar ditmaal springt hij uit de auto, zegt tegen Creeley dat die zonder hem door moet rijden en komt mij achterna. Daar krijgt de godganse basis binnen de kortste keren lucht van.

Zonder te reageren loop ik door.

'Hé, mag ik het uitleggen?' zegt hij.

Ik ga sneller lopen.

'Ik heb mijn naam er niet bij gezet. Geloof me. Een of andere eikel heeft dat gedaan. Je weet best dat ik dat nooit zou doen!'

Ik blijf doorlopen.

'Kate!'

Hij probeert mijn arm te pakken. Ik schud me los.

'Luister nou!'

'Val dood.' Ik ga nog sneller lopen.

'Kate, toe nou! Doe nou niet zo.'

Ik klim de ladder op naar mijn toren en weiger antwoord te geven. Hij staat een hele tijd in de wind naar boven te kijken. Maar ik kijk niet terug.

Pas als hij het opgeeft en wegloopt, laat ik mijn hoofd op mijn armen vallen. Hoe kon ik nou denken dat Jimmy beter was dan de andere jongens in dit gat? Het is een mannenclub en dat zal het altijd blijven. Eerst kerels, dan wijven, in die trant.

Wat ben ik toch een stomme trut.

De soldaat zit in een kring met een stel vrouwelijke veteranen die ongemakkelijk zitten te draaien op hun harde plastic stoel. Vanaf kleurrijke posters aan de muur krijgen ze allerlei aanmoedigingen naar hun hoofd geslingerd:

Hou net zoveel van jezelf als van een ander.

Luisteren is de sleutel tot succes.

Genees jezelf door vandaag nog een vriend te omhelzen.

En wat de soldaat helemaal irritant vindt: *Leer van je fouten, daar groei je van.*

Ze zit onderuitgezakt en vol afkeer naar de andere vrouwen te kijken. Ze zien eruit als een stelletje verlopen drankverslaafden in hun slobberende joggingbroeken en papieren wegwerpslippers, met pafferige gezichten van de medicijnen en een lege blik. Ze zijn ook ouder dan zij, dik en vormeloos. Verpleegsters uit de Vietnamoorlog, piloten uit de Eerste Golfoorlog. Het zíjn waarschijnlijk ook alcoholisten, stelt ze vast.

De therapeut, een mens met een mager gezicht en een bril, die rechtop zit alsof ze een kachelpook in d'r reet heeft, doet hetzelfde als tijdens de laatste paar sessies: ze gaat de kring rond en alle vrouwen mogen iets vertellen, alsof ze op de kleuterschool zitten. Vicky, de Vietnamverpleegster, mompelt dat haar man haar in elkaar slaat. Nicole, de Golfoorlogpiloot, klaagt dat ze zich niks meer herinnert. Maar de ergste is die kleine troel die zegt dat ze korporaal was in het leger, maar het sufste stemmetje heeft dat je je kunt voorstellen. Korporaal Betty Boop. Haar bijdrage is dat haar hoofdpijn maar niet overgaat.

Schamperend slaat de soldaat haar armen over elkaar. Ze heeft een teringhekel aan dit gezeik. Ze gaat liever weer aan de pillen.

'Kate, wil jij vandaag iets met ons delen?' zegt Kachelpook als de anderen uitgepraat zijn, terwijl ze haar over haar doktersbril aankijkt.

Zonder antwoord te geven kijkt de soldaat smalend terug. De andere veteranen wisselen een blik.

'Kate,' zegt Kachelpook weer, 'als je geen zin hebt om iets te vertellen, dan begrijpen we dat. Maar meestal lucht het enorm op om te praten. Daarom zijn we hier. Weet je zeker dat je niets wilt delen?'

Daar is dat benauwde gevoel weer waar de soldaat van in paniek raakt en kortademig van wordt. Ze wil niet dat al die ogen van al die losers haar aankijken. Ze heeft ook geen zin om die trieste zeikverhalen van al die wijven aan te horen. Ze heeft verdomme geen zin om te horen dat ze dertig jaar na de Vietnamoorlog nog steeds net zo verknipt zijn als zij.

Ze hebben trouwens geen van allen echt gevochten, zoals zijzelf. Ze hebben geen flauw idee.

KATE

Naarmate de dag vordert begint de zandstorm steeds meer aan te trekken, en omdat ik daar in die toren zit, krijg ik de volle laag. De lucht wordt spookachtig donkeroranje en de wind schept het maanstof op en blaast het rond in wervelende kolken waar mijn oren en neusgaten van verstopt raken. De gevangenen blijven in hun tenten, maar die luxe heb ik niet. Dus hou ik mijn mond bedekt met mijn sjaal en ga in elkaar gedoken op de stoel zitten. Ik kijk hoe het zand aankoekt op mijn zonnebril, veeg hem schoon, en kijk hoe het weer van voren af aan begint. Algauw zie ik niets meer, behalve dan bruingrijze smurrie. Ik hoop van harte dat de gevangenen niet van alles gaan uitproberen. Mijn wapen, dat ik net heb schoongemaakt, zit al te vol zand om ermee te schieten, ik kan niets zien door al het stof, ben doof van de wind. Ze kunnen zo de gevangenis uit lopen zonder dat ik het in de gaten heb – ze hoeven alleen maar wat zand uit te graven en onder de concertina door te kruipen. Ze kunnen ook zo naar boven sluipen om mijn keel door te snijden.

Een paar uur later komt Jimmy weer. Hij roept me, waarop ik niet reageer, en als hij vlakbij komt, kan ik in het stof net de grillige bruine strepen op zijn uniform onderscheiden. Hij loopt gebukt tegen de wind, met net zo'n witte sjaal voor zijn mond en neus als ik, en heel even moet ik denken aan de scène in die oude film, Doctor *Zhivago*, als Omar Sharif zich door een sneeuwstorm worstelt om zijn grote liefde Lara in te halen. Die film heb ik op de middelbare school eindeloos vaak gezien. In die tijd keek nog niemand op van een filmster met een Arabische naam.

Jimmy klimt ongevraagd de ladder op om bij me te komen zitten. Ik zeg niks en kom niet van mijn stoel. Het liefst zou ik hem van die rottoren af duwen.

Hij zit naast me op de vloer van het platform met zijn knieën tegen zijn borst getrokken. Zijn gezicht is nog steeds verborgen achter zijn sjaal, en zijn helm en bril zitten onder het maanstof. Een hele tijd zeggen we geen van beiden iets. We zitten daar als een stel verschrikkelijke zandmannen.

'Jezus, wat mis ik groen,' roept hij ten slotte boven de wind uit.

Ik geef geen antwoord. Een ezel stoot zich geen twee keer, denk ik.

'Frisse lucht ook,' zegt hij dan.

Weer stilte.

'Dit land staat bekend om zijn dadelpalmen, wist je dat? Bossen vol dadelpalmen. Ik zou heel graag een bos dadelpalmen willen zien.'

Ik ga verzitten.

'Overal in Irak hebben ze prachtige palmbomen, honderden verschillende soorten. En wij krijgen alleen maar woestijn. Geen rotboom te zien.'

'We hebben Marvin.'

Ik zeg het onwillekeurig, maar Jimmy kijkt er niet van op. Hij vraagt alleen: 'Wie is Marvin?'

Ik wijs in de richting van Marvin, hoewel die nu totaal onzichtbaar is.

'O, je bedoelt Rambo.'

Onwillekeurig glimlach ik.

We blijven een tijdje zwijgend zitten; de wind en het zand wervelen rond in een bruine waas.

'Ik mis vogels,' zeg ik ten slotte.

'Ja, waar zijn al die vogels gebleven? Zelfs in de woestijn moet je vogels hebben.'

'Precies. Dat vroeg ik me ook al af.'

'Die zullen we ook wel hebben weggebombardeerd.'

'Zal wel.'

'Wat mis je nog meer?' vraagt Jimmy.

'Je bedoelt afgezien van mensen?'

'Ja.'

Ik denk even na. 'Boomwortels.'

'Boomwortels?'

'Ja. Je weet wel, als je door het bos loopt en ze maken van die kronkels en mooie patronen op de grond, alsof ze de takken erboven willen nadoen. In Willowglen heb je een meer dat Myosotis heet, dat is Grieks voor vergeet-mij-nietjes. En in mei en juni groeien er overal van die mooie blauwe pollen vergeet-mij-nietjes tussen de boomwortels. En het mooist zijn nog de vlindertjes die precies dezelfde kleur hebben.'

'Vliegende vergeet-mij-nietjes. Cool.'

Ik kijk hem aan. Steekt hij nou de draak met me? Ik kan hem niet zo goed zien, maar hij klinkt ernstig. 'Wat mis jij?' vraag ik dan.

'Fietsen met mijn broers. Zwemmen.'

'Zwemmen. Ik ben gek op zwemmen. Ik ging altijd met Tyler zwemmen in het meer.'

Een tijd lang zitten we zwijgend in de stofwolk. Ik zie dat Jimmy een condoom over de loop van zijn wapen heeft gedaan zodat er geen zand in komt.

'Jimmy?' vraag ik uiteindelijk. 'Waarom haten de jongens hier me zo?'

NAEMA

We hebben een verschrikkelijke nacht achter de rug. We lagen zoals gewoonlijk op het dak te slapen, toen oma Maryam gillend wakker werd uit een nachtmerrie. Het was zo'n afgrijselijk geluid, alsof haar keel werd doorgesneden, dat mama en ik allebei met een bonkend hart overeind schoten. We maakten oma wakker en probeerden haar te kalmeren, maar het lukte haar niet om de angst van zich af te schudden. Ik moest op de tast door het donker naar beneden om wat van het kostbare dadelsap te halen dat we hebben bewaard. Maar zelfs toen ze daarvan had gedronken, duurde het geruime tijd voor ze weer wist waar ze was.

Het is niet alleen de schok van de arrestatie van papa en Zaki die dit bij haar teweeg heeft gebracht, maar ook het feit dat de oorlog zo dichtbij komt. Afgelopen nacht lichtte de hemel boven Umm Qasr op door witte lichtflitsen, en zwarte rookpluimen onttrokken de maan aan het zicht. Nadat we oma wakker hadden gemaakt, bleven we even op het dak staan kijken en luisteren naar de explosies en de schoten, en het geronk en geklapper van de helikopters klonk zo luid dat het wel leek alsof ze in onze eigen borst dreunden. Toen pakten we snel onze slaapmatten en namen oma mee naar beneden, hoe warm het ook was. Afkoelen in de nachtlucht kon niet meer met al die kogels en bommen zo dichtbij.

Ook Zaki en papa moeten het lawaai hebben gehoord in hun

gevangenis. Ik vraag me af of Zaki bang was. Mijn broer met de gouden ogen en zijn lieve, grappige gezicht en zijn jongensdromen om popster te worden... wat voor leger sluit een kind als hij nou op? Een kind dat liever een babygeitje voert dan dat hij een wapen pakt? En waarom hebben die Amerikanen niet op zijn minst toegestaan dat vader en zoon bij elkaar bleven? Zaki was zo bang toen er bommen op Bagdad vielen, al deed hij alsof het niet zo was. 'Maak je nou maar niet druk om mij, ga mama maar helpen,' zei hij telkens als ik probeerde hem vast te houden, maar ik voelde zijn kleine botten bibberen. Wie kan hem nu beschermen, in een tent vol schurken en dieven? Want iedereen weet dat er onder de gevangenen niet alleen onschuldigen rondlopen zoals hij, maar ook soldaten van de Republikeinse Garde, bruut en corrupt, en criminelen en ontaarden die jonge jongens verkrachten.

En hoe is het met papa? Nu hij opnieuw is opgesloten zal hij ongetwijfeld terugdenken aan de tijd dat hij in de gevangenis van Saddam zat. Zijn benen zijn nooit hersteld na keer op keer te zijn gebroken door de gevangenbewaarders van Saddam – hij is nu kromgegroeid en kreupel, alsof hij op blote voeten over glas loopt. Hoe kunnen zijn lichaam en geest, al gebroken door foltering en uithongering, die spanning nu verdragen?

Ik moet er niet meer zoveel over nadenken. Het niet-weten, dat is waar je gek van wordt. Dus ik richt me er vooral op me nuttig te maken. Ik was me en zeg mijn ochtendgebed, loop dan naar de spiegel, pak mijn blauwe hijab, een kledingstuk waar ik nog steeds niet aan ben gewend, en doe hem om bij het licht van een kaars: ik vouw de voorkant over mijn voorhoofd, trek de zijkanten over mijn oren om iedere haarlok te verbergen, wikkel hem strak om mijn hals en speld hem aan de achterkant vast. Voor deze oorlog droeg ik nooit een hijab, net zoals ik nooit lange rokken hoefde te dragen, en ik heb nog steeds niet geleerd om mijn hoofd te bewegen zonder bang te zijn dat hij afglijdt. De hele dag door hou ik mijn nek stijf rechtop tot de pijn doorstraalt naar mijn rug.

Ik bekijk mijn vreemde gezicht in de spiegel, een bleke en vermoeide ovaal omlijst door blauw, blaas dan de kaars uit en ga naar buiten om me weer bij hetzelfde handjevol belegerde burgers te voegen die me elke ochtend naar de gevangenis vergezellen: Umm Ibrahim met haar kloeke dochter van middelbare leeftijd, Zahra, de verkreukelde oude Abu Rayya en zijn wanhopende vrouw en de felle weduwe Fatima. Onderweg denk ik er weer over Fatima om advies te vragen over waar mijn familie naartoe kan vluchten als papa en Zaki zijn vrijgelaten. Maar ik durf niet. Mama's woorden klinken na in mijn hoofd: 'Vergeet niet dat we niemand kunnen vertrouwen, Naema.'

Het is zo eenzaam om niet te kunnen vertrouwen.

De tocht naar de gevangenis is geen pretje. We blijven aan de kant van de weg en wandelen in ganzenpas, want elk moment moeten we opzij kunnen springen voor een militair konvooi dat langs komt denderen en niet bereid is voor wie dan ook te stoppen. We weten al dat kinderen en oude mensen door zulke konvooien zijn overreden omdat ze niet snel genoeg konden wegspringen. Ik heb de lijken zelf gezien, zo vaak overreden dat ze plat op de weg liggen en er alleen nog maar bloederige resten van organen en botten van over zijn. Maar als we deze konvooien willen ontwijken of willen afsnijden via de woestijn, wachten ons weer andere gevaren. Verborgen landmijnen die na de vorige oorlog zijn blijven liggen. Zwerfhonden, gek van de honger of hondsdolheid. Een verdwaald kleurig balletje uit een clusterbom.

Ik kan niet aan die clusterbommen denken zonder woest te worden. Het internationale recht verbiedt het gebruik ervan in stedelijke gebieden, maar de Amerikanen en de Britten laten ze zonder scrupules op ons neer regenen. Clusterbommen zitten vol kleine gekleurde blikken balletjes, waarvan een groot deel niet ontploft als ze de grond raken. Nee, ze zien eruit als onschuldig speelgoed en liggen op straat te wachten tot een passerende trilling ze tot ontploffing brengt. Zo verandert een kind dat het blij opraapt of een jonge moeder die nietsvermoedend langsloopt met een kinderwagen in een suïcidale moordenaar, doordat ze een explosie veroorzaken die iedereen om hen heen aan flarden rijt. Dat is een van de redenen waarom onze ziekenhuizen vol liggen met kinderen zonder armen en onze begraafplaatsen met hoofden en ledematen zonder lichamen. Welk monster verzint nu zo'n wapen? En welke bevolking staat haar legers nu toe het te gebruiken?

Aan de andere kant: wat hebben wij gedaan toen Saddam de Koerden vergaste met zijn eigen duivelse wapens? En wat hebben wij gedaan toen hij het volk van mijn moeder, de sjiieten, afslachtte, hun water stal, hun velden liet verdrogen en hun middelen van bestaan vernietigde? Ook wij kunnen ons als schapen gedragen.

Samen met mijn metgezellen kom ik bij de gevangenis aan op het moment dat de zon opkomt, en we gaan bij alle andere angstige families staan die net als wij zijn teruggekomen om hun dierbaren te zoeken. Ze duwen me vlug naar voren, zoals inmiddels gebruikelijk is, en drukken me hun foto's in handen zodat ik ze aan de meisjessoldaat kan geven. Dan wachten we, zoals de machtelozen altijd moeten wachten, even nutteloos als ezels die met hun lome staart de vliegen verjagen.

De dageraad dompelt onze gezichten eerst in roze en dan in glanzend goud; de zon straalt alsof dit een feestelijke tijd is in plaats van een ellendige. En als diezelfde onverschillige zon eindelijk hoog aan de hemel staat te branden, wisselen de soldaten de wacht en kan ik op zoek naar die kleine Kate met haar gekke, onnozele gezicht. Ik vraag me af waarom ze denkt dat ze hier is – om God te dienen? Of dient ze haar president, met dezelfde bange onderdanigheid waarmee onze soldaten Saddam dienden?

Maar ik word teleurgesteld, want de soldaat die op ons afkomt, is niet Kate. Dit is een andere vrouw, een grote, met brede, zware schouders en volle borsten die haar uniform vullen. Ze heeft een rond en rood gezicht, dat echter is verborgen achter de gebruikelijke zonnebril, dus ik kan niet zien hoe oud ze is. Maar haar mond staat grimmig. Ik bereid me voor op het ergste.

'Goedemorgen,' zeg ik in het Engels tegen haar.

'Achteruit,' snauwt ze terwijl ze haar wapen op me richt.

'Het spijt me, ik wil alleen maar helpen. Ik kan voor u tolken.'

Ze laat haar ogen over me heen gaan, deze amazone met haar strenge mond, haar verstrakte kaken. 'Ja, ik heb over je gehoord. Nou, ik kan je dit vertellen: er valt niets te tolken. Ga nou maar weg, en zeg de rest van je vrienden ook dat ze kunnen vertrekken. Wegwezen!'

'Maar waar is die andere soldaat, die Kate?'

'Hoor je me niet?' Ze heft haar wapen en richt het op mijn hart. 'Oprotten, zei ik!'

Ik maak mezelf groot en bekijk de vrouw vol afschuw. Ze jaagt me geen angst aan, omdat ze zelf duidelijk bang is. 'U hebt het recht niet om zo tegen mij te praten,' zeg ik in mijn allerbeste Engels tegen haar. 'Jullie komen hier, vallen zonder reden mijn land binnen, sluiten onze kinderen op. Wat zijn jullie voor mensen?'

'Naema, in Allahs naam, hou op!' zegt Umm Ibrahim, terwijl ze aan mijn mouw trekt. Ze verstaat niet wat ik zeg, maar mijn toon is overduidelijk. 'Je moet niet ruziemaken met die soldaat, straks schiet ze je nog dood! Kom, we gaan!'

De soldaat staart me kil aan, nog steeds met haar wapen op mij gericht. Op haar borst zie ik het woord McDougall. Om de een of andere reden maakt dat woord me aan het lachen.

'Kom nou!' dringt Umm Ibrahim opnieuw aan. 'Je draait door. Kom!'

Ik laat me door haar wegtrekken, want het heeft duidelijk geen zin om te blijven. Maar ik kan het niet laten om over mijn schouder te kijken en te roepen: 'Je moest je schamen!' om mijn koppigheid tevreden te stellen.

Mama heeft altijd gezegd dat ik zo koppig ben als een geit. Misschien komt het doordat ik de oudste ben, of misschien omdat ik haar heb moeten helpen het hoofd boven water te houden toen papa in de Abu Ghraib-gevangenis zat toen ik nog naar school ging. Saddam liet hem arresteren omdat hij een gedicht had geschreven over de dood van een jonge soldaat in onze oorlog met Koeweit. Papa's aanklagers zeiden dat het getuigde van 'gebrek aan eerbied jegens Zijne Excellentie, onze Eerbiedwaardige Leider' door de dood te omschrijven als een tragedie in plaats van als een triomf van patriottisch martelaarschap. Maar we wisten dat de werkelijke reden was dat papa had geweigerd om zich aan te sluiten bij Saddams Ba'ath-partij. Papa is een vrije geest en heeft een hekel aan despotisme, net als mama en ik. Maar Saddam strafte natuurlijk iedereen die niet wilde buigen voor zijn wil.

'Ik wist dat dit zou gebeuren.' Ik weet nog dat mama dat huilend zei, vlak nadat papa was meegenomen. 'Zodra we verkering kregen en je vader me zijn gedichten liet zien, wist ik dat hij er ooit door in de problemen zou raken.' Ze keek me aan, haar donkere ogen groot en bang onder haar glanzende haar, dat in die tijd nog diepzwart was. 'Je vader is een goed mens, maar hij draagt zijn hart op de tong. Zijn gedichten verhullen niets voor wie niet blind is. Weet je wat ik tegen hem zei toen ik zijn gedichten voor het eerst las?'

'Wat, mama?' Ik keek haar behoedzaam aan. In die tijd was ik zestien en doodsbang dat papa zou sterven. Ik wist eigenlijk niet of ik wel wilde horen wat mama nu ging zeggen.

'Je vader en ik zaten in de salon van mijn oom. Daar heeft onze hele verkeringstijd zich afgespeeld, want omdat mijn moeder in Basra woonde en mijn vader was overleden, Allah zij hem genadig, stond ik onder bescherming van mijn oom zolang ik in Bagdad naar de universiteit ging. Oom hield ons streng in de gaten! Je vader vond het verschrikkelijk... hij wilde me helemaal voor zichzelf.' Mama glimlachte en vergat even het heden en alle ellende die erbij hoorde. 'We zaten allebei op de bank... niet te dicht naast elkaar... en hij keek me met zijn zachte ogen aan. Je vader was zo knap in die tijd, net Zaki, met zo'n zacht gezicht. Het gezicht van een dichter.' Ze zweeg, vond heel even rust in haar herinneringen. 'Toen gaf hij me blozend het gedicht. "Heb mededogen, Zaynab," zei hij. "Vind me alsjeblieft geen dwaas." Ik nam het aan, en terwijl ik het las, voelde ik dat zijn ogen me bezorgd aankeken. Het was een gedicht van een jongeman, vol bloemrijke beeldspraak en verlangens. Als ik er nu aan denk moet ik glimlachen, en ik weet dat je vader zich ervoor schaamt. Maar ook toen al kon ik zien dat dit jeugdige probeersel gevaarlijk was.'

Mama schudde haar hoofd en liet zich in een stoel bij het raam vallen. 'Weet je wat ik tegen hem zei, Naema? "Je stopt je hart in deze gedichten, mijn liefste," zei ik. "Het is een goed hart, maar ik vrees dat het je verdriet zal brengen." Toch bleef hij die gedichten schrijven. En wat is er gebeurd? Ik kreeg gelijk.'

Maar mama was niet boos op papa, alleen bang, want we hadden geen idee of hij nog leefde en of en wanneer hij zou worden vrijgelaten. Als iemand eenmaal in Abu Ghraib verdween, kreeg de familie niets te horen. Je moest in onwetendheid wachten tot de gevangene werd vrijgelaten, misschien zonder vingers of een hand, misschien kreupel of gek. Misschien wel dood.

De Amerikanen geven tenminste lijsten.

Toen papa weg was probeerde mama sterk te zijn voor mij en Zaki, maar het was niet eenvoudig voor twee vrouwen alleen met een acht jaar oude jongen die moest eten. Onze familie deed wat ze kon om ons te helpen, maar mama moest naar het ziekenhuis blijven gaan om haar patiënten te behandelen omdat ze anders haar baan zou verliezen, dus moest ik wel thuisblijven van school om voor Zaki te zorgen, naar de markt te gaan, te koken en schoon te maken. Wat miste ik school en mijn vriendinnen! Maar ik leerde uit mijn boeken wanneer ik maar kon, ging met mama de ene functionaris omkopen en de andere petities aanbieden om papa vrij te krijgen, en toen hij plotseling elf maanden later voor de deur stond – levend, lof zij Allah, maar met zijn benen gebogen en krom van de martelingen, zijn huid gehavend, zijn lichaam uitgehongerd en zijn hart zwak kloppend in zijn borst – heb ik hem maandenlang verzorgd. Wat kun je onder zulke omstandigheden anders dan koppig worden?

Toen papa eenmaal van de ergste pijn en de shock was hersteld, had ik op andere vlakken profijt van mijn koppigheid. Ik ging weer naar school, vastbesloten de verloren tijd in te halen, en elke dag als ik thuiskwam zette ik die arme, kleine Zaki op een stoel en dwong hem te luisteren terwijl ik schooltje speelde en herhaalde wat ik had geleerd. Als hij zat te draaien of te jengelen of probeerde weg te lopen, tikte ik hem met een latje op zijn knokkels. Pas toen papa me betrapte, werd Zaki bevrijd. Wat was papa boos! 'Hoe kun je je eigen broertje nu zo kwellen?' zei hij. 'Zo laat je niet zien dat je sterk bent. Wie werkelijk sterk is, is zacht en vol mededogen en profiteert niet van de zwakkeren.'

Was het maar waar.

Het was wel een rustige tijd voor ons gezin. Papa was eindelijk thuis en gaf weer les aan de universiteit, nadat hij wie weet hoeveel steekpenningen had betaald en alsnog lid was geworden van de Ba'at-partij. (Zelfs hij was niet in staat een held te zijn in die verschrikkelijke tijd.) Zaki had het leuk met zijn kleine jongensclub van school. En ik, toen zeventien, was hard aan het leren op school en had mijn vriendinnen Farah en Yasmina, met wie ik giechelde over filmsterren en jongens.

Het fijnst van die tijd waren de avonden, als Zaki en ik klaar waren met urenlang huiswerk maken en bij onze ouders op de bank mochten zitten om naar de nieuwste soap te kijken. We vonden het leuk om naar de plot te raden en die te verdraaien, en Zaki, die zo graag de clown uithangt, kwam altijd met de gekste wendingen: de held bleek kippenpoten te hebben, of de heldin had twee echtgenoten en twee hoofden, voor ieder een; ideeën die hij ongetwijfeld baseerde op oma's verhalen. Dan sprong hij op en stapte schokkend met zijn hoofd de hele kamer door, terwijl hij zijn dunne beentjes potsierlijk optilde, als een echte kip. Onwillekeurig moet ik glimlachen bij die herinnering als ik van de gevangenis terugloop naar huis, met die arme Umm Ibrahim piepend van het hijgen naast me. Zelfs de gewoonste tijden lijken zo mooi als ze voorbij zijn.

Die tijden zullen terugkomen. Dat moet gewoon.

Maar hoe kan ik iets te weten komen over papa en Zaki nu die kleine soldaat Kate weg is van de controlepost? Hoe kom ik te weten of de Amerikanen net zo wreed zijn in hun gevangenissen als Saddam in de zijne?

KATE

Sinds ik de wacht hou zijn er twee weken voorbijgekropen, en mijn dagen lijken zo op elkaar dat ik de ene niet van de andere kan onderscheiden. 's Ochtends ga ik altijd hardlopen met Yvette, als die tenminste niet op konvooi is. Drieoog slaapt de meeste dagen uit, en dat vind ik prima – ik hou wat afstand sinds dat rotwijf met haar ik-heb-je-toch-gewaarschuwd-gezeik aan kwam zetten bij de dixi. De rest van de tijd sta ik in mijn toren te kijken hoe de gevangenen ronddolen op die trieste luchtplaats van ze of op handen en knieën gaan zitten bidden.

Ik moet bekennen dat ik het doodeng vind als ze dat doen. Ze gaan in rijen naar het zuidwesten staan, dat zal van hieruit wel richting Mekka zijn, spreiden hun kleedje uit, als ze er tenminste een hebben, gaan op hun handen en knieën zitten en steken dan hun voorhoofd in het zand. Ik vind het niet prettig om ze zo onderdanig te zien, met hun kont omhoog. Ik weet dat zij het anders zien dan ik, culturele verschillen en zo, maar ik geloof niet dat God wil dat we zo overdreven eerbiedig doen; zijn we tenslotte niet gevormd naar Zijn evenbeeld? En ik vind het bloedirritant dat al dat bidden diezelfde kerels er niet van weerhoudt zich als klootzakken te gedragen zodra ze klaar zijn.

Er zijn er nu heel wat die dingen naar me gooien. Slangen en schorpioenen die ze in het zand vinden. Spinnen, dood of levend.

Kevers en beestjes in alle soorten en maten. Ze vinden het leuk als het lukt om mij te laten schrikken of gillen, dus moet ik al mijn energie gebruiken om te proberen onaangedaan over te komen wanneer er een schorpioen op mijn schouder terechtkomt of een kronkelende slang naast mijn voeten belandt.

We krijgen nu ook veel meer gevangenen te verstouwen omdat Bucca zo snel groeit. Elke dag worden er weer meer binnengebracht. De tenten zijn zo overvol dat we orders hebben gekregen om na onze shift nog meer complexen te bouwen, zelfs als we er al veertien slopende uren op hebben zitten. Ik vind het onbegrijpelijk dat de gevangenen die dingen niet zelf kunnen bouwen. Op militaire training leerden we dat gevangenen onder de duim moeten worden gehouden door ze te laten werken voor beloningen en privileges. Niet in Camp Bucca. 'Het is te warm voor de gedetineerden om te werken,' zegt het commando dan. 'En nou naar buiten en zweten.' Dat is al erg genoeg, maar waar ik echt pissig van word is dat de gevangenen lekker eten en gratis sigaretten krijgen, of ze nou hebben geprobeerd te ontsnappen, zich voor mijn ogen afrukken of hun gebeden braaf opzeggen. Er zijn dagen dat je verdomme het gevoel krijgt dat zij hotelgasten zijn en wij hun dienstmeisjes.

We hebben nu tenminste een paar extra voorzieningen voor onszelf. DJ en drie andere jongens in onze tent hebben een lading multiplex gejat van een technisch bedrijf en een vloer voor ons gelegd zodat we minder ratten en insecten hebben. Er zijn meer latrines en zelfs een douchetrailer. En we hebben ook e-mail, al zijn er zo weinig computers en zijn ze zo verdomd traag dat ik te snel geïrriteerd raak om er de moeite voor te nemen. Maar ik zit er niet zo mee. Ik heb niet veel zin meer om naar huis te schrijven of te bellen, tenminste niet na dat laatste gesprek. Wat valt er te zeggen? Ik kan papa of mama niet vertellen over het bewaken van gevangenen die zich aftrekken en dooie spinnen naar me gooien, dat strookt niet met hun idee van wat een soldaat doet in een oorlog.

Ik kan ze niet vertellen over Macktruck die de hele tijd porno zit te lezen, of over wat Kormick heeft gedaan. Het enige wat ze willen horen is hoe nobel en heldhaftig ik bezig ben. Die paar keer dat ik heb gebeld, was het eerste wat pa altijd zei: 'Kate, ik ben hartstikke trots op je.' En het laatste wat hij altijd voor het afscheid zei, is: 'Zo ken ik je, meisje, dapper en sterk.'

Het gekke is dat ik nog steeds wil dat hij trots op me is. Ik wil ook dapper en sterk zijn.

Mama heeft een andere benadering. 'Bid je wel elke avond en ga je naar de kerkdienst?' vraagt ze altijd nadat ze heeft verteld dat ze voortdurend bidt voor mijn veiligheid. 'Geef je het goede voorbeeld aan die arme, moedige soldaten daar?'

Mama was degene die me de crucifix meegaf, die ene die ik recht boven Pluisje aan mijn tentstok heb hangen. Die crucifix is ongelooflijk belangrijk voor haar omdat ze hem om had toen ze in haar middelbareschooltijd een verschrikkelijk ongeluk kreeg, en ze heeft altijd geloofd dat dat ding haar leven heeft gered. 'Zul je zorgen dat je hem altijd bij je draagt, schat?' zei ze toen ze hem de avond voor mijn vertrek van haar hals haalde en aan mij gaf. 'Vertrouw erop dat Onze-Lieve-Heer over je waakt, zoals Hij bij mij heeft gedaan.' Ik was ontroerd. Ik had nog nooit eerder gezien dat ze dat ding afdeed.

Ze vertelde me over het ongeluk toen ik vijftien was, dezelfde leeftijd die zij had toen het haar overkwam. 'Katie?' zei ze op een zomerdag in de keuken, terwijl ik in onze vriezer op zoek was naar een ijsje. 'Heb je even? Ik moet met je praten.'

Ik haalde een citroenijsje tevoorschijn en draaide me naar haar om. Omdat het zo warm was, liep ik op blote voeten en had ik een afgeknipte spijkerbroek en een bikinitopje aan, en ik herinner me dat ik overal jeuk had van de muggenbeten. Robin, die ook toen al mijn beste vriendin was, zat met twee knappe jongens van school in de voortuin te spetteren in ons opbouwzwembad en op mij te wachten.

'Moet dat nu?' zei ik geïrriteerd. 'Kan het niet wachten?' Maar mama zag er zo raar en verdrietig uit dat ik mijn mond hield en ging zitten. 'Wat is er aan de hand? Ga je me op mijn kop geven of zo?'

Ze trok haar stoel tot bij mijn knieën, vouwde haar kleine mollige handen op schoot in haar gele rok en richtte haar fletsblauwe ogen op mij. 'Nee, het ligt niet aan jou, schat. Maar ik moet je iets vertellen. Over wat er met mij gebeurd is toen ik net zo oud was als jij nu. Het wordt tijd dat je dat weet.' En toen vertelde ze me het hele vreselijke verhaal op een rare, afstandelijke toon, alsof ze het over iemand anders had. Maar ze bespaarde me geen enkel gruwelijk detail. De vijf meisjes die zich bezatten met gestolen whisky. Dat ze zich allemaal giechelend in een auto propten, al wisten ze stuk voor stuk beter. Hoe ze met honderd kilometer op een tegemoetkomende pick-up botsten. Bungelende hoofden, verdraaide ruggen, geplette gezichten. 'Ik lag zes maanden in het ziekenhuis, piekerend over waarom de Heer mijn vriendinnen liet sterven en mij niet,' zei mama, 'en op dat moment realiseerde ik me dat Hij me een tweede kans gaf, dat Hij me opriep om Zijn liefde te verspreiden. *Wees daders van het Woord en niet alleen hoorders.* Daarom wil ik dat je vertrouwt op Jezus en Maria, Katie. Die zullen voor je zorgen, zolang je de leer van Christus in acht neemt. En daarom wil ik niet dat je nog omgaat met de jongens die buiten zitten. Met dat soort jongens moet je je niet inlaten. Ik ken hun ouders. Dat zijn drankzuchtige, goddeloze mensen. Gevaarlijke mensen. Begrijp je?'

Ik knikte en voelde een heel rare kramp vanbinnen. Toen viel er iets kouds op mijn knie. Mijn ijslolly was van zijn stokje gesmolten.

Maar zelfs als mijn ouders bereid waren om te horen hoe mijn leven in de woestijn er werkelijk uitzag, wat zou het voor zin hebben het ze te vertellen? Ze zouden zich alleen maar zorgen om me maken, en ik weet dat ze toch al doodsbang zijn die militaire dienstwagen te zien voorrijden, waar twee stijve kerels in vol ornaat uit stappen die als doodsengelen naar de voordeur lopen. Zelfs April heeft een idee van hoeveel gevaar ik loop. 'Katie?' zei ze een keer aan de telefoon. 'Ik zag een programma over soldaten die doodgaan in de oorlog. Ga jij ook dood? Want dat wil ik niet.'

Tyler is de enige die een beetje in de gaten heeft wat er werkelijk aan de hand is. Toen ik hem twee dagen nadat ik in mijn toren was begonnen belde, vroeg hij: 'Behandelen de mannen je daar een beetje goed?' Ik dacht dat hij wilde weten of ik vreemdging, dus ik antwoordde: 'Maak je niet druk, het zijn allemaal eikels.'

'Dat bedoel ik ook. Is het wel veilig voor je?'

Ik hoorde de behoefte in zijn stem, de behoefte om te weten dat het goed met me ging. Maar ik ging niet dezelfde fout maken als bij mijn ouders door zeurderig en zielig over te komen. Dus zei ik alleen maar: 'Tyler, het gaat prima.' Dat was de eerste keer dat ik tegen hem loog, en gek genoeg heb ik sindsdien net zo weinig zin om hem te bellen als om papa en mama te bellen. Het commando heeft ons nu toch al verboden om onze telefoon te gebruiken, dus als Tyler of mijn ouders vragen waarom ik niet meer bel, heb ik een excuus.

Tyler schreef me voor mijn verjaardag, op 6 juni. Hij moet zorgvuldig hebben gepland wanneer hij de brief op de post zou doen, want hij kwam vandaag aan met een pakje, maar tien dagen te laat. Normaal gesproken komt de slakkenpost hier pas maanden later aan.

Hartelijk gefeliciteerd, Katie-de-Petie!
Wauw, twintig jaar al! Nog één jaar en we kunnen de kroeg in en dronken worden, en dan mag je zonder vals identiteitsbewijs naar binnen bij de clubs waar ik optreed. Maf eigenlijk dat je wel oud genoeg bent om te vechten, maar niet om te drinken.
Ik mis je zo erg dat ik er geen woorden voor heb. Ik verlang elke dag naar je, de hele dag door, en ook elke nacht. Ik ga telkens naar onze plekjes, naar de drive-in en Myosotis Lake en The Orange Dog, om-

dat ik denk dat ik me dan beter voel. Maar zonder jou vind ik er niks aan. Het voelt net alsof je naast me loopt maar ik je niet kan zien. Wees voorzichtig, dappere vrouw. Ik tel de dagen. Hopelijk vind je het cadeautje leuk! Luister maar naar track drie. Die heb ik voor jou geschreven.

Liefs en nog meer liefs,

Tyler

In het pakje zit een draagbare radio en een thuis opgenomen cd met zijn eigen nummers, de titels met rode stift erop geschreven. Ik duw de cd diep onder in mijn plunjezak. Ik vind zijn brief echt heel lief en zorgvuldig en waardeer de moeite die hij in die cd heeft gestoken, maar ik kan er nu niet naar luisteren. Als ik Tyler zou horen zingen, vooral over ons, zou ik er helemaal door van de kaart raken.

Ik ben wel blij met de radio. Daardoor heb ik in mijn toren iets anders om naar te luisteren dan naar die stomme gedetineerden. Twee kerels in het bijzonder beginnen me op de zenuwen te werken. De eerste is een magere lat van een jaar of vijfendertig met een snor, die elke dag naar me toe komt om in het Engels om sigaretten te zeuren. Hij heeft verdomme zijn eigen sigaretten, maar nee, hij wil de mijne. 'Meisje soldaat, geef mij sigaret. Kom op, schatje,' begint hij. En als ik hem er dan geen wil geven, zegt hij: 'Kom op, hoer,' en meer van dat soort vriendelijke zinnetjes die hij moet hebben opgepikt uit Amerikaanse pornofilms. Als hij het voor die dag eindelijk voor gezien houdt met bedelen en mij beledigen, gaat hij urenlang op dezelfde plek naar mijn gezicht staren. Ik heb geprobeerd te schreeuwen dat hij moest oprotten, maar dan gaat hij alleen maar lachen en nog erger staren. Ik heb geprobeerd hem te negeren, maar we weten allebei dat ik doe alsof, dus dat werkt ook niet. Ik heb geprobeerd terug te staren, maar dan doet hij alsof ik met hem flirt en kleedt hij me uit met zijn ogen. Misschien was hij een folteraar onder Saddam of zoiets, want hij is griezelig goed in dat spelletje van hem, en ik ben niet aan het winnen. Het is belachelijk: ik ben hier de gevangenbewaarder, ik heb het wapen. Maar die brandende ogen van hem laten me maar niet met rust. Ze achtervolgen me zelfs in mijn dromen.

De andere gevangene waar ik gek van word is de rukker. Volgens mij is hij echt geschift. Elke keer dat ik zijn kant op kijk, haalt hij zijn pik tevoorschijn en begint te pompen, terwijl hij naar me loert met de obsceenste blik die ik ooit heb gezien. Hij schreeuwt ook naar me, maar goddank versta ik niet wat hij zegt, al laat de strekking zich niet moeilijk raden. Hij draagt westerse kleding, een grijze broek en een wit overhemd, die met de dag vuiler worden, en hij heeft een spits gezicht met grijzend zwart haar. Ik geloof niet dat hij een politieke gevangene is, daar is hij te weerzinwekkend voor. Het is vast een gestoorde zedendelinquent die gevangenzat onder Saddam, werd vrijgelaten toen we alle Irakese politie ontsloegen en vervolgens weer door ons is opgesloten.

Maar op een dag probeert hij iets nieuws. Hij trekt zich niet alleen maar af. Hij laat zijn broek zakken, hurkt neer in het zand en doet zijn behoefte. Dan veegt hij met zijn linkerhand zijn kont af en gooit zijn drol naar me.

Als hij dat doet, schiet ik bijna op hem. Hij mist me, maar raakt wel het platform, pal naast mijn schoen, en ik moet kokhalzen van de stank. Ik hef mijn wapen en richt het op hem, maar dat schrikt hem totaal niet af. Hij denkt zeker dat een meisje niet op hem zal schieten. Hij vindt vast dat een meisje niet meer waard is dan de stront die hij net naar me heeft gegooid. Terwijl hij daar staat te jouwen richt ik midden op zijn borst, met mijn vinger op de trekker, en heel mijn wezen verlangt ernaar hem door zijn rotkop te schieten. Het enige wat me ervan weerhoudt is de gedachte wat voor problemen ik allemaal zou krijgen als ik een ongewapende gevangene zomaar doodschoot.

Ik laat mijn wapen zakken en schop zijn drol van mijn platform, en als Jimmy komt voor zijn gebruikelijke bezoek, vindt hij me op de grond, waar ik net mijn schoen afwrijf met zand, mijn gezicht vertrokken van afschuw en mijn handen nog erger trillend dan anders.

'Wat is er gebeurd?'

'Zie je die kuthadji daar?' Ik wijs met mijn wapen naar de rukker. Hij wandelt een beetje rond over het complex en probeert onschuldig over te komen.

Jimmy ziet hem. 'Wat is daarmee?'

'Hij heeft net zijn eigen stront naar me gegooid.'

'Jezus christus!' Jimmy schudt zijn hoofd. 'Het is hier voor jullie vrouwen veel erger dan voor ons, hè?'

Dat is waar. Die gevangenen vinden het verschrikkelijk om door een vrouw te worden bewaakt. Maar dat is niet de enige reden dat Jimmy het beter heeft dan ik. Hij heeft niet direct met de gedetineerden te maken, zoals ik, omdat hij is gestationeerd bij de ingang van het complex, niet pal naast de concertina. En hij hoeft ook niet de godganse dag in zijn eentje te zitten: hij deelt zijn post met die jongens van het hoofdkwartier. Hij heeft niet door hoeveel mazzel hij heeft.

Telkens als Jimmy bij me langskomt, brengt hij iets lekkers mee: frisdrank en een zak Dorito's of Skittles uit de winkel op de basis. Volgens mij is hij bang dat ik te dun word. Maar meestal hebben we het niet over strontgooiende gevangenen of wat er verder in deze pleepot gebeurt. Dat is gewoon te deprimerend. Zonder het te hoeven benoemen, weten we allebei dat we vooral bij elkaar komen om te kunnen vergeten. Dus praten we over andere dingen. Boeken die we gelezen hebben, films, zijn vroegere vriendinnetjes, Tyler, onze families, onze plannen voor als we weer naar de universiteit gaan. Jimmy wil natuurkunde gaan studeren, zodat hij dingen kan uitvinden. Ik weet nog niet precies wat ik wil worden – misschien leraar, misschien tv-verslaggever, of misschien zo'n wetenschapper die het grootste deel van haar leven in haar eentje in het bos zit om vogelgeluiden te bestuderen. Het maakt eigenlijk niet uit, zolang het maar geen soldaat is.

Ik ben het meest aan het woord, dat wel. Jimmy heeft het graag over zijn broertjes, die bij hun tante wonen zolang hij op missie is, maar hij zegt nooit veel over de rest van zijn leven thuis. Het zal wel te heftig voor hem zijn, deels vanwege zijn moeder – volgens mij zit die al het grootste deel van haar leven in gekkenhuizen – en deels omdat zijn vader ervandoor is gegaan toen Jimmy nog een kind was, zodat Jimmy zichzelf en zijn broertjes min of meer in zijn eentje moest opvoeden. Ik denk dat hij zich daarom zo druk maakt om zijn broertjes.

Dus als we praten, zit ik meestal te blaten over Tyler die muziek studeert aan SUNY New Paltz, over Robin die naar New York is verhuisd om model te worden of over iets liefs wat April ooit heeft gedaan. Flauwekul eigenlijk, want dat is niet wat me bezighoudt. Wat me bezighoudt is wanneer ik kan gaan pissen, wanneer mijn water op is, wanneer kan ik slapen en wanneer kan ik douchen. Het lijkt wel of mijn hersenen zijn verschrompeld tot de omvang van een van Rickmans puisten.

Wat het rapporteren van Kormick en Boner betreft, daar begint Jimmy niet meer over. Eén keer zegt hij: 'Kate, ik wil je niet dwingen, maar als je ooit wilt praten over wat er met die eikels is gebeurd of als je iets wilt doen, zeg het dan. Maar als je het niet doet is het ook goed. Ik zal je er niet meer over aan je kop zeuren.'

'Dank je,' antwoord ik, en ik waardeer oprecht hoe aardig dat is. Maar ik ga hem of iemand anders er echt niet over vertellen. Dat doet een soldaat niet.

'Dag, schatje,' zegt de moeder timide als ze met een bevende glimlach in de deuropening van de ziekenhuiskamer staat met een groot geel boeket in haar armen. 'Mogen we binnenkomen?' Ze is klein en pafferig, als een duif, en draagt zulke schreeuwende kleuren dat het pijn doet aan de ogen van de soldaat. De haren stijf van de koperbruine kleurspoeling. Oogleden blauw opgemaakt. Lippen net zo neonroze als haar jurk.

De moeder is terecht zenuwachtig na wat er is gebeurd, dat weet de soldaat. Dus ze knikt en probeert te glimlachen. 'Ja hoor,' zegt ze. 'Er zijn niet genoeg stoelen. Jullie kunnen op bed zitten als je wilt.' Ze gaat bij het raam staan, met het bed als een berm tussen haar en haar ouders in.

De moeder loopt om het bed heen om haar te omhelzen, maar de soldaat doet een stap opzij. Bedremmeld blijft de moeder staan. 'Hoe gaat het met je rug, lieverd? Nog steeds pijn?'

Ze haalt haar schouders op.

'Nou, je ziet er goddank een stuk beter uit. Waar kan ik deze bloemen in doen?'

De soldaat wijst naar een vaas op het aanrecht. De moeder loopt op haar tenen weer om het bed heen alsof ze in de kerk is, wat de soldaat bloedirritant vindt, en doet water in de vaas. Dan haalt ze met een oorverdovend geritsel het plastic van het boeket en stopt de gele bloemen in de vaas, schikt ze uitvoerig en zet ze dan op het nachtkastje. Er verspreidt zich een weeë, muffe lucht door de kamer.

'Ik heb deze voor je meegenomen,' zegt de vader dan, terwijl hij om zijn vrouw heen loopt. Over het bed heen geeft hij haar twee boeken. Het ene is een bijbel – goh, nooit verwacht – het andere een verzameling natuuressays van Annie Dillard. Vroeger was de soldaat dol op Dillard. Maar op dit moment wordt ze misselijk van het idee zoiets dierbaars en prekerigs te moeten lezen.

'Bedankt.' Ze legt de boeken op het bed en kijkt naar haar vader. Die is nog net zo kaarsrecht en verzorgd als altijd. Brede schouders, zilvergrijs haar in een militair kapsel. Clint Eastwood-rimpels rondom zijn lichtblauwe ogen. Hij ziet er precies zo uit als wat hij is: een godvrezende Amerikaanse bullebak die de orde handhaaft.

Hij geeft haar een bruine envelop. 'Ik dacht dat je dit wel zou willen lezen.' Hij is van het leger en hij is al opengemaakt.

'Heb je het al gelezen? Mijn post?'

'Maak maar open,' zegt hij alleen maar.

De soldaat gehoorzaamt, haar handen beven nog erger dan anders. Haar ontslagpapieren zitten erin. Op medische gronden, in combinatie met 'onvermogen zich aan te passen'. Dat betekent dat ze eruit is getrapt omdat ze is doorgedraaid.

'Je kunt het aanvechten, weet je, in beroep gaan,' zegt de vader. 'Daar staat hoe dat kan.'

Ze kijkt hem in de ogen, precies zulke lichtblauwe als de hare. 'Waarom zou ik dat willen?'

'Zo klinkt het alsof er iets mis met je is.'

'Er ís ook iets mis met me.'

'O, Katie.' De vader kijkt haar droevig aan. 'Je begrijpt best wat ik bedoel. Je wilt toch niet je hele leven verder met deze smet op je blazoen? Dat deugt niet, na wat je voor dit land hebt gedaan.'

'Het kan me geen ruk schelen. Het laatste wat ik wil is terug naar dat kutleger. Ze mogen me belasteren zoveel ze willen.'

'Katie, let op je woorden,' zegt de moeder zwakjes.

De soldaat gaat met haar rug naar hen toe op het bed zitten en verbergt haar gezicht in haar handen. Ze begrijpen niet dat ze geen geduld meer heeft. Niet voor hun gezanik, niet voor hun hypocrisie, niet voor het feit dat ze totaal niet weten waar ze het over hebben. O, dus nu kunnen haar ouders niet meer trots op haar zijn? Kunnen ze niet meer opscheppen dat ze een held is, net zo dapper als een zoon misschien wel was geweest? Jammer dan.

Niemand verroert zich. De soldaat hoort haar moeder piepend ademhalen. De moeder is jaren geleden gestopt met roken, maar ze is zo dik en in zo'n slechte conditie dat ze hijgt als een pekinees.

'Waar is April?' zegt de soldaat als ze weer rustig genoeg is om iets te zeggen. Ze staat op en draait zich weer naar hen om.

Haar moeder kijkt even naar de vader. 'We vonden het nog iets te snel.' Ze slikt. 'De volgende keer.'

'Nou, jezus! Hoe kan ik het nou goedmaken als ik haar niet mag zien?'

'Nou, je weet wat er gebeurd is. Je weet wat je gedaan hebt.'

De soldaat knikt, haar kaken op elkaar geklemd. 'Ja, ik ben een held van niks. Ik heb mijn kleine zusje bang gemaakt. Jullie allemaal voor paal gezet. Ik heb het recht niet om die aardige familie van me zo te behandelen, of wel? Moge God me vergeven, dat soort gezeik.'

'Liefje, toe nou,' zegt de moeder, en ze steekt een hand uit die zo dik is dat het wel een ballonnetje met vingers lijkt. 'Je kunt je niet verbergen voor de Heer, dat weet je. Als je nu even met me wilt bidden, dat zou al helpen. Eén kort gebed?'

'Mam. Kappen.'

'Sally, laat maar,' zegt de vader. 'Laten we allemaal even diep ademhalen en gaan zitten.'

Hij gebaart zijn vrouw naar de enige stoel in de kamer en laat zichzelf op de hoek van het bed vallen. De soldaat loopt achteruit tot ze zo ver mogelijk bij hen vandaan staat.

'Tyler vertelde dat hij vorige week langs is geweest,' zegt de vader dan.

Geen antwoord.

'Hij zei dat het niet zo goed met je ging. Dat je deed alsof je hem niet kende.'

Niet waar.

'Maar zo te zien voel je je vandaag beter.'

'Ja. Ik weet nu precies wie iedereen is.'

De vader en de moeder kijken elkaar weer aan.

'Katie, word je een beetje goed behandeld hier?' vraagt de vader dan, en hij probeert een mildere toon aan te slaan. 'Weten ze waar ze mee bezig zijn? Geven ze je soms te veel medicijnen? Misschien zou je thuis beter af zijn, hè?'

'Nee.'

'Hoe bedoel je, nee?'

'Ik ga niet naar huis.'

'Doe niet zo gek. Natuurlijk wel. Je moet bij je familie zijn.'

'Nee, dat is niet wat ik nodig heb. Maar dat begrijp je niet, hè? Want ondanks al dat stoere sheriffgedoe heb je eigenlijk nooit echt iets meegemaakt. Wat kom je allemaal tegen daar in dat gat? Rijden onder invloed? Huiselijk geweld? Puberstreken? Dus probeer een soldaat niet te vertellen wat ze nodig heeft, oké?'

De vader doet zijn ogen dicht. 'Misschien moet je hier nog wat langer blijven. Maar Kate...' Hij doet zijn ogen weer open en kijkt zijn dochter aan met de strengste sheriffblik die hij kan opbrengen. 'De Heer helpt hen die zichzelf helpen. Je moet beter willen worden, je moet het proberen. Anders kan helemaal niemand je helpen.'

Nu trillen niet alleen haar handen, maar haar hele lichaam. 'Ga nou maar!' schreeuwt de soldaat. 'Lazer alsjeblieft op!'

Sheriff Daniel Brady komt overeind. 'Ik weet dat het moeilijk is, ik weet dat je veel hebt meegemaakt, maar je moet je anders gaan gedragen.'

'Oprotten!'

En de soldaat pakt de bijbel van haar vader en gooit die zo hard ze kan tegen de vaas, zodat gele bloemblaadjes en glasscherven door de hele kamer vliegen.

KATE

Een paar dagen nadat de rukker zijn stront naar me heeft gegooid, vertelt Yvette dat ze een tijdje geen nachtkonvooien meer hoeft te rijden en dus weer hetzelfde schema heeft als ik. Daar ben ik heel blij om, niet alleen omdat ik haar mis als ze weg is, maar ook omdat ik nog steeds niet zo goed overweg kan met Drieoog. We praten als het niet anders kan, omdat je niet níét kunt praten met iemand die een halve meter verderop slaapt. Maar sinds die Zandkoningingraffiti negeert ze me of ze bijt me een rotopmerking toe. Ik heb besloten dat Drieoog zo'n legerwijf begint te worden dat je liever een mes in de rug steekt dan dat ze je dekt. Of dat, óf ze slikt Kormicks gelul over dat ik een slet ben.

'Hoe zit dat met jullie tweeën?' vraagt Yvette me op een ochtend tijdens ons gebruikelijke rondje naar de berm en weer terug. 'Drieoog en jij sluipen om elkaar heen als een stel poezen dat vecht om een kater. En ik weet dat dat niet het probleem is.' Ze geeft me een knipoog.

Ik concentreer me even op het hardlopen. Hardlopen begint de laatste dagen steeds moeilijker te worden, door de Buccabeesten die mijn ingewanden laten leeglopen, het waardeloze eten en de hitte, die me de eetlust ontneemt. Dat ergert me. Ik wil sterker worden, niet zwakker.

'Het begon met die stomme graffiti,' zeg ik met tegenzin.

We moeten allebei even onze adem inhouden terwijl we door een wel heel sterke walm brandende latrinebrandstof heen rennen.

'Hoezo, wat is er gebeurd?'

'Ze deed alsof ik het had verdiend en sindsdien behandelt ze me als stront.'

Yvette kijkt me aan. 'Nou, ze zoekt het maar uit! Wat doet ze nou moeilijk? Ik bedoel, dat ze een pot is, is tot daar aan toe, daar kan ik niet mee zitten, zolang ze mij maar niet gaat versieren. Maar waarom ze nou altijd twee keer zo erg moet doen als de jongens?'

Ik haal mijn schouders op. Ik ben buiten adem en heb nu al zere benen. 'Ze is nog erger nu ze in mijn oude ploeg is gaan werken. Ze heeft ook nog niets tegen jou gezegd, hè?'

'Neu, alleen maar dat het eikels zijn. Hoe zijn die nieuwe jongens van jou?'

'Niks mis mee. Mosquito is best grappig. Creeley is nog jong. Maar ze zijn wel oké.'

'En Frik?' Yvette grijnst naar me terwijl ze zonder enige moeite over het zand veert.

'Hoe bedoel je?'

'Ik heb gehoord dat hij je elke dag komt opzoeken in je prinsessentoren.'

Daar geef ik geen antwoord op. Ik concentreer me om te kunnen ademhalen in de brandende rioollucht en om mijn zere benen langs deze weg en weer terug te laten rennen zonder erbij neer te vallen. Tot mijn opluchting dringt ze niet aan.

Een paar avonden later lig ik op mijn bed te lezen als Drieoog binnenkomt en er nog kwader uitziet dan normaal. Ze stort zich met haar grote lijf op bed en ligt lange tijd naar het tentdak te staren. Haar rode gezicht is zo verkrampt dat ze wit wegtrekt om haar mond. Ik probeer haar te negeren en door te lezen, maar ze ziet er zo belabberd uit dat het me beter lijkt om me van mijn fatsoenlijke kant te laten zien en te vragen of ik kan helpen, ook al is ze een keiharde trut. Mama zou trots op me zijn.

'Is er iets?' vraag ik.

Geen antwoord. Ze ligt daar maar op haar rug met op elkaar geperste lippen.

'Peuk?' Ik bied haar mijn pakje aan. Ze schudt haar hoofd.

'Wat water dan?' Ik hou haar een open fles voor.

Dan knikt ze en hijst zich op één elleboog om wat te drinken. En tot mijn schrik zie ik dat er tranen in haar kleine zwarte ogen staan. Drieoog – die keiharde lesbo – moet huilen?

Ik hang mijn camodeken op voor als Macktruck terugkomt, ga zitten en buig naar haar toe. 'Wil je praten?' fluister ik. 'Heb je slecht nieuws gekregen of zo?'

'Laat me verdomme met rust!' Ze draait zich op haar andere zij.

Ik kijk een tijdje naar haar brede rug. Yvette zou hier veel beter in zijn omdat zij en Drieoog nog steeds prima met elkaar overweg kunnen. Maar Yvette is op konvooi, dus zit ze met mij opgescheept.

'Hé, nou niet kwaad worden,' fluister ik in de hoop dat de jongens om ons heen niet meeluisteren. 'Is het Kormick? Heeft hij iets bij je gedaan?'

Maar terwijl ik dat zeg, denk ik al: kom op nou, Kate, doe normaal – die meid is een blok beton. Zelfs die klootzak kan niets bij haar uithalen.

Maar dan knikt ze, nauwelijks waarneembaar.

'Echt waar? Wat...'

'Hou je kop.' Ze rolt weer op haar rug en veegt haar ogen af met haar pols. 'Jezus, wat heb ik een teringhekel aan mannen.'

'Ssst!' Ik kijk vlug om me heen. Dit is geen gesprek dat moet worden afgeluisterd. Gelukkig zijn de meeste jongens, voor zover ik kan zien, verdiept in hun dvd-speler en koptelefoon. Misschien leest er zelfs iemand een boek. Maar toch, je weet nooit wie er zit mee te luisteren.

'Als ik het jou vertel, zeg je er niets over, hè?' fluistert Drieoog dan. 'Tegen niemand, ooit? Zweer je dat?'

'Ik zweer het.'

'Als je het wel doet, vermoord ik je. Serieus.'

'Dat weet ik.' Ik leun naar haar over. 'Heeft hij je pijn gedaan? Gaat het wel goed?'

Drieoog slikt en kijkt van me weg. Dan fluistert ze hees: 'Hij heeft me verkracht. Hij en Boner samen. Natuurlijk gaat het niet goed.'

'O, god! Dat hebben ze bij mij ook geprobeerd!'

Drieoog kijkt me kwaad aan. 'Ik heb het niet over jouw problemen, Zandkoningin. Ik heb het over de mijne.'

NAEMA

De buren van oma Maryam, de oude Abu Mustafa en diens vrouw en zus, hebben ons weer uitgenodigd om tv te komen kijken. We hebben nu maar één of twee uur stroom per dag, als er al stroom is, maar Mustafa zegt dat we welkom bij hem zijn zodra de stroom zich verwaardigt ons met een bezoek te vereren. Inmiddels praten we zo over elektriciteit, alsof het een achterbaks loeder is. Ze werpt ons immers naar believen van het moderne in het primitieve leven en weer terug. Sommige mensen proberen haar te slim af te zijn door een eigen generator te kopen, maar die luxe kunnen wij ons niet permitteren, want de weinige dinars die we vanuit Bagdad hebben kunnen meenemen, zijn zo gedevalueerd dat je er bijna niets meer voor kunt kopen. Dus hebben we net zoveel te zeggen over ons licht en onze communicatie en over of we koken of bevriezen als over het schijnsel van de maan.

Mama gaat bij de buren tv-kijken wanneer ze maar kan, hunkerend naar nieuws over de oorlog en ons arme gehavende Bagdad, en oma gaat mee op de steeds zeldzamer dagen dat ze zich goed genoeg voelt, maar ik ga bijna nooit. Zolang er stroom is heb ik te veel te doen om tijd te verspillen aan alle leugens die op de tv te zien zijn: water verwarmen om de was te doen, het hardnekkige stof van onze kleren verwijderen, rijst koken zodat we de volgende stroomloze dagen kunnen doorkomen, mezelf drijfnat maken bij de pomp en bij de ventilator staan om af te koelen, het enige moment van de dag dat we respijt hebben van de verstikkende woestijnhitte. En wat vooral dringend is: mijn mobieltje opladen in de hoop dat ik Khalil en de andere vrienden van wie ik zo wreed ben gescheiden kan bereiken. Die telefoon is mijn redding hier in het afgelegen huisje van oma, want we hebben geen computers of internet, geen vaste lijn en we krijgen geen post. Deze oorlog heeft ons net zo volledig geïsoleerd als wanneer hij ons naar Mars had gestuurd.

Veel van mijn vrienden zijn Bagdad ontvlucht bij het eerste gerucht van de invasie omdat ze een vooruitziender blik hadden dan mijn familie, maar waar ze nu zijn weet ik niet. Degenen die minder geld of geen contacten hadden bleven echter achter, en vooral van hen hoop ik te horen, hoewel ik weet dat ze verschrikkelijke verhalen zullen vertellen. Maar wie ik natuurlijk het liefst wil spreken, is Khalil. Het is ons maar één keer gelukt om elkaar te spreken in de bijna drie weken sinds ik met mijn familie ben vertrokken, tijdens een zeldzaam moment dat mijn telefoon het deed, en dat was het moment waarop hij vertelde dat hij had besloten in Bagdad te blijven, wat er ook zou gebeuren. 'Ik blijf op je wachten, liefste,' zei hij. 'Ik wil dat je iemand hebt om voor thuis te komen.'

'Khalil, dat moet je niet doen! Het is te gevaarlijk!' antwoordde ik toen de verbinding werd verbroken, en sindsdien lopen we elkaar telkens weer mis, gedwarsboomd door stroomuitval, bommen en de moedwillige vernietigingsdrift van de oorlog. Nu weet ik niet meer waar Khalil is, en of hij überhaupt nog leeft.

Dus zodra mijn telefoon voldoende is opgeladen om het te doen (en dat gebeurt in deze uithoek alleen maar omdat we zo dicht bij Koeweit zitten; de Irakese lijnen zijn gebombardeerd), probeer ik hem te bereiken, zoals ik al zo vaak heb geprobeerd; ik toets zijn nummer in terwijl ik mijn hart in mijn oren hoor kloppen. Alle andere keren dat ik hem heb gebeld, hoorde ik alleen maar stilte.

Maar ditmaal gaat hij over! Mijn hart begint zo te bonken dat ik nauwelijks adem kan halen.

Maar dan stopt het signaal.

Ik probeer het nog eens. Hij gaat één keer over... twee keer... en dan niets. Ik toets opnieuw het nummer in – alweer hetzelfde. Ik blijf het proberen, maar óf de telefoon gaat over en verbreekt de verbinding, óf hij gaat helemaal niet over. Wat betekent dat? Doet Khalils telefoon het gewoon niet, of is er iets vreselijks met hem gebeurd? Steeds sneller en driftiger toets ik het nummer in, mijn hand vliegt razendsnel heen en weer. Maar ik weet nu al dat het geen zin heeft. De telefoon is een nutteloos voorwerp geworden, net zo weinig communicatief als een steen.

Ik stop het nutteloze ding in mijn zak en sleep mezelf door mijn andere karweitjes, mijn armen en benen zwaar van de teleurstelling. Daarna ga ik naar mama en oma in het huis van Abu Mustafa. Ze zijn binnen met zijn vrouw Huda en zijn zuster Thoraya, die goede vriendinnen voor oma zijn; ze drinken thee bij een ventilator en zitten in een halve cirkel in sombere stilte naar een kleine tv te kijken. Ik ga zitten om mee te kijken, te zeer ontmoedigd om ook maar iets te zeggen. Maar zodra ik ga zitten, begint het loeder te flikkeren en valt de stroom weer eens uit, en dompelt ons van het ene op het andere moment in een verstikkende duisternis en hitte.

Ik zou inmiddels gewend moeten zijn aan die wispelturigheid, maar op dit moment kan ik het niet hebben. Ik zit in de plotselinge duisternis en het lukt me niet mijn tranen tegen te houden. Alles in deze oorlog spant samen om ons hulpeloos te maken. Waarom was ik toch zo naïef om die Kate te geloven toen ze zei dat ze zou uitkijken naar papa en Zaki? De kans is veel groter dat ze ons is vergeten, dat ze zich net zo weinig aantrekt van ons lot als de elektriciteit zich iets aantrekt van onze behoeften.

Khalil, denk ik als ik mijn ogen afveeg en opsta om een lamp aan te steken, ik zal toch met je trouwen. Mijn dromen om de wereld over te reizen lijken nu absurd. Ze komen uit een tijd en een oord zo ver weg en onschuldig als toen ik nog een zuigeling was. Ja, ik zal met je trouwen, en ja, we kunnen samen arts worden, als je dat nog steeds wilt.

Maar wees nog in leven, *habib*, wees veilig. Dat is de enige droom die er nu toe doet.

KATE

De ochtend nadat Drieoog me heeft verteld wat haar is overkomen, maak ik even een praatje met Marvin. 'Hoe gaat het vandaag?' vraag ik hem vanuit mijn toren. Niemand kan me hierboven tegen een boom zien praten, behalve dan misschien een paar gevangenen, maar aangezien die net zo gek zijn als ik, maakt dat niet uit. 'Met mij niet zo best.'

Als Jimmy 's middags langskomt, vraag ik of hij iemand kent die in het jongenscomplex werkt. 'Ja, Ortiz. Hoezo?' Hij staat op een mondvol chips te kauwen, met zijn helm als een cowboyhoed schuin achterover en zijn gladgeschoren wangen bezweet en verbrand. We zweten hier allemaal zo erg dat we continu behoefte hebben aan zout.

'Omdat ik dat Irakese meisje heb beloofd dat ik zou uitkijken naar haar broertje. Maar dat was ik helemaal vergeten.'

'Waarom doe je het nu dan wel?'

'Door iets wat Drieoog zei. Kun jij regelen dat ik Ortiz te spreken krijg?'

'Ja hoor.' Jimmy bekijkt me met toegeknepen ogen vanachter zijn zonnebril. Zoals gewoonlijk zit hij op de grond in mijn toren, met zijn lange benen bungelend over de rand, en zijn slanke lichaam weet zelfs een ontspannen indruk te maken in zijn omvangrijke gevechtsvest en -jas. Ik zit op de stoel de gevangenen in de gaten te houden en stront en slangen te ontwijken, kortom: ik doe mijn werk.

'Over Drieoog gesproken, trekt die het een beetje met die eikels daar?' vraagt hij dan.

Ik kijk hem even aan. 'Hoezo?' vraag ik voorzichtig. 'Heb je iets gehoord?'

Hij wacht even. 'Ben bang van wel.'

'Wat dan?'

Hij kijkt naar zijn kaalgeschuurde woestijnkisten. 'Je wilt het niet weten.'

'Dat weet ik. Maar vertel het toch maar.'

Hij zucht. 'Nou, die zakkenwasser van een Boner stond gisteravond in de tent op te scheppen dat ze hem en Kormick had gepijpt. Een lekker triootje, zei hij.'

'En dat geloven ze? Drieoog?'

'In het leger geloven ze alles.'

'Fuck.' Ik weet niet wat erger is, de jongens die denken dat ze dat vrijwillig heeft gedaan, in welk geval ze haar zullen lastigvallen tot ze erbij neervalt. Of degenen die weten dat ze is verkracht, waardoor ze haar als een melaatse zullen behandelen. Ze zullen hoe dan ook zeggen dat ze een slet is, net zoals ze dat over mij zeggen.

'Ik had ze moeten rapporteren, wat jij al zei. Dan zouden ze niet zo'n onzin over haar rondbazuinen. Wat ben ik toch een lafbek, Jimmy.'

'Dat mag je niet zeggen! Het is jouw schuld niet. Je had niets kunnen doen om die kerels ervan te weerhouden zich te gedragen als klootzakken, want dat zijn ze nu eenmaal, daar moet jij jezelf niet de schuld van geven. Maar heeft dit ermee te maken dat je die jongen wilt vinden?'

'Ja. Ik wil gewoon eens iets goeds doen. Ik heb het helemaal verknald.'

Jimmy gaat op zijn hurken naast mijn stoel zitten en zet zijn zonnebril af. 'Kijk me eens aan. Kom op, laat die knappe gevangenen nou even links liggen en kijk me aan.'

Dat doe ik. Zijn knalblauwe ogen kijken recht in de mijne. Vergeet-mij-niet-blauwe ogen.

'En nou luisteren,' zegt hij. 'Zo mag je niet meer denken. Je probeerde alleen maar je hoofd boven water te houden, net als wij allemaal. Je hebt niks verkeerd gedaan.'

Ik schud mijn hoofd, te ziek van mezelf om iets te zeggen. Ik kan de woorden niet eens vinden om hem te vertellen hoe kwaad ik op dit moment op mezelf ben. Had ik niet beloofd 'mijn leven te geven voor anderen' en 'de vernederden op te richten en de goddelozen neer te drukken', zoals pastoor Slattery zei? Maar dan komt mijn eerste test, de kans om Kormick aan te geven en Drieoog te beschermen. En ik zak.

De rest van de week is kut. Ik kan niet met Yvette praten, omdat die weer nachtkonvooien rijdt, dus óf ze komt pas terug als ik alweer aan het werk ben, óf ze komt helemaal niet terug omdat ze op een andere basis slaapt. En Drieoog sluit zich nu helemaal af en zegt niets tegen mij of tegen wie ook, als het enigszins kan. Eén keer probeer ik tot haar door te dringen door te zeggen: 'Luister, als je me ooit nodig hebt, dan ben ik er voor je.' Maar het enige wat ik als antwoord krijg, is: 'Rot op met je schijnheilige gedoe, rotwijf.' Het lijkt wel of ze haar geheugen heeft gewist, als een computer die is gecrasht.

Maar als ik haar zo zie, realiseer ik me iets. Zij moet nog elke dag met die eikels samenwerken; stel dat ze haar nog steeds lastigvallen? Stel dat ze haar keer op keer verkrachten? En zelfs als ze dat niet doen, hoe kan ze het dan verdragen om de hele dag bij ze te zijn na wat ze haar hebben aangedaan?

Als die gedachte bij me opkomt, kan ik niet langer passief blijven. Als zij er niet iets aan gaat doen, dan moet ik het doen. Ik zal niemand vertellen wat er met haar is gebeurd, daar heb ik het recht niet toe. Maar ik kan alsnog actie ondernemen en iemand vertellen wat Kormick en Boner mij hebben aangedaan. Zeker, daarmee riskeer ik Kormicks woede en zal ik mezelf enorm ongeliefd maken bij het commando en bijna alle anderen. Maar als ik daarmee voor elkaar kan krijgen dat die hufters worden overgeplaatst zodat ze Drieoog of wie ook niets meer kunnen maken, dan is het de moeite waard. Ik heb trouwens het recht dit te doen, en het is de enige manier waarop ik met mezelf kan leven.

De vraag is nu aan wie ik het moet vertellen. Ik zou naar de vertrouwenspersoon kunnen gaan, maar dan loop ik het risico dat mijn verhaal publiek wordt en het hele peloton zich tegen me keert en me een verklikker noemt. Of ik zou het in vertrouwen aan onze pelotonleider kunnen vertellen, sergeant eerste klasse Henley. Niet dat Henley Moeder Teresa is of zo, maar misschien kan hij een discretere manier vinden om het met Kormick en Boner af te handelen. Pelotonleiders doen niet anders dan oplossingen zoeken voor dit soort gelazer.

Dus aan het eind van de dag, zodra ik terugkom van mijn shift, loop ik over het pad tussen onze tenten naar het onderofficierskwartier, maar een paar rijen bij mijn tent vandaan. Het is eng om hier zo laat op de avond nog te lopen, met al die schaduwen en dat grijs, de tenten die flapperen in de wind, het stof dat overgaat in de schemering tot je niet meer kunt zien of de schimmen die je tegenkomt soldaten, hadji's of hallucinaties zijn. Ik grijp mijn wapen stevig beet, de enige strijdmakker die ik op dit moment heb, en mijn handen trillen als een gek. Kormick zal wel in de onderofficierstent zijn omdat hij daar slaapt, en het laatste waar ik op dit moment zin in heb is oog in oog staan met hem. Maar ik moet het riskeren – voor Drieoog, en voor mezelf.

En ja hoor, ik zie hem meteen. Hij staat buiten te roken en wat te ouwehoeren met een officier, een luitenant met rode wenkbrauwen en konijnentanden die iedereen achter zijn rug om Flappie noemt. Het is voor het eerst dat ik Kormick zie sinds hij me heeft aangerand, en alleen al bij het zien van hem word ik misselijk en lopen de rillingen me over de rug. Maar als ik nu wegloop, zal ik het mezelf nooit vergeven.

'Kijk eens wie we daar hebben,' zegt hij als ik aan kom lopen. 'Helemaal alleen, soldaat Tieten?'

'Ja, sergeant.' Ik krijg de woorden nauwelijks over mijn lippen.

'Je vindt het wel leuk om de regels aan je laars te lappen, hè? Zou je niet eens salueren voor de luitenant?'

Ik salueer en hoop maar dat hij niet opmerkt dat mijn handen trillen. Flappie bekijkt me verveeld van top tot teen.

'Goed zo, meisje,' zegt Kormick. 'En, wat kom je doen?'

'Verzoek om sergeant eerste klasse Henley te spreken, alstublieft.'

Kormick kijkt me even aan, zijn perfecte gezicht verstrakt. 'Waarom dat?' vraagt hij zacht.

Ik blijf strak voor me uit kijken als een echte soldaat en probeer niet te tonen hoe bang ik ben. 'Sergeant, als ik sergeant Henley niet mag spreken, ga ik naar de IGK.'

De IGK, wat staat voor Inspecteur-Generaal der Krijgsmacht, is het laatste redmiddel voor een soldaat die in de problemen zit, en we hebben allemaal het recht naar hem toe te stappen, hoe laag we ook in de pikorde zitten. Zeggen wat ik net heb gezegd staat ongeveer gelijk aan een beroep doen op het recht om te bidden.

Kormick neemt me nerveus op en geeft dan een ruk met zijn hoofd. 'Naar binnen dan. Als ik die lelijke rotkop van jou voorlopig maar niet hoef te zien.'

'Dank u, sergeant.'

Erger trillend dan ooit stap ik de tent binnen, die is ingericht als kantoor, met een multiplex vloer en een paar geïmproviseerde tafels die dienstdoen als bureau. Sergeant eerste klasse Henley zit achter een ervan naar een computer te staren.

Ik ga voor zijn bureau staan, de adrenaline gierend door mijn lijf, en wacht tot hij me opmerkt. Henley is lang en kaarsrecht, zijn gezicht tanig van de zon, met dunne witte lippen; hij doet me altijd denken aan de eerste president Bush, de vader van die apenkop die me deze oorlog in heeft gestuurd. Henley praat alsof hij op Harvard heeft gezeten, hoewel ik niet denk dat hij er ooit van zijn leven zelfs maar in de buurt is geweest.

'Wat kan ik voor u doen, soldaat?' Hij kijkt vlug op van het scherm.

'Verzoek om een privégesprek, sergeant.'

Hij gaapt. 'Oké, ga zitten.' Ik neem de stoel tegenover zijn bureau. 'Wat nou weer? Problemen met uw huisgenoten, voor de verandering?'

'Verzoek om openhartig te spreken, sergeant,' antwoord ik.

'Ga uw gang.'

Ik slik. 'Ik wil een klacht indienen.'

'Wat voor klacht? Heeft iemand uw nagellak gejat?'

Ik word rood. 'Nee, sergeant. Eh, het is, eh...'

'Ik heb niet de hele dag, soldaat.'

'Nee. Sorry.' Ik kijk naar de grond. 'Aanranding,' mompel ik.

Henley gaat verzitten. 'Wat? Praat eens wat harder, mens.'

Ik kijk op, mijn mond is droog. Harder praten op die plek is hetzelfde als je geheimen omroepen via een megafoon. We zijn niet eens alleen in de tent.

'Dit is vertrouwelijk, sergeant,' help ik hem op zachte toon herinneren. 'Maar soldaat eerste klasse Bonaparte heeft me gestompt. En, en, sergeant-majoor Kormick. Eh. Die heeft me aangerand.'

Henley kijkt me strak aan. 'Wat bedoelt u met aanranden, soldaat? Wees eens duidelijk.'

Ik begin weer te blozen. 'Hij probeerde...' Ik stop. Toe dan, trut, zeg het nou. 'Hij probeerde me te wurgen en te verkrachten.'

Dat zijn de moeilijkste woorden die ik ooit van mijn leven heb moeten zeggen.

Henley steekt zijn hand omhoog. 'Wacht even. Dit moet ik noteren.' Hij rommelt wat in een doos en haalt er een formulier en een pen uit. 'Datum?'

'Datum? U bedoelt van vandaag?'

Hij kijkt me geërgerd aan. 'Nee, Brady. De datum van het incident.'

'O.' Ik denk terug. Wanneer was het? Deze maand? Vorige maand? Alle dagen zijn versmolten tot één lange zandkleurige brij. 'Ik weet het niet precies. In mei, geloof ik. Eh, 28 mei. Of 29.'

Hij legt zijn pen neer. 'Soldaat, we komen niet eens tot stap één als u zelfs de datum niet meer weet. Bedenk wel dat u het over een onderofficier hebt, een officier met een uitstekende reputatie en een veelbelovende carrière. Dit zijn ernstige beschuldigingen. U kunt maar beter zeker zijn van wat u zegt en met een sluitend verhaal komen, en o wee als het niet waar is.'

'Dat is het wel, sergeant.'

'Nou?'

Mijn handen trillen nu zo erg dat ik ze tussen mijn knieën moet klemmen om hem niks te laten merken. Het zweet loopt in mijn ogen en langs mijn nek. Waarom is dit zo moeilijk?

'29 mei,' gok ik.

'Goed. Wat is er gebeurd?'

Langzaam vertel ik het hem. Elk woord voelt alsof ik mijn ingewanden met een vishaak door mijn mond naar buiten trek.

Henley schrijft het allemaal op zonder me ook maar één keer aan te kijken. 'Hebt u het destijds gerapporteerd? Is er fysiek bewijs?' vraagt hij als ik uitgesproken ben.

'Nee, sergeant.'

'En getuigen?'

'Eh, niemand.' Ik kan Jimmy of DJ hier niet bij betrekken, wat ze ook zeggen. Dat zou het eind betekenen van hun carrière. En ik heb niemand de blauwe plekken op mijn hals en nek laten zien, die nu al zijn verbleekt tot lichtgele vlekken, onzichtbaar onder het stof en het vuil die als een tweede huid aan me vastkleven.

'Geen getuigen.' Ook dat schrijft Henley op. 'En u wilt aangifte doen tegen deze twee heren, hoewel u geen bewijs en geen getuigen hebt en u niet zeker bent van de datum. Heb ik dat goed begrepen?'

'Nee, sergeant. Ik hoopte alleen dat u deze mannen zou kunnen overplaatsen naar een andere post waar ze geen andere vrouwen kunnen lastigvallen.'

'En hebt u reden om aan te nemen dat ze andere vrouwen hebben lastiggevallen?'

Ik aarzel. 'Dat is niet aan mij om te zeggen.'

'Aha.' Hij legt zijn pen omzichtig boven op het formulier, dat hij nu volgeschreven heeft. 'Eerst moeten we natuurlijk de kant van de heren horen. Sergeant-majoor Kormick staat buiten, geloof ik. Ga hem maar binnenroepen.'

Ik kijk ongelovig. 'Bedoelt u dat u hem hier nu over gaat ondervragen? Met mij erbij?'

'Natuurlijk. Hij heeft het recht om de beschuldigingen tegen hem te horen en om zich te verdedigen.'

'Maar toch niet met mij erbij, sergeant? Ik... Dat kan ik niet! Is er niet een of andere procedure waardoor ik er niet bij hoef te zijn?'

Henley buigt zich over zijn bureau en kijkt me doordringend aan. 'Soldaat, ik weet niet of u het vergeten bent, maar we zitten midden in een oorlog. De cohesie binnen onze eenheid is van het grootste belang, en het is mijn werk als pelotonsergeant om die cohesie in stand te houden. We hebben een gemeenschappelijke vijand, en dat is de hadji. We mogen onze tijd en energie niet verspillen aan interne conflicten, en vooral niet aan huilebalken zoals u. Dus óf u trekt als een echte soldaat samen op met uw kameraden, óf u hebt op zijn minst het fatsoen ze een eerlijke kans te geven. Ik weet niet waarom u zo moeilijk doet, maar ik heb al genoeg over u gehoord. Ga sergeant-majoor Kormick halen of hou op met zeiken en vertrek.'

Ik ga rechtop op mijn stoel zitten en kijk strak terug naar Henleys lelijke rotkop. Ik word zo kwaad van zijn woorden dat mijn angst erdoor verdwijnt en plaatsmaakt voor regelrechte verontwaardiging. Dezelfde verontwaardiging waardoor ik mijn wapen op Kormicks ballen richtte.

'Sergeant, niet een van die dingen die u over mij hoort is waar. Kormick en Bonaparte zijn walgelijk gestoord, dat weet iedereen, en als u er niets aan doet, ga ik naar de vertrouwenspersoon of de IGK, en ik hou pas mijn mond als er iemand luistert.'

Henley leunt achterover en laat zijn ogen langzaam over me heen gaan, net zoals de gevangenen de hele dag doen. 'Zo, zo. Nou, ik wil best aangifte voor u doen bij de bevoegde instanties, Brady, als u dat wilt. Maar ik heb hier nog een rapport van sergeant-majoor Kormick zelf waar u van moet weten. Op 30 mei, en niet op de 29ste, heeft hij gemeld dat u hem onder diensttijd op het checkpoint het hok in bent gevolgd, uw wapen in het zand hebt gegooid en u op een, laten we zeggen, onbetamelijke manier hebt gedragen.'

Henley vouwt zijn handen op het bureau, zijn gezicht net zo blanco als de woestijn, terwijl ik hem ontzet aankijk. Hij gaat verder.

'Sergeant-majoor Kormick, die, mag ik wel zeggen, een goed en toegewijd soldaat is, was zo vriendelijk te weigeren aangifte te doen in de hoop dat u dit onaanvaardbare gedrag niet nog eens zou vertonen. Maar hij heeft het wel zwart-op-wit laten zetten voor het geval het zich nog eens zou voordoen. Hij zei ook dat u andere overtredingen hebt begaan die, indien nodig, kunnen worden aangehaald, waaronder insubordinatie. Dus hoewel ik u met alle plezier van dienst wil zijn, moet u weten dat eventuele verdere actie van uw kant op zijn minst zal stuiten op beschuldiging van vernieling van overheidsbezit – zo gaat u niet om met uw wapen, soldaat – en onzedelijk gedrag, wat uiteraard allemaal zal leiden tot een zaak voor de krijgsraad. Deze informatie zal uiteraard aan de IGK en de vertrouwenspersoon worden gegeven. En, wilt u sergeant-majoor Kormick nog steeds binnenvragen voor verhoor?'

Ik kan niets uitbrengen.

'Wilt u er nog eens over nadenken, soldaat?'

'Ja, sergeant,' fluister ik.

'Rot dan nu maar op.'

Lieve Katie,

Dag liefje, ik hoop dat je dit voor eind juni krijgt. Ik moet zo vaak aan je denken dat ik weer moest schrijven. Ik had een waanzinnige droom waar ik je over moet vertellen. Dit kun je maar beter in je eentje lezen! Geen geile soldaten laten meelezen over je schouder, oké?

Nou, we zijn om middernacht in ons blootje aan het zwemmen in het meer, er is niemand in de buurt. Onze armen en benen lichten wit op in de maneschijn, het water is zwart. We zwemmen een heel eind het meer op, het maanlicht werpt een zilveren pad over de golven. Een uil roept. We hebben het totaal niet koud omdat we net een paar tequila's hebben gedronken. En dan zwem ik naar je toe en trek je dicht tegen me aan en al snel zijn we aan het vrijen – weet je nog? Want toen ik wakker werd, wist ik dat het helemaal geen droom was, maar een herinnering.

Ik hou zoveel van je, Katie. Ik wil je zo graag terug. Ik bid elke dag dat je niks overkomt.

Met heel mijn hart,

Tyler

PS Heb je al kans gehad om naar mijn cd te luisteren?

Ik vouw de brief stevig dicht en duw hem tot onder in mijn plunje-zak, bij zijn onaangeroerde cd. Ik voel me kwetsbaar en vernederd en onpasselijk door zijn woorden. Ik krijg er kotsneigingen van.

Lieve Tyler,

Dank voor je brief. Ik heb nu niet genoeg tijd om vaak iets te laten horen, maar wil je dit soort dingen niet meer schrijven? Je weet nooit wie onze brieven leest voor wij ze krijgen, je hebt hier totaal geen privacy. Als iemand zou zien wat je hebt geschreven, zou ik er nog tijden over horen.

Dank je wel,

Kate

Die nacht kan ik niet slapen. Mijn hoofd schreeuwt alle dingen die ik tegen Henley had willen zeggen, maar niet heb gezegd. Felle, woedende zinnen die brullen in mijn hoofd. Ik had kunnen weten dat hij onder één hoedje zou spelen met Kormick en dat hij al diens leugens zou slikken om zijn eigen soort en zijn eigen klotecarrière te beschermen. Maar waarom laat ik me zo door hem intimideren? Waarom ga ik Kormick niet toch rapporteren, wat hij ook over me zegt? Ik zie mezelf al nobele betogen houden voor de krijgsraad over dat ik alleen maar de goede soldaten wil beschermen door de slechte uit te roeien. Ik zie mezelf al als martelaar de gevangenis binnengeleid worden, met opgeheven hoofd omdat ik mijn hart en geloof heb gevolgd. *Zalig zijn zij die vervolgd worden om der gerechtigheid wil, want hunner is het Koninkrijk der hemelen.* Als je morgen opstaat, zeg ik tegen mezelf, moet je maar eens je laffe kop uit het zand halen en deze puinhoop opruimen.

Vanavond is het warmer dan ooit in de tent, wat niet meehelpt, en rumoerig als een studentenhuis. Aan de ene kant zit een stel jongens te dobbelen en hun salaris te vergokken, en dat doen ze niet bepaald in stilte. En de gevangenen lopen te schreeuwen en reciteren hun enge Arabische gezangen. Ik lig op mijn bed naar het neerhangende tentdak te staren; het zweet kruipt als insecten over me heen, mijn hoofd bonkt en galmt van de herrie vanbinnen en erbuiten. Het voelt alsof iemand me heeft vastgebonden op een elektrisch fornuis en tegelijkertijd in mijn oren staat te schreeuwen en me levend kookt.

Als ik eindelijk word verlost door het ochtendgloren, zorg ik dat Drieoog met me meekomt naar de latrines. De Zandkoningingraffiti is goddank weg – iemand heeft het weggekrabd, waarschijnlijk Jimmy. Maar er staat bijna elke dag wel iets obsceens over vrouwen, woorden of een primitieve pornografische tekening. Ik zal nooit begrijpen hoe mannen het ene moment met je kunnen optrekken alsof ze je broer zijn, en je het volgende moment proberen te versieren of dit soort rotteksten opschrijven. Waarom doen ze dat toch?

Mijn plan is om Drieoog onder vier ogen te spreken zodat ik haar kan vragen om onze krachten te bundelen tegen Henley en Kormick. Zelfs als ze niks wil zeggen over de verkrachting, dan nog zou ze op zijn minst de seksuele intimidatie kunnen rapporteren. Maar als we ons door het mulle zand en onze slaperigheid worstelen, kijk ik naar haar gespannen gezicht, verstrakt en op haar hoede, en ik zie hoe hard ze haar best doet om de pijn te verbijten. Alle moed zakt me in de schoenen.

Terug in de tent gonst het van het nieuws dat er net een enorme vluchttunnel is ontdekt onder een van de gevangenistenten. Zo te zien hebben de gedetineerden er wekenlang aan gegraven. DJ vertelt dat hij van de tent helemaal tot aan de concertina loopt, onder de berm door de woestijn in, de uitgang gecamoufleerd met karton en jute. Verdomd slim, dat moeten we ze nageven. En dat niet alleen. Die zakkenwassers hebben de binnenmuren gladgemaakt met de melkrantsoenen die we ze geven en er zaklampjes neergelegd en luchtgaten in gemaakt zodat ze tijdens het ontsnappen niet stikken. Het werd pas ontdekt omdat op satellietfoto's te zien was dat de kleur van het zand was veranderd.

'Ik snap het niet,' zegt Jimmy tegen me als we het er later op mijn toren over hebben. 'Onze jongens voeren daarbinnen om de haverklap inspecties uit. Ze gooien de gevangenen elke ochtend hun tent uit zodat ze hun zooi kunnen doorzoeken. En ze vinden genoeg. Zelfgemaakte messen, drugs. Maar die tunnel hebben ze nooit gevonden. Waarom niet?'

'Je kunt vast van alles verbergen in het zand,' zeg ik lusteloos. Ik voel me nog steeds zo ellendig door mijn gesprek met Henley en de zoveelste keer dat ik het heb verknald bij Drieoog dat ik bijna geen woord kan uitbrengen.

Jimmy kijkt even naar me. 'Gaat het een beetje?'

'Ik ben gewoon moe.'

'Hier, wil je wat chips? Barbecue, dat is toch je lievelingssmaak?'

'Nee, dank je.'

Dan vallen we stil en kijken wat naar de gevangenen die rondhangen in het zand.

'Zie je die vent daar?' zeg ik uiteindelijk terwijl ik de rukker aanwijs. Die scharrelt zoals altijd wat rond bij de afrastering onder mijn toren, wachtend tot Jimmy vertrokken is, zodat hij zijn pik weer tevoorschijn kan halen. 'Dat is die ene die zijn stront naar me heeft gegooid. Hij rukt zich bijna elke dag voor me af. Soms wou ik dat ik die voddenkoppen in mijn klauwen kon krijgen in plaats van hier als een pop op een plank te zitten.'

'Dat kan ook.'

Ik kijk naar Jimmy, die nu zelf woest naar de man zit te kijken. 'Hoe bedoel je?'

'Ik kan je het complex binnen krijgen als je wilt.'

'O, ik weet niet. Wat heeft het voor zin? Ik zie die lelijke smoelen van ze al vaak genoeg.' Maar dan denk ik: het zou eigenlijk best lekker zijn om die vent te straffen. Eén keertje maar. Hem laten zien dat ik niet die zielige lap vrouwenvlees ben waar hij me duidelijk voor aanziet. Hem laten zien wie hier de baas is. 'Nou, goed,' zeg ik dan. 'Waarom ook niet?'

Wat ik niet tegen Jimmy zeg is dat er nu al meer dan één man zich voor mij aftrekt en dat ze ook met hun stront gooien. Dat vertel ik niet omdat hij er niets aan kan doen. Hij heeft mijn stomme rotproblemen al vaak genoeg aangehoord.

'Ik heb Ortiz trouwens gesproken,' zegt Jimmy een paar minuten later. 'Hij wil wel afspreken na zijn shift als je wilt. Hij vertelde dat er gisteravond een relletje was in de jongenstent.'

'Geen gewonden?'

'Niet dat ik weet. Volgens mij heeft Finley – die vrouw in Flappies groep? – volgens mij heeft ze een snijwond aan haar hoofd of zo. Niets ernstigs.'

'Nee, ik bedoel bij de gevangenen. Zijn daar nog gewonden gevallen?'

'O, geen idee. Vraag maar aan Ortiz.'

Dus dat doe ik die avond. Jimmy brengt hem meteen na onze shift naar mijn tent, en we staan met ons drieën buiten een sigaret te roken en een paar minuten te praten voor we moeten gaan pitten. Ortiz is een vent uit Nicaragua met een sterk Spaans accent, die in dienst is gegaan om staatsburger te kunnen worden. Hij ziet er goed uit, met een breed gezicht en grote bruine ogen, maar is niet veel groter dan een meter vijftig, nog kleiner dan ik. Het verbaast me dat het leger zo'n krielkip toelaat. Maar hij lijkt me prima, dus ik vertel hem dat Naema voor me tolkt en laat hem de foto van haar vader en broertje zien. 'Heb je dit jochie ooit gezien?' vraag ik.

Hij tuurt in het avondlicht naar de foto. 'Hij komt me bekend voor. Maar ik weet het niet zeker.'

'Als ik deze aan jou geef, kun je hem dan proberen te vinden? En me vertellen of hij gisteravond gewond is geraakt bij dat relletje?'

Ortiz kijkt niet-begrijpend, maar hij stemt in, dus scheur ik voorzichtig de foto doormidden en geef hem Zaki's helft. Naema's vader, met zijn lange, treurige gezicht, stop ik weer in mijn zak. 'Die jongen heet Zaki Jassim, zijn naam staat achterop. En zijn zus heet Naema. Oké?'

Ortiz knikt. Maar hij kijkt niet erg blij.

'Is er een manier om met dat kind te praten als je hem ziet?' vraag ik dan.

'Ja, misschien. De tolk van ons peloton komt soms even kletsen met die jongens.'

'Super! Kun je vragen of hij tegen die jongen wil zeggen dat zijn zus elke dag naar hem en hun vader komt vragen?'

'Ik snap het niet,' barst Ortiz uit, terwijl hij me kwaad en wantrouwig aankijkt. 'Waarom zou ik die hadji's zo'n gunst bewijzen? Die jongens in mijn tent zijn vechtjassen, geen onschuldige kinderen. Ze haten ons.'

'Dat weet ik,' zeg ik vlug. 'Maar dit kind is anders, dat weet ik zeker. En ik dacht dat dat meisje voor ons zou blijven tolken als we iets voor haar deden. Denk je dat je een bericht van die jongen voor haar kunt krijgen?'

Ortiz schudt zijn hoofd. 'Dit is belachelijk! Hoe weet je dat ze je niet gebruikt om geheime codes te sturen? Hoe weet je dat ze te vertrouwen is?'

'Ze heeft me helemaal geen codes gegeven.' Ik begin pissig te worden van die wantrouwige blik. 'Ze wil gewoon weten of haar broertje veilig is. Meer niet.'

'Ja,' valt Jimmy me bij. 'Maak je niet druk. Het is allemaal in het kader van dat charmeoffensief om "harten en geesten" te winnen, weet je wel?' Hij glimlacht geruststellend naar Ortiz.

Ortiz aarzelt even, haalt dan zijn schouders op. 'Oké. Als Frik zegt dat het goed is, zal ik het doen.' Hij lijkt alleen nog steeds niet overtuigd. Hij stopt de foto in zijn zak en loopt weg.

Ik heb het sterke vermoeden dat dat het laatste is wat ik ooit van hem zal horen.

De volgende dag, direct na mijn shift, vertel ik Drieoog wat ik heb gedaan. 'Naema komt toch nog steeds elke ochtend, hè?'

'Ja,' bromt Drieoog op haar gebruikelijke rot-toch-een-eind-op-toon.

'Tolkt ze nog steeds voor je?'

'Soms, als we de lijsten krijgen. Maar ik heb er een pesthekel aan om met die stomme zandvreters te moeten praten. Ze zijn allemaal hysterisch. En ze stinken.'

Naema stinkt helemaal niet, maar ik besluit haar daar niet op te wijzen. Ik wil hier voor de verandering eens iets goeds voor iemand doen. Iets, hoe klein ook, als ik maar niet mijn kop in het zand steek. 'Maar als ik nieuws over haar broertje krijg, wil je haar dat dan vertellen? Alsjeblieft?'

'Ja, ja! Jezus christus, Brady, wat kun jij zeuren.' Drieoog gaat zitten om haar schoenen uit te trekken. De laatste tijd is ze onnatuurlijk traag in haar bewegingen, en ze praat zacht en monotoon, als ze al praat. Ze is meestal op zichzelf en ligt wat op bed voor zich uit te staren. Ze leest niet eens en luistert niet naar muziek. Ze komt nu ook niet meer hardlopen, al blijf ik haar meevragen. Ik ga nu elke ochtend rennen met Jimmy, en met Yvette als die er is. Maar iedereen kan van een kilometer afstand zien dat Drieoog zo depressief is als de pest. En ik weet waarom.

'Drieoog?' vraag ik zacht. 'Ik moet even douchen voor het donker wordt. Ga je mee?'

De buddyplicht mag ze niet weigeren, dus hijst ze zich met een zucht van ergernis van haar bed en loopt mee de tent uit. Ik wil echt douchen, maar ik wil vooral opnieuw proberen dat te zeggen waar ik eerder de moed niet voor had, zelfs al moet ik haar pantser ervoor openbreken.

'Ik wou je iets vragen,' zeg ik als er niemand dichtbij genoeg is om het te horen. 'Maar ik zal je niet onder druk zetten, dat beloof ik.'

'Wat doe je nou moeilijk, Brady? Waarom kun je een ander niet eens met rust laten?'

Haar beledigingen raken me niet. Ik begrijp ze nu.

'Luister, ik weet dat het moeilijk is, maar ik wil Kormick en Boner rapporteren, en ik vroeg me af of jij mee wilt doen. Je hoeft helemaal niets te zeggen als je niet wilt, maar ik kan het idee dat jij elke dag met die hufters moet samenwerken niet uitstaan. Als we ze allebei rapporteren, nemen ze ons misschien wel serieus en worden ze weggestuurd, weet je?'

Drieoog geeft geen antwoord. Ze sjokt gewoon door, haar grote voeten laten het maanstof opstuiven. Maar dan blijft ze staan en draait zich kordaat naar me toe, haar ogen zwart en smal in haar grote, ronde gezicht. 'Ik heb geen idee waar je het over hebt. Er is niks mis met die jongens. Ik heb er geen behoefte aan dat je nog meer in die beerput gaat roeren, oké? En er nou niet meer over zeiken en je misselijke fantasietjes voor jezelf houden.'

De soldaat zit weer in de therapiekring en weigert opnieuw te praten. Dat is haar nieuwe strategie, haar vorm van protest. Ze mogen haar dan dwingen naar al die andere losers te luisteren, zij is niet van plan om mee te doen. Het gaat ze trouwens ook geen ruk aan wat zij heeft meegemaakt. Waarom zij hier zit.

'Kate,' zegt dokter Kachelpook dan, en ze richt zich met de glimlach van een wurgslang tot haar. 'We hebben gehoord dat er problemen waren toen je ouders vorige week op bezoek kwamen. Ik vroeg me af of je je gevoelens wilt delen over wat er is gebeurd?'

De soldaat kan goddomme haar oren niet geloven. Het lijkt wel alsof ze weer in haar peloton is, waar iedereen alles van iedereen weet.

'Het zou productiever zijn als je af en toe eens meedeed, Kate,' gaat Kachelpook verder. 'We willen alleen maar helpen.' De soldaat schampert. 'Misschien voel je woede jegens je ouders omdat ze je beslissing om in dienst te gaan hebben gesteund? Het kan helpen om erover te praten.'

Dokter Kachelpook heeft de hele rotgeschiedenis van de soldaat daar op haar schoot in een dossier. Dus als ze het antwoord al weet, waarom zou je dan nog praten?

'Mijn ouders waren het tegenovergestelde,' begint korporaal Betty Boop, al heeft niemand haar om haar pieperige mening gevraagd. 'Mijn moeder zei dat ze me over haar lijk in dienst liet gaan. Dus wachtte ik tot ik achttien was en zij er niets meer over te zeggen had.'

'De mijne ook,' zegt de Vietnamverpleegster die door haar man in elkaar wordt geslagen. 'Ze wilden helemaal niet dat ik in dienst ging. Ze zeiden dat het alleen maar voor jongens was. En ze hadden nog gelijk ook.'

Dan komt de soldaat op een idee. Ze gaat ontsnappen. Ze kunnen haar niet hier houden en zo blijven martelen. Het is geen gevangenis. Ze kan vertrekken wanneer ze maar wil.

Van die gedachte kikkert ze zo op dat ze besluit alsnog iets te zeggen.

'Je bent een rotwijf,' zegt ze tegen Betty Boop, en ze staat op. 'Jullie zijn allemaal rotwijven.'

En ze loopt naar buiten.

NAEMA

Eindelijk goed nieuws! Ik ben zo opgetogen dat ik het huis binnenstorm en roep: 'Mama, kom vlug!'

Ze komt van achter aanrennen, waar ze onze kleren in een vat vol modderig water uit de dorpsput heeft staan boenen, want met iets anders kunnen we nu niet wassen. 'Wat is er? Wat is er gebeurd?'

'Die meisjessoldaat is eindelijk haar belofte nagekomen! Ik dacht dat ze tegen me loog, maar nee – ze heeft Zaki gevonden!'

'Lof zij Allah!' roept mama uit. Ze grijpt mijn handen en schudt ze op en neer. 'Vertel eens!'

'Die andere vrouw, die grote die zo bot is, weet je wel?' Mama knikt gretig. 'Die heeft me zijn boodschap gegeven – ze las hem in het Engels voor van een papiertje. Hij zegt dat het goed met hem gaat, maar dat hij zich verveelt. Hij heeft vrienden gemaakt in zijn tent, twee jongens uit Basra. Ze hebben rijst te eten, en ook kip. Hij zegt dat hij zijn gitaar mist.'

'En ons? Mist hij ons niet?'

Ik lach, ben helemaal licht in mijn hoofd van opluchting. 'Natuurlijk, ik plaag je maar. Hij zegt dat hij ons vreselijk mist... en zijn gitaar.'

'Heb je dat papiertje, mag ik kijken?'

Ik schud mijn hoofd. 'Nee, mama. De soldaat zei dat ze het niet aan mij mocht geven.'

Mama veegt haar ruw geworden handen nerveus over het gescheurde laken dat ze als schort om haar middel heeft gebonden. 'En hij zei niet dat ze hem wreed behandelen? Wordt hij niet geslagen?'

'Nee, niets van dat alles. Het was een vrolijk bericht, mama.'

Dan slaat ze haar armen om me heen, haar wangen nat van tranen. 'Lof zij Allah! Dank je, dank je wel, mijn schat!'

Ik hou haar stevig vast en streel haar haar. Vóór deze oorlog was mama altijd zo gereserveerd, zo waardig. Ze riep niet om de haverklap Allah aan, liep er nooit zo onverzorgd bij. Wat is ze toch veranderd.

Ten slotte maakt ze zich van me los en dept haar tranen met haar voddige schort. Dan kijkt ze me aan met een nieuwe angst in haar ogen en begint krampachtig haar handen te wringen, aan haar vingers te trekken en over haar knokkels te wrijven, zoals ze de laatste tijd steeds vaker doet. 'Maar je vader dan? Heeft Zaki hem gezien?'

'Nee, ik ben bang van niet. Geen nieuws van papa.'

Haar gezicht betrekt weer, de rimpels in haar voorhoofd worden dieper. Zo ziet ze er veel ouder uit dan toen we hier aankwamen en ze is ook vreselijk afgevallen. Haar lichaam, ooit zo gracieus, is nu uitgemergeld, de pezen in haar armen en benen tekenen zich duidelijk af en hebben schaduwen. Ze heeft ingevallen wangen, waardoor haar zwarte ogen te groot zijn voor haar gezicht, en de rimpels om haar mond zijn scherp en diep gegroefd. Ze is pas veertig, maar lijkt met de dag meer op oma.

Ook ik ben te dun geworden. Er is bijna niets te eten. De plaatselijke boeren kunnen hun velden niet langer bevloeien omdat er geen stroom is om de waterpompen aan te drijven. De vrachtwagenchauffeurs die ons voedsel uit het noorden brengen worden ontvoerd of vermoord, hun vrachtwagens geplunderd. En al die mooie dadelbosjes hier in de buurt zijn omgeploegd of om wat voor redenen ook door de Amerikanen gebombardeerd; om ons te straffen, denk ik, omdat we ze niet aardig vinden. Dus we zijn al blij als ik een beetje zoute kaas of yoghurt op de markt kan vinden, of als een lokale boerin me een komkommer of watermeloen verkoopt die ze aan de droge, kwijnende aarde heeft weten te ontlokken.

'Ik wou dat we iets van je vader hoorden. Waarom laten ze de gevangenen niet schrijven?' zegt mama, weer handenwringend.

'Dat weet ik niet. Toen ik die soldaat Kate ontmoette, vertelde ze dat de Amerikanen duizenden mannen en jongens in die gevangenis hebben. Ze weten niet eens hoe ze allemaal heten, mama. Als ze wat georganiseerder zijn, krijgen we misschien brieven van papa.'

Mama kijkt me treurig aan. 'In Saddams gevangenis mocht hij ook al geen brieven schrijven. Maar toen ze hem een maand lang in zijn eentje in een cel stopten, weet je wat hij toen deed om te zorgen dat hij niet gek werd, liefje? Hij schreef me in gedachten brieven en gedichten en leerde ze woord voor woord uit zijn hoofd. Dat doet toch alleen een dichter? En toen hij thuiskwam, schreef hij ze allemaal voor me op. Kijk, ik heb ze meegenomen.'

Ze loopt naar de slaapkamer die we met elkaar delen achter in het huis en haalt een grote envelop uit de la van haar kleerkast. 'Lees ze maar,' zegt ze terwijl ze me de envelop toestopt. 'Ik lees ze elke avond sinds je vader is meegenomen. Ze helpen me om hem dichterbij te brengen. Misschien helpen ze jou ook.'

Ik ga aan tafel zitten en haal er een stapeltje brieven uit die al beginnen te vergelen en vergaan. Ik heb nog nooit over deze brieven gehoord, en de gedachte aan mijn arme vader die zonder pen of papier in een cel zit opgesloten en zo hard zijn best doet om deze regels te onthouden voor mama, is hartverscheurend. 'Maar ze zijn van jou,' zeg ik met onvaste stem. 'Hij heeft ze niet voor mijn ogen geschreven.'

'Dat weet ik, maar dat geeft nu niet. Hij heeft ze geschreven om te bewijzen dat de corrupten geen macht hebben over liefde of kunst. Zijn geest spreekt eruit, Naema. Je moet ze lezen.' Ze maakt een uitnodigend gebaar. 'Toe maar!'

Dus ik pak een brief, vouw hem zorgvuldig open, en met pijn in mijn hart begin ik te lezen.

Moge Allah waken over je welzijn en veiligheid, mijn liefste Zaynab. Ik denk hier voortdurend aan je, aan jou en je golvende, geurende haar. Aan onze intimiteit en aan hoe we samen zijn gegroeid. Aan onze kinderen en mijn dankbaarheid jegens Allah voor hun kracht, hun schoonheid, voor alles wat een ouder zich kan wensen. De herinneringen aan jou en onze kleintjes zijn mijn manier om mijn lichaam en geest te beschermen tegen de klappen.

Ik leg de brief snel neer. 'Mama, dit kan ik niet lezen.' Wat ik niet zeg, is dat het papa inderdaad terugbrengt, alsof hij hier naast me staat en zijn leed rechtstreeks in mijn oor fluistert. Het is ondraaglijk.

Maar mama wil niets weten van mijn bezwaren. 'Nee, ga door,' dringt ze aan. Dus dat doe ik, met tegenzin.

Ik krijg geen brieven van je, mijn liefste, maar ik weet zeker dat je ze schrijft. De bewakers hier zullen ze ongetwijfeld verbranden, want ze doen hun best om jou te gebruiken als middel om mij te martelen. Ze vertellen me vreselijke dingen over wat ze jou en de kinderen hebben aangedaan, dingen die ik nooit zal herhalen. Maar hoewel het ze lukt mij angst aan te jagen, weet ik ergens diep vanbinnen, ver weg van hun wrede woorden, dat jullie veilig zijn. Dat voel ik met het instinct van een vader, van een echtgenoot. Ik voel dat jij en Allah me kracht geven.

Ik wou dat ik wist hoe het met de kleine Zaki gaat. Gaat het op school? Is hij een beetje de man in huis voor jullie? Het moet zo eng voor hem zijn dat zijn vader weg is, maar ik weet zeker dat Naema hem in al haar gratie en kracht zal opvrolijken en afleiden.

En jij, mijn liefste Zaynab, ik hoop dat je niet al te verdrietig of bang bent om mij. Dat is niet nodig. Ik zal me sterk houden voor jou.

Ik hoor de bewakers schreeuwen. Ze halen ons voortdurend uit onze cel om te zoeken naar verborgen wapens of geld. Het is absurd, want hoe moeten we dat soort dingen hier nu verstoppen, waar we niets anders hebben dan stenen vloeren en muren? Volgens mij is het gewoon weer een manier om ons uit onze slaap te houden. Om dezelfde reden richten ze de hele nacht felle lampen op ons en hangen ze ons dagenlang naakt op aan onze armen. Maar ik hoor dat de bewaker de cellen verderop in mijn rij openmaakt. Zo dadelijk zal ik met de anderen naar buiten worden gebracht.

Ik neem afscheid van je met een gedicht, mijn liefste, al is het inderhaast ontstaan en onvoltooid. Het is een gevangenisgedicht, snel in gedachten geschreven terwijl het geschreeuw en de grove taal van de naderende bewakers snerpen in mijn oren, als messen die geslepen worden. Hier is het. Vergeef me dat het nog zo onaf is.

> Een bloem trilt in de schaduw van de gevangenis
> Tracht wanhopig tot bloei te komen,
> Blaadje voor pover blaadje,
> Net zoals ik, in deze ballingschap,
> Deze begraafplaats van hoop,
> Wanhopig tracht me jou te herinneren,
> Kus voor povere kus

Ik vouw de brief dicht, te geschokt om iets uit te brengen. Papa heeft me nooit precies verteld wat ze hem in Abu Ghraib hebben aangedaan. Ik wist dat ze zijn benen vele malen hebben gebroken en dat ze hem hebben uitgehongerd, maar ik wist niet van de martelingen die hij hier beschrijft. Ik ben er beroerd van.

Maar mama kent geen genade. Abrupt schuift ze me nog een brief toe en wijst op een alinea. 'Lees!' dringt ze aan. 'Lees dit, Naema!' Ik snap niet waarom ze er zo op aandringt dat ik dit doe, maar opnieuw gehoorzaam ik.

Zaynab, *habibati*, met je diepzwarte ogen en zijdezachte huid. O, jij vol geuren en zachtheid, mijn vrouw, mijn echtgenote. Ik smacht naar je als een jongeman die pas verliefd is.

'Zie je hoeveel hij van me houdt?' zegt mama dan terwijl ze zich vooroverbuigt, haar ogen glinsterend van de tranen. 'Zie je hoe hij zijn liefde voor mij levend hield?'

'Ja, mama, dat zie ik.' En nu snap ik het. Ze heeft het nodig om te zien dat ik begrijp hoeveel papa van haar houdt, zodat ze het zelf weer kan voelen – zodat ze het dicht bij zich kan houden, levend kan houden.

Tevreden leunt ze achterover. 'Lees de brieven maar wanneer je wilt, liefje. Je zult ervan leren.' Maar dan slaakt ze een zucht en begint weer haar handen te wringen, haar vingers te wrijven, zodat haar huid beschadigt. 'O, wat zou ik graag weten wat ze met hem en Zaki doen in die gevangenis. Het is zo pijnlijk om niets te weten! Denk je dat ze genoeg te eten krijgen? Kunnen ze zich wassen en bidden?'

Ik leun over de tafel heen en leg mijn beide handen op de hare, zodat ze ophoudt met wringen. 'Ik weet het niet, mama,' zeg ik zacht. 'Maar ik zal elke ochtend teruggaan tot ik meer weet. Mijn geduld is toch ook beloond met Zaki? Zo te horen krijgt hij goed te eten en is hij veilig. We moeten gewoon blijven hopen.'

Ik vertel haar niet hoe weinigen er nog hoop hebben van degenen die me nu naar de gevangenis vergezellen. Umm Ibrahim is te ziek en wanhopig om mee te gaan, dus die blijft thuis, vertelde haar dochter Zahra me, en staart naar de muur en bidt tot Allah om haar man en zoons te redden. De oude Abu Rayya en zijn vrouw komen ook niet meer; door voedselgebrek zijn ze te zwak om te lopen en urenlang in de brandende zon te staan. Nu lopen er elke ochtend nog maar twee andere vrouwen met me mee: Zahra, altijd zo somber en onverstoorbaar, en de oude weduwe Fatima, die zelfs op haar tachtigste nog buitengewone kracht en moed heeft. Maar we weten dat onze tocht met de dag gevaarlijker wordt. Onze plaatselijke militie, onder leiding van de sjiitische geestelijke Muqtada al-Sadr, wiens anti-Amerikaanse leger met de dag groeit, heeft bepaald dat elke man die sjiiet is, lid moet worden van hun bende of moet sterven, en dat iedereen die soenniet is, moet vluchten of anders gedood moet worden. En de imam van de militie heeft verklaard dat vrouwen niet meer zonder begeleiding van mannen het dorp mogen verlaten. Verder moeten we elke keer dat we naar buiten gaan niet alleen ons hoofd bedekken, maar ook onze armen en benen om geen aanleiding te geven tot onreine gedachten of verkrachting. De imam heeft gewaarschuwd dat ze ons gevangen zullen nemen en zullen slaan als we niet gehoorzamen.

We gaan terug in de tijd in mijn land. We worden bekrompener dan we in tientallen jaren zijn geweest. Binnenkort zullen wij vrouwen gedwongen worden het leven te leiden dat mijn oma heeft moeten leiden – uitgehuwelijkt als kleine meisjes, geslagen door onze echtgenoot, gesluierd, onderworpen – onze mensenrechten uitgewist. Ik weet dat sommige fundamentalistische geestelijken, die van de huidige chaos en angst hebben geprofiteerd om macht te verwerven, al proberen de rechten uit te wissen die Irakese vrouwen nu al vijftig jaar hebben. Ze willen ons onderwerpen aan de shariawetten die ons behandelen als slaven. Als het zover komt, hoe moeten wij vrouwen – hoe moet onze cultuur – dan overleven?

Door dit alles mis ik mijn oude leven in Bagdad erger dan ooit. Ja, we waren ingeperkt en angstig onder Saddam, en nee, ik zal nooit vergeven wat hij papa en zoveel anderen heeft aangedaan. Maar ik kon tenminste net zo openlijk naar school en naar de universiteit als een jongen, in T-shirt en spijkerbroek. Ik werd niet gedwongen na te denken over de vraag of ik sjiiet of soenniet ben, of allebei, zoals in mijn geval, want bij de mensen die ik kende deed dat er niet toe. En ik was vrij om dokter te worden, een baan te hebben, te trouwen met wie ik wilde en alleen over straat te lopen zonder dat mijn leven in gevaar kwam door mannen die niets beters te doen hebben dan de vrijheid en vreugde van anderen te vertrappen.

Om te ontsnappen aan deze bittere gedachten en om te bekomen van papa's brieven, laat ik mama even alleen en ga naar een klein kamertje achter in oma's huis. Hier bewaren we de spullen van papa en Zaki voor als ze thuiskomen. Zaki's gitaar hangt aan een koord aan de muur, zoals hij altijd van hem moet worden opgehangen zodat niemand van zijn onhandige familie er per ongeluk op zou gaan staan. Ik til hem van de muur, ga op een kussen zitten en probeer hem te stemmen zoals hij me dat ooit heeft geleerd, en sla dan een willekeurig akkoord aan. Het klinkt vals omdat ik geen idee heb hoe ik moet spelen, maar toch brengt het Zaki weer terug. Hij is zo gek op zijn gitaar, neemt het allemaal zo serieus. Ik weet nog dat hij ons een keer binnenriep om te komen luisteren, helemaal opgewonden omdat hij zichzelf stiekem een Beatlesnummer op zijn gitaar had leren spelen na maandenlang traditionele oudmuziek te hebben gestudeerd bij zijn leraar, een befaamd maar behoudend man. Hij zette ons op een rij in kleermakerszit op kussens op de grond, als een echt publiek: onze ouders, ik en vier van onze neefjes en nichtjes. Toen begon hij langzaam, met zijn tong tussen zijn tanden en zijn warrige beatlehaar in zijn ogen, een liedje te tokkelen dat volgens hem 'Good Day Sunshine' heette. Hij leerde ons het refrein en de melodie, en al snel zaten we allemaal te zingen en heen en weer te wiegen. Mama en mijn neefjes en nichtjes begrepen natuurlijk niets van de woorden, maar toch was het heerlijk om samen te zingen, die melodie vol liefde en blijdschap. En toen we aan het eind begonnen te klappen, stond Zaki op en maakte een buiging, ogenschijnlijk onverschillig, zoals hij dacht dat een popster zou doen. Maar hij kon zijn gezicht niet lang in de plooi houden en er brak een grote, stralende grijns door.

Zaki, kon ik je maar naar huis toveren met deze gitaar, zoals Aladdin de geest tevoorschijn toverde met zijn lamp. Kom naar huis, broertje van me, en wees weer kind. Kom naar huis, papa, en neem ons in je armen. Kom naar huis en breng ons vrede en maak een eind aan al deze angst en al dit leed.

KATE

Het duurt maar liefst tot juli – vijf maanden in dit stomme stof-
nest – voor ik eindelijk een vogel te zien krijg in Irak. Ik spot hem
vanuit mijn toren, maar aanvankelijk ga ik ervan uit dat het een
helikopter ergens in de verte is, want je kunt nooit zien hoe groot
iets is tegen dat harde, vlakke deksel dat de hemel hier vormt. Een
vlieg kan zo groot lijken als een vliegtuig, en een vliegtuig zo klein
als een vlieg. Maar als het ding naar beneden komt cirkelen, zie ik
dat hij vleugels als rafelige zwarte zeilen heeft en word ik helemaal
opgewonden omdat ik denk dat het een adelaar is.

Dan komt hij dichterbij en zie ik zijn lange dunne nek en kromme snavel. Het is helemaal geen adelaar. Het is een gier. En ik weet
waar hij naar op zoek is.

De afgelopen paar dagen zijn er veel vuurgevechten geweest in
Basra, en ook in Umm Qasr, een haven maar vier of vijf kilometer
bij ons vandaan. We hebben elke avond de explosies gehoord, zo
dichtbij dat we lagen te schudden in ons bed. Gisteravond renden
we met een paar lui de tent uit om te gaan kijken en zagen we rode
en oranje flitsen aan de zwarte hemel en de lichtspoorkogels die als
parelsnoeren omhoogschoten. Het was belachelijk mooi voor iets
wat alleen maar dood en verderf zaait. Er zijn heel wat mariniers
omgekomen bij de gevechten. En burgers natuurlijk.

Gieren beginnen altijd met je tere delen, wist je dat? Ogen, lippen en geslachtsdelen. Dat heb ik op de middelbare school gelezen in een boek over een andere belachelijke oorlog. Ze vraten zich bij je anus naar binnen en trekken je ingewanden eruit. Oorlog zal wel het slechtste in dieren naar boven brengen, net als in mensen. Op konvooi vanuit Koeweit hiernaartoe zagen we een hond een mensenhand eten. Hij zat er gewoon op te kauwen, alsof het een rubberen speeltje was. DJ vond het zo walgelijk dat hij de hond door zijn kop schoot.

Eerlijk gezegd zou ik het niet eens zo erg vinden om zelf een hond neer te knallen. Niet dat ik iets tegen honden heb, tenzij ze mensen eten natuurlijk, maar mijn frustraties moeten er op de een of andere manier uit. Ik zit nu al twee maanden op mijn toren, als een vogelverschrikker op een bezemsteel, terwijl die gevangenen me de godganse dag met stront en spinnen bekogelen, en ik ben het schijtzat. Ik voel me net Hester Prynne uit *De rode letter* van Hawthorne, een boek dat we op de middelbare school hebben gelezen, over het meisje dat met een priester naar bed was geweest of zoiets en aan de schandpaal moest staan zodat de hele stad haar kon uitjouwen en haar met dingen kon bekogelen. Alleen ben ik niet nobel en lijdzaam, zoals zij. Ik ben zo woest als een pitbull.

Het helpt ook al niet dat ik de laatste tijd nogal enge geruchten hoor over de gevangenen. Het schijnt dat lui van de schoonmaakploegen ons vuilnis uitpluizen om onze brieven van thuis te vinden en de adressen te noteren, zodat ze mensen naar de vs kunnen sturen om onze familie te vermoorden. Ik weet niet of het waar is, maar als die terroristische gekken de Twin Towers kunnen neerhalen, waarom zouden ze dan niet in staat zijn onze families op te sporen en die ook te vermoorden?

Je weet hier alleen nooit wat je moet geloven, omdat niemand ons ooit iets vertelt. Het leger lijkt op een kruising tussen de middelbare school en de gevangenis, een en al roddel en achterklap en regels die nergens op slaan. Zeggen ze de ene dag nog dat we gedetineerden direct moeten beschieten, de volgende dag mogen we helemaal niet meer op die hufters schieten. En nu de dames van het Rode Kruis zijn aangekomen is het alleen nog maar ingewikkelder geworden. Ze lopen altijd tegen ons te gillen over de Geneefse Conventies en beschuldigen ons ervan dat we allemaal achterlijke dingen doen waarvan ik weet dat het niet waar kan zijn. Ze zeiden bijvoorbeeld dat vier jongens van het 320ste Bataljon MP een gevangene in elkaar hebben geslagen, zijn benen hebben gespreid en zijn ballen tot moes hebben getrapt. Dat kan niet waar zijn – onze soldaten kijken wel uit. En ze hebben gezorgd dat we de stalen containers achter onze trucks niet meer mogen gebruiken voor eenzame opsluiting, omdat ze zeiden dat die geen ventilatie hebben. Maar hoe moet je dan een gevangene straffen met eenzame opsluiting als iedereen in zo'n klotetent zit? Het Rode Kruis heeft het zo druk met ons in een kwaad daglicht stellen dat je ze nooit eens hoort over de goede dingen die we doen. Zoals het feit dat de gevangenen veel beter te eten krijgen dan wijzelf, dat we douches en schijthokken voor ze hebben gebouwd lang voor we die voor onszelf hadden gebouwd, of dat we ze gratis dekens geven terwijl wij ze verdomme van ons eigen geld moeten kopen. En de dames van het Rode Kruis geven ook geen ene moer om de manier waarop die gevangenen ons behandelen – open en bloot schijten in het zand. Waarom doen die kerels dat eigenlijk? Alleen maar omdat ze een hekel hebben aan Amerikanen? Of omdat hun cultuur geen moer geeft om wc's en hygiëne en je gedragen als mens in plaats van als smerige apen? Ik heb geen idee. Maar het begint zo erg te worden dat ik alleen nog maar kan denken aan manieren om wraak te nemen. Hun sigaretten vergiftigen. AP'tjes begraven in hun complexen. Hun vingers er een voor een af schieten.

De radio die ik van Tyler heb gekregen bezorgt me tenminste een beetje afleiding. Ik heb een zender uit Koeweit gevonden waar ze country en classic rock draaien, waardoor ik naar iets anders kan luisteren dan naar alle zieke gedachten die door mijn hoofd spoken, als de gier die rondcirkelde in de lucht. Maar als 's ochtends

'Tears in Heaven' wordt gedraaid, dat liedje van Eric Clapton over zijn zoontje van vier dat overleed nadat hij uit het raam was gevallen, ben ik helemaal van slag. Ik moet erdoor aan April denken, en dat ik nooit zou kunnen doorgaan als er zoiets met haar zou gebeuren. Nooit. En dan realiseer ik me dat kleine kinderen zoals zij in de hemel thuishoren, zoals in dat liedje. Maar losers als ik zeker niet.

'Hallo? Mag ik iets vragen?' Een gevangene die onder mijn toren staat roept me in het Engels terwijl ik naar dit liedje zit te luisteren. Bloedirritant als die hufters mijn privégedachten zo onderbreken.

'Wegwezen jij!' Ik richt mijn wapen op hem. 'En nee, je krijgt geen sigaretten van me.'

De man schudt zijn hoofd. 'Nee, nee. Ik wil alleen maar dit liedje horen. Wat een mooi nummer, hè?'

Ik tuur door het stof op hem neer. Het is niet de staarder of de rukker. Het is een andere vent, die ik niet herken, een haveloze ouwe lul in hadjipyjama. Hij spreekt trouwens griezelig goed Engels, niet dat me dat iets kan schelen. 'Bek houwen en oprotten!' Ik breng mijn wapen weer omhoog.

Hij haalt zijn schouders op en brengt zijn handen omhoog, met de palmen naar me toe. 'Ik wou alleen maar vragen of u hem wat harder wilt zetten, zodat we de muziek kunnen horen.'

'Oprotten, zei ik!'

De man laat zijn armen zakken en sjokt met hangend hoofd weg. Waar ziet hij me verdomme voor aan, iemand van de gevangenisentertainmentcommissie?

Maar daarna proberen de gevangenen me nog erger gek te maken dan anders. De staarder slingert me in gebrekkig Engels dreigementen naar het hoofd. 'Ik moord je vader! Neuk je moeder in kont!' Dat soort dingen. De rukker doet al het obsceens wat hij kan bedenken. De andere kerels gooien hun gebruikelijke slangen en schorpioenen. En zo gaat het maar door, uur na uur na uur.

Aan het eind van de dag ben ik in zo'n rotbui dat ik totaal geen zin heb om met wie dan ook te praten, dus ga ik op bed *Trots en voor-oordeel* liggen lezen, dat ik mee van huis heb genomen om te zorgen dat ik hier niet hersendood raak. Ik probeer alles om me heen te negeren: de rijen mannen die languit in hun onderbroek op hun nest pornoboekjes liggen te kijken of videospelletjes doen, aan hun ballen krabben en boeren laten. De gebruikelijke club gok-verslaafden die in de hoek zitten te kaarten en te dobbelen. De multiplex vloer vol zand die veert als een trampoline als je erover-heen loopt en waar je splinters van in je voeten krijgt. De ingezakte wanden en het dak die flapperen in de wind en op je zenuwen wer-ken. De stank van ongewassen lijven, vuile sokken, bedompte lucht. De rusteloosheid. De verveling. De hitte.

Een minuut of twintig later komt Yvette terug van haar drie-daagse missie naar Baquba, en ik ben zo opgelucht haar heelhuids terug te zien dat ik zelfs, zo moe als ik ben, opsta om haar te omhel-zen. Elke keer dat ze op konvooi gaat ben ik bang dat ze niet meer terugkomt – het vreet continu aan me. Ze is zo uitgemergeld dat haar omhelzen voelt alsof je een zak wasknijpers beetpakt.

'Dat zou ik maar niet doen als ik jou was, ik moet nodig onder de douche,' zegt ze terwijl ze zich losmaakt. Ze ziet er vreselijk uit. Gesprongen lippen en rode, opgezette ogen met onregelmatige, donkere vlekken eromheen. 'Ik moet even liggen.' Ze laat zich op haar bed vallen.

Ik ga op het bed van Drieoog zitten – die is nog op het check-point – en kijk bezorgd naar Yvette. 'Was het daar heel erg? Heb je wel geslapen?'

Ze schudt haar hoofd. 'Heb je niet gehoord wat er gebeurd is?'

'Nee, wat?'

'Onze verkenningstruck is op zo'n kutbermbom gereden. Ko-lonel Borden was op slag dood. Halbergs beide benen en zijn rech-terarm zijn eraf. Ik heb nog nooit zoveel bloed gezien.'

Ze wrijft hard in haar rode ogen. 'Ik weet niet eens of die arme vent het wel gaat redden. En als dat wel zo is, heeft hij nog maar de helft van zijn lichaam.' Haar stem trilt. 'Hij heeft een piepjonge baby thuis, Kate. Hij heeft me een foto van haar laten zien. Hoe moet hij nou met die baby spelen?'

'Jezus.'

'Ja. Was die er maar bij geweest.'

Ik kijk even naar mama's crucifix op mijn tentstok, recht boven Pluisje, die nu helemaal verschrompeld is, zijn fletse poten droog en omgekruld. Ik weet niet wie van de twee er nuttelozer uitziet.

'Al toe aan die douche?' vraag ik. 'Misschien voel je je dan wat beter. Ik kom wel mee.'

'Ja. Geloof ik.' Yvette staat moeizaam op, we pakken allebei onze M-16 en helm en gaan naar buiten.

'Weet je?' zegt ze na een paar minuten terwijl we door het zand ploegen. 'Ik heb iets besloten toen ik daar in die vrachtwagen zat te wachten wie er nou weer zou doodgaan.'

Ik kijk haar aan in de verwachting dat ze gaat zeggen dat ze het leger anders is gaan bekijken, dat ze eruit gaat zodra haar tijd erop zit en nooit meer om zal kijken. Dat zeggen de meesten van ons de laatste tijd.

'Ik heb een deal gesloten met God,' gaat ze verder. 'Ik zei: God, als U nou zorgt dat ik heelhuids uit deze oorlog kom, dan ga ik voor dokter leren. En dan meld ik me weer om terug te komen naar deze rotplek om arme kerels zoals Halberg weer aan elkaar te naaien. Ik meen het, God. Hoort U dat?' Ze kijkt me aan met een vastberaden trek om haar droge lippen.

'Dat zal wel, want je bent er nog.' Ik lach even naar haar. Maar tegelijkertijd voel ik een ijskoude steek in mijn borst. Want terwijl Yvette daar midden in al dat gevaar zat en haar nobele deal sloot met God, zat ik knus als een kever in mijn toren te dromen dat ik iemand zijn vingers eraf schoot.

Als we terug zijn van het douchen, ga ik op bed liggen en probeer te slapen, maar het is hopeloos. De gevangenen maken onbeschrijflijk veel herrie, veel erger dan normaal. Schreeuwen, zingen, krijsen. Maar dat niet alleen. Links van me ligt Mack met zichzelf te rotzooien en op een afgrijselijke manier te kreunen. Rechts van me voel ik dat Drieoog klaarwakker is, verkrampt en ellendig. En daar weer naast ligt die taaie kleine Yvette met haar gezicht in haar kussen te proberen haar snikken te smoren.

De volgende ochtend moet Yvette vroeg op konvooi – een oorlog gunt de vermoeiden nu eenmaal geen rust. Maar voordat ze gaat, pak ik mama's crucifix van mijn tentpaal en geef hem aan haar. 'Dit is zodat je daarginds veilig bent, oké?' Ik zou het liefst mijn armen om haar heen willen slaan en haar bij me houden.

'Weet je het zeker? Ik dacht dat hij zo belangrijk voor je was.'

'Ja, maar jij hebt hem daar harder nodig dan ik. Ik zit de hele dag opgesloten in mijn toren. Toe dan, neem nou aan.'

Ze aarzelt. 'Dat hoort niet, vind ik. Hij is van jou.'

'Nee, ik wil hem echt aan jou geven. Alsjeblieft? Dan voel ik me beter als jij daar zit. Doe het nou maar voor mij, Yvette. Oké?'

Ze kijkt even naar mijn gezicht, met een ernstige blik in haar vermoeide ogen. 'Oké, Sproetenkop. Dank je wel.' Met een plechtig gezicht haalt ze een koordje uit haar zak en hangt de crucifix eraan alsof het een kostbaar juweel is in plaats van een stuk waardeloos wit plastic. Dan hangt ze het om haar hals, wuift even en vertrekt.

Wat ik haar niet vertel, is dat ik dat ding niet meer kan zien. Ik kan er niet tegen dat Jezus op me neerkijkt terwijl ik langzaam volloop met haat. En al helemaal niet mama's Jezus.

Nadat Yvette is vertrokken komt mijn ploeg me zoals gewoonlijk ophalen en rijden we naar onze complexen. 'Hebben jullie die hadji's gisteravond tekeer horen gaan?' vraagt Jimmy zodra ik me achterin naast Mosquito heb gewurmd.

'Ja,' antwoordt Creeley terwijl hij ons hobbelend over de zandweg rijdt. 'Wat hadden ze nou, was er soms niets leuks op tv?'

Jimmy schudt grinnikend zijn hoofd. 'Henley zei dat het totaal uit de hand liep, man, in het hele complex. Joelen en stenen gooien. Een van onze jongens is gewond geraakt, een paar gevangenen zijn neergeschoten. Dus nu zitten we tot onze nek in de stront bij het Rode Kruis.' Hij draait zich om naar mij en Mosquito. 'Maar dat betekent dat de hadji vandaag pislink is, dus jullie tweeën moeten je complex extra goed in de gaten houden, oké?'

'Begrepen, sergeant,' zegt Mosquito. 'Moraal van het verhaal: geen zandnegers neerschieten als het Rode Kruis kijkt.'

En ja hoor, zodra ik in mijn toren zit, voel ik dat de spanning veel erger is dan anders. De staarder kijkt me venijnig als een slang aan, en de andere gevangenen barsten continu uit in kwaad geschreeuw, al is het vooral tegen elkaar gericht. Ik scan het complex, doe vlug een telling. Vierenveertig van die klootzakken hier vandaag, goed voor twee volle tenten, en ze zijn stuk voor stuk zo gespannen als een katapult.

Ik installeer me op mijn stoel, leg mijn M-16 op mijn knieën en staar naar beneden, naar de luchtplaats tussen de tenten en de concertina. Inmiddels ken ik hier elke zandkorrel, elk treurig uitgedroogd struikje, elke roestplek op de mesjes van de concertina. Ons wereldje.

Het gekrakeel duurt een tijdje voort. Af en toe houdt het een paar seconden op, maar dan laait het weer erger op dan daarvoor. De gevangenen blijven ook maar in groepjes bij elkaar komen en met hun armen zwaaien en schreeuwen, en dat bevalt me niks. Ik voel de sfeer als een koord om mijn huid straktrekken. Ik grijp mijn M-16 en schuif naar het puntje van mijn hotspot.

Het volgende moment barst er een knallende ruzie los tussen twee gevangenen. Ze staan neus tegen neus, brullend en duwend en uithalend naar elkaar, totdat er een stel andere kerels aan komt rennen om mee te doen. Eentje stompt een ander op zijn kaak en binnen de kortste keren loopt het hele zootje te matten.

Ik spring overeind en schreeuw in mijn walkietalkie, roep tegen de MP daarbinnen dat ze hierheen moeten komen om een eind te maken aan de vechtpartij, maar dat stomme rotding doet het natuurlijk niet. Ik hoor alleen maar ruis. Ik probeer ook nog op mijn allerhardst tegen de gevangenen te schreeuwen, maar dat haalt ook niets uit – ze horen me niet eens door alle herrie die ze maken. Het loopt nu totaal uit de hand. Bloedneuzen. Kerels die over de grond rollen en elkaar stompen en krabben, in de ribben schoppen, op handen trappen. Ik weet niet wat ik moet doen, behalve hier als een gek met mijn armen staan zwaaien. Dus ik knip de veiligheidspal van mijn wapen, richt in de lucht – en schiet.

Het is een waarschuwingsschot, maar plotseling houden ze allemaal op. Alle gevangenen duiken in elkaar en blijven roerloos zitten, met bange, verwarde gezichten turend naar de hemel om te zien waar het schot vandaan kwam. En, nou ja, ik weet dat dit erg klinkt, maar ze zien er eventjes zo belachelijk uit, als een stel Chicken Littles die proberen te zien of de hemel naar beneden valt, dat ik in lachen uitbarst.

Baf! Er raakt iets zo hard mijn wang dat ik half om mijn as draai. Verbijsterd laat ik me op mijn handen en knieën vallen. Ben ik neergeschoten? Ik voel niets, alleen maar een eng dof gevoel in mijn gezicht. Ik raak mijn wang aan – bloed! Maar voor ik tijd heb om te reageren, komt er een regen van stenen op me af, word ik keihard bekogeld; ze hagelen op me neer, stuiteren als kogels op mijn helm. Waar zijn die stomme MP's als je ze nodig hebt? Waar is mijn ploeg? Stelletje zakkenwassers!

Terwijl de stenen op me neer blijven regenen, ga ik op mijn knieën zitten en doe mijn ogen dicht. En vuur opnieuw.

Maar ditmaal richt ik niet in de lucht. Ik richt recht op het complex.

Dan laat ik me op de vloer vallen, bedek mijn hoofd met mijn armen. En wacht af.

Stilte. Niet eens de echo van mijn schot, want er is niets om het geluid te weerkaatsen. Het enige geluid is de nagalm ervan in mijn eigen oren. Geen stenen meer. Niets. Ik probeer mezelf te dwingen mijn ogen open te doen en te kijken. Maar ik ben te bang.

Alstublieft, God, laat ik niemand hebben geraakt. Zelfs niet de rukker, of de staarder, geen van allen. Ik wil geen lijk op mijn geweten hebben. Ik wil niet in de problemen komen. Alstublieft.

Ik wacht en wacht. De stilte is angstaanjagend. Niets dan het woestijngefluit en de knal van het schot die blijft nagalmen in mijn hoofd.

Eindelijk vind ik de kracht om mijn ogen open te doen. Ik sta op en kijk.

Geen lijk. Geen plas bloed. Alleen een paar MP's die eindelijk zijn komen opdraven om te zien wat er in godsnaam aan de hand is en de gevangenen hun tenten in drijven.

Ah, de kracht van een M-16.

Jimmy komt een paar minuten later aanzetten met een blikje cola. 'Gaat het?' roept hij van beneden naar boven. 'Ik hoorde die herrie al. Het hele complex zit nu op *lockdown*, iedereen wordt verhoord.' Hij klimt de ladder op. 'Jezus, wat is er met jou gebeurd?'

Ik zit op de grond in mijn toren met mijn wapen binnen handbereik en probeer het bloed op mijn wang met mijn mouw te stelpen. 'Die eikels hebben me geraakt met een steen.'

'Shit! Gaat het wel?' Hij hurkt naast me neer.

'Ja. Maar waar bleef iedereen nou, man? Waarom waren hier geen MP's?'

'Die hadden hun handen vol aan gelazer aan de andere kant. Weet je zeker dat het gaat?'

'Mm-hm. Denk je dat de hadji's snel weer naar buiten zullen komen?'

'Voorlopig niet. Kom, laat eens kijken.' Jimmy zet zijn cola neer, doet zijn zonnebril af en kijkt naar mijn gezicht. Zijn adem ruikt naar cola en tabak, maar ergens is dat wel lekker. Hij tilt mijn kin voorzichtig op en draait mijn gewonde wang naar zich toe. Zo ben ik in geen maanden aangeraakt.

'Ik zou maar naar de dokter gaan om dat te laten hechten. Ik zal er wat ontsmettingsmiddel op doen. Doet het zeer?'

Ik schud mijn hoofd. Ik kan geen woord uitbrengen.

Hij duikt in de groene EHBO-tas die hij op zijn rug draagt. Veel soldaten hebben er zo een. Je volgt een cursus van een dag of vier en ze geven je een tas die je continu bij je moet hebben, met een infuus erin, katheters, verband en dat soort dingen. In Jimmy's geval heeft hij ook condooms bij zich zodat de soldaten ze om de loop van hun wapen of om hun pik kunnen doen, afhankelijk van wat er op dat moment nodig is. Ik heb die cursus ook bijna een keer gedaan, maar toen ik hoorde dat je mensen naalden in hun aderen moest leren steken, haakte ik af. Te schijterig.

'Hou eens stil.' Hij kantelt mijn kin met één hand – alweer die tedere aanraking – en veegt voorzichtig het bloed en stof weg met een watje. Hij buigt nu heel dicht naar me over, zijn vergeet-mij-niet-blauwe ogen zijn op maar een paar centimeter van de mijne. Ik kijk er recht in, ik kan er niks aan doen. En hij kijkt terug.

'Het is niet zo diep als ik dacht,' zegt hij, terwijl hij antibiotica-gel op mijn wang dept. 'Ik zal er verband op doen. Meer is waarschijnlijk niet nodig.'

'Denk je dat het een litteken wordt?'

Hij glimlacht. 'Ik denk het niet. Maar als het gebeurt, zul je net een sexy piraat lijken. Moet ik iemand sturen om je te vervangen zodat jij naar de dokter kunt, gewoon voor de zekerheid?'

'Nee, het gaat wel.'

'Zeker weten?' Hij raakt mijn wang weer aan, onder de snee, en laat zijn vingers even liggen.

'Ja,' zeg ik ademloos. 'Zeker weten.'

We kijken elkaar nog steeds in de ogen.

'Ik heb cola voor je meegenomen,' zegt hij na een korte stilte, bijna fluisterend. 'Wil je die?'

Ik knik. Eindelijk maakt hij zijn blik los van de mijne, haalt nog een cola uit zijn zak en geeft hem aan mij. Nog steeds trillerig neem ik een slok. Het is warm en smerig, maar het is tenminste nat.

Jimmy komt naast me op de vloer van het platform zitten, zo dichtbij dat zijn arm de mijne raakt. Dan zitten we een tijdje in stilte naar het lege complex te kijken. Een zeldzame wolkensliert drijft voor de zon langs, de schaduw kruipt als een reusachtige krab over het zand. Ik kijk hem centimeter voor centimeter na.

'Jimmy?'

'Ja?'

'Ik...' Een blos kruipt over mijn wangen omhoog.

'Wat?' Hij wendt zijn gezicht naar me toe, zijn ogen staan warm en vriendelijk.

'Ik heb ze beschoten.'

'Ja, en?'

'Ik bedoel, ze stonden met stenen te gooien. Te vechten. Maar... ik probeerde ze dood te schieten.'

'Natuurlijk. Je bent soldaat. Dat doet een soldaat.'

'Maar ze zijn ongewapend!'

Jimmy neemt mijn beide handen in de zijne. 'En als ze dat niet waren, denk je dan niet dat ze jou overhoop zouden schieten? Moet je kijken wat ze net hebben gedaan! Hier moet je je niet rot over voelen, Kate.'

'Maar als ik er nou een had doodgeschoten?'

'Hier is het zij of wij, dat weet je. Je doet gewoon je werk.'

'Is dat zo?'

'Natuurlijk. Ze hebben erom gevraagd, wind je er nou maar niet over op.'

Ik kijk naar zijn handen die de mijne vasthouden. Ik wil hem geloven. Maar als wat hij zegt waar is, waarom voel ik me dan zo smerig?

'Jee,' zegt de verpleegster als de soldaat haar kamer weer binnen komt lopen. 'Hebben ze je nou al teruggestuurd? Wat heb je gedaan, die arme therapeute beledigd?'

Wat is er zo zielig aan Kachelpook? 'Nee,' zegt de soldaat hardop. 'Ik had gewoon geen zin om daar te zijn.' Ze laat zichzelf op bed vallen.

'Je zou je beter voelen als je een beetje meewerkte, mop. Ze willen je alleen maar helpen.'

'Mooie hulp is dat. Hé, mag ik even bellen met deze telefoon?'

'Natuurlijk. Alleen eerst even een negen intoetsen. Je mag hier alleen geen mobieltje gebruiken.'

'Bedankt.'

'Ik zal je even alleen laten. Maar ik ben zo weer terug. Zo makkelijk kom je niet van zuster Bingham af.'

Terwijl de verpleegster naar de deur schommelt, bekijkt de soldaat haar voor het eerst eens goed. De verpleegster is klein en breed en gezellig dik. Haar huid heeft een warme tint donkerbruin, net als die van Yvette. Haar gezicht is zo rond als een koekenpan. De soldaat realiseert zich dat ze de dingen niet goed in zich opneemt de laatste tijd.

'Zuster?' zegt ze. De verpleegster draait zich om. 'Bedankt. Voor alles. U bent heel aardig voor me.'

'Da's prima, moppie. Zo te zien voel je je nu beter, je praat zelfs. Da's mooi. Ik ben zo terug.'

Als de verpleegster weg is, gaat de soldaat rechtop op de rand van het bed zitten en kijkt weer naar haar handen. Ze trillen net zo erg als anders. Dan kijkt ze naar de telefoon en probeert zichzelf in beweging te krijgen.

Eindelijk dwingt ze zichzelf om de hoorn te pakken. Langzaam toetst ze de nummers in die ze al weken in gedachten herhaalt. De telefoon gaat vijf keer over, en elke keer schiet het als een elektrische schok door haar heen.

Ze weet niet eens of hij al terug is. Of hij nog leeft. Of hij nog aan één stuk is.

Eindelijk neemt hij op. Nog voor hij iets zegt, voelt ze dat hij het is.

'Hoi,' fluistert ze.

Geen antwoord.

'Ben je daar?'

Niets.

'Wil je dat ik ophang?'

'Nee,' zegt hij. 'Niet doen.'

Als ze zijn stem hoort, doet ze haar ogen dicht. Ze heeft nooit geweten dat het zoveel pijn kon doen om iemand te missen. Een metalen klauw die in haar borst wordt geslagen.

'Wat wil je, Kate?' Hij klinkt moe.

Ze knijpt haar ogen nog harder dicht omdat ook zijn woorden pijn doen. Maar dat wist ze al voor ze hem belde. 'Gewoon, horen dat je veilig terug bent. Of het goed met je gaat.'

'Wat denk je?' Hij is nu boos.

'Ik mis je. Heel erg.'

Stilte.

'Ben je thuis?' vraagt hij ten slotte.

'Nee.'

'Waar zit je dan in godsnaam?'

'Albany Veteranencentrum. Intern. Vanwege mijn rug en... je weet wel, gedoe.'

'Dus daarom klink je zo versuft. Ze geven je zeker van die stomme pillen, hè?'

'Kom je me halen, Jimmy? Alsjeblieft? Ik vind het hier vreselijk. Het wordt hier alleen maar erger.'

'Je weet dat dat niet kan.'

'Nee, ik meen het. Alsjeblieft.'

KATE

Als Jimmy weer terug is naar zijn post, blijf ik in mijn toren op de vloer zitten, nog steeds te beduusd om me te verroeren; je wordt tenslotte niet elke dag door een stel hysterische hadji's met stenen bekogeld. Hier weggedoken voel ik me veiliger dan op mijn stoel, omdat ik zo minder zichtbaar ben, maar toch wou ik dat Jimmy had kunnen blijven. De hitte wordt steeds verstikkender, mijn nek en schouders raken verkrampt terwijl ik zit te wachten tot de gevangenen weer naar buiten komen. Wie weet wat ze nou weer met me gaan doen. Het is nu echt oorlog tussen ons.

Maar de gevangenen komen niet naar buiten. Ze blijven zo lang in hun tent dat ik aanneem dat de lockdown nog steeds van kracht is of dat ze weer eens een bespreking hebben. Elke tent met gedetineerden mag uit de eigen gelederen een leider kiezen die besprekingen leidt, hun grieven noteert en zo'n beetje de orde bewaart. In theorie tenminste. Volgens mij zitten ze alleen maar te bedenken hoe ze kunnen ontsnappen of ons kunnen afmaken.'s Nachts zijn er aan de lopende band ontsnappingen. Niet alleen door die tunnel waar DJ over vertelde, maar ook omdat elke randdebiel het zachte zand waar we op wonen kan wegscheppen, onder de roestige concertina door kan kruipen en kan vluchten. Ik bedoel, een gevangenis bouwen op zand – zijn ze nou gek geworden? Maar goed, het uitstel biedt me de gelegenheid om Jimmy uit mijn hoofd te krijgen, weer op mijn stoel te gaan zitten, mijn wapen vlug schoon te maken en te zorgen dat ik paraat ben voor als ze weer aanvallen.

Ten slotte komen er weer een paar gevangenen tevoorschijn. Voor zich uit mompelend schuifelen ze de luchtplaats weer op. Sommigen dragen mannenjurken, anderen wijde hemden en broeken; allemaal lopen ze er stoffig, ongeschoren en terneergeslagen bij. Ze komen achter elkaar naar buiten, als een kudde haveloze geiten. Maar ze kijken geen van allen mijn kant op.

Dan hoor ik een schreeuw. Een afgrijselijke, wanhopige schreeuw. Ik spring overeind. Wat nou weer? Een gevangene komt uit een van de tenten stormen en grijpt daarbij jammerend naar zijn hoofd, alsof hij afschuwelijk veel pijn heeft. Ik kijk eens goed naar zijn vuile westerse kleding, zijn hier en daar grijze haar, en weet precies wie het is: de rukker. Een paar gevangenen rennen naar hem toe, maar hij duwt ze weg en laat zich op zijn knieën vallen. Nog steeds jammerend gooit hij zand over zijn hoofd, pakt zijn haar beet en begint het met wortel en al uit te trekken. Ik zie het bloed op zijn hoofd, zelfs van hieraf. Ik zie ook grote plukken haar verspreid in het zand liggen.

Opnieuw proberen de andere gevangenen hem te kalmeren, en opnieuw schudt hij ze van zich af. Dan komt hij wankelend overeind, en voor iemand kan ingrijpen rent hij naar de concertina en werpt zich ertegenaan, recht in de puntige mesjes. Steeds opnieuw gooit hij zich ertegenaan, waarbij hij zijn armen en handen en buik aan flarden rijt.

'Stop!' schreeuw ik terwijl ik naar de rand van mijn platform ren. 'Kappen, nu!' Maar mijn stem drijft weg op de woestijnlucht en komt eruit als gejengel. Ik sta nog steeds geschokt te kijken als ik mijn naam hoor roepen.

'Kate, vlug, naar beneden komen!' Jimmy is weer terug. 'Nu!'

Struikelend klim ik met mijn M-16 op mijn rug de ladder af en loop achter hem aan, al heb ik geen idee waarom. Hij rent de hoek om naar de ingang van het complex, waar een paar MP's die ik alleen van gezicht ken naar me knikken en me mee naar binnen wenken. Voor ik het weet, ren ik samen met hen over dezelfde luchtplaats waar ik al wekenlang naar sta te kijken, tot we pal achter de rukker staan.

Vier MP's houden hem nu beet, met zijn armen op zijn rug gedraaid. Zijn handen zijn opengereten en bloeden op zijn vuilwitte hemd; hij staat slap voorovergebogen. Maar hij snikt en kreunt nog steeds.

Een van de MP's geeft me een paar tiewraps, van die plastic handboeien die eruitzien als een grote versie van die dingen waarmee je kabels bij elkaar bindt. 'Ga je gang,' zegt hij.

Dan valt het kwartje. Dit is de wraak die Jimmy me heeft beloofd! Ik aarzel geen moment. Ik grijp de rukker bij zijn opengehaalde handen, boei ze op zijn rug en trek de tiewrap stevig aan, zoals ik heb geleerd op MP-training. Dan trap ik hem in zijn knieholten zodat hij valt, zet mijn voet op zijn schouders en duw hem met zijn smerige kop in het zand. 'Zand vreten, klootzak!' roep ik. Ik wil dat hij weet dat een meisje hem dit aandoet, een van die vrouwen van wie hij denkt dat ze niets meer zijn dan de stront waar hij me mee bekogeld. Ik wil dat hij weet hoe het voelt om te worden behandeld alsof je geen mens bent. Dus ik zet mijn laars op zijn achterhoofd en trap zijn gezicht diep in het woestijnzand.

Het voelt geweldig.

De MP's staan te lachen. 'Leef je uit, meid!' zegt een grote sergeant met de naam Flackman op zijn uniform. 'Verder nog iets? Die vuile hufter is helemaal van jou.'

'Ja,' zeg ik. 'Nog één ding.' En ik buig me voorover en trek het hoofd van de rukker bij zijn bebloede haar omhoog, zodat ik hem recht in zijn kwaadaardige ogen kan kijken en hij kan zien wie ik ben.

Ik kijk even naar zijn gezicht, dat ik voor het eerst van dichtbij zie: tranen stromen uit zijn ogen, zijn neus en mond zitten vol snot en bloed en zand. Half stikkend hapt hij naar adem.

Ik laat zijn hoofd los en deins achteruit. Mijn god.

'Is er iets?' vraagt Flackman. De gevangene ligt nog steeds hijgend op zijn buik, met zijn gezicht in het zand. Uit zijn opengereten handen stroomt het bloed over zijn rug.

'Hoe heet hij?' vraag ik met onvaste stem.

'Hoe moet ik dat nou weten?'

'Vraag het hem. Ik moet het weten... doe hem geen pijn.'

Flackman kijkt me aan alsof ik gek ben geworden, maar hij duwt met zijn voet tegen de man. 'Hé, jij daar! Die vrouw wil weten hoe je heet.'

De man kreunt.

Eindelijk dwing ik mezelf in beweging te komen. Ik duw Flackman opzij en hurk neer bij het hoofd van de gevangene. Het is helemaal niet de rukker, dat weet ik nu. 'Bent u Halim al-Jubur?' vraag ik bevend. Maar ik ken het antwoord al. Ik ken het net zo goed als ik zijn naam en gezicht van Naema's foto ken.

Nauwelijks zichtbaar knikt hij.

Verwoed begin ik met mijn blote vingers het zand uit de mond en de ogen en van de bebloede wangen van meneer al-Jubur te vegen. Ik geloof dat ik ook iets tegen hem zeg over Naema, maar dat weet ik niet zeker. Ik veeg zijn bebloede haar en zijn schouders af en leg zijn hoofd voorzichtig op het zand, naar opzij, zodat hij adem krijgt. Dan probeer ik de handboeien om zijn opengereten polsen los te maken. Hij ligt daar met zijn ogen dicht, zijn wang tegen de grond gedrukt, en haalt schokkerig adem. Zijn gezicht ziet grauw.

'Wat doe je nou?' zegt Flackman.

'Het is de verkeerde,' zeg ik hijgend, terwijl ik worstel met de boeien. 'Ik dacht dat het iemand anders was. Hij is onschuldig! We moeten een dokter laten komen, hulp voor hem halen.'

Flackman pakt me bij de arm en trekt me met een ruk overeind. 'Ben je gek geworden?'

'Nee!' Ik worstel me los en probeer Naema's vader overeind te helpen, zodat hij tenminste zit en niet als een geslagen hond aan onze voeten ligt. Maar Flackman houdt me tegen.

'Jezus christus, dat is de laatste keer dat ik hier een wijf binnenlaat. Wie denk je wel dat je bent, Mary Poppins? Hawkins, haal dat mens hier weg.'

Een van de andere MP's pakt me bij mijn arm en sleurt me terug over het zand. 'Nee!' roep ik. 'Luister nou! Ik weet wie die man is! Ik ken zijn dochter! Jullie mogen hem geen pijn doen! Hij heeft hartproblemen. Jullie moeten luisteren!'

Maar niemand heeft zin om naar me te luisteren. Ze duwen me vloekend naar de ingang. 'Hé, Frik!' roept een van hen tegen Jimmy, die op zijn post staat en geen idee heeft van wat er gaande is. 'Haal dat wijf hier weg. Ze is knettergek.' En hij rent het complex weer binnen.

Jimmy kijkt totaal verbijsterd. 'Wat is er aan de hand?'

Trillend sta ik voor hem.

'Kate, wat is er?'

'O, Jimmy,' fluister ik uiteindelijk met moeite terwijl ik naar hem opkijk. 'Wat heb ik gedaan?'

NAEMA

Mama's stemming is enorm verbeterd sinds we Zaki's bericht hebben gekregen. Vandaag gaat ze zelfs naar het dorp om te kijken waar ze de eieren van de kwakkelende oude kippen van oma Maryam voor kan ruilen, de eerste keer sinds weken dat ze ergens anders naartoe durft dan naar Abu Mustafa's huis, geplaagd als ze wordt door angst en achterdocht. Het is zo'n opluchting eindelijk weer iets van haar oude moed terug te zien komen.

Terwijl ze weg is, kijk ik even bij oma, die nu bijna continu slaapt, en pak dan papa's stapeltje brieven uit mama's la. Ik voel me opgelaten, alsof ik iets stiekems doe, en ik ben huiverig voor het verdriet en de pijn die eruit zullen spreken, maar mama wil zo graag dat ik ze lees dat ik probeer mijn tegenzin te overwinnen en haar wens te vervullen. Ik ga aan tafel zitten, waar nu een oude en vergeelde geborduurde doek overheen ligt, pak een willekeurige brief en vouw hem met angst en beven open.

Gisteravond in mijn rusteloze slaap, liefste Zaynab, droomde ik over Naema en Zaki toen ze nog een baby waren, een heerlijke droom waaruit ik wakker werd met een glimlach op mijn lippen. Net als mijn herinneringen beschermen ook mijn dromen me tegen deze afschuwelijke plek.

Zaynab, weet je nog wat Naema zei toen je met Zaki uit het ziekenhuis kwam? Ze was acht jaar en zo trots dat ze een grote zus was, weet je nog? Dat wil zeggen, tot ze zijn rode gezichtje en kronkelende lijfje zag, zijn handjes die tot vuistjes waren gebald. Ze keek heel even in het pakketje in je armen en flapte er toen uit: 'Wat is hij lelijk!'

Ik denk dat ze verwachtte dat een baby er net zo uit zou zien als een plastic pop, roze met blauwe ogen die open en dicht konden en rode lippen. Maar in plaats van kwaad te worden, moest je lachen. 'Hij blijft niet lang lelijk, hoor, kleintje,' zei je. 'Hoe liever je voor hem bent, hoe sneller hij mooi wordt.'

Je bent zo'n wijze moeder, Zaynab. Allah is groot dat hij me jou geschonken heeft.

Ik twijfel er niet aan dat Naema nu doet wat ze kan voor jou en Zaki. Ze heeft een bewonderenswaardig karakter, onze dochter, fel, loyaal en wijs voor haar zestien jaren. Ik hoop alleen dat ze er ook aan denkt om voor zichzelf te zorgen. Geef haar alsjeblieft een kus van me, en de kleine Zaki ook. O, Zaynab, wat verlang ik naar ze!

Ik leg de brief neer en doe mijn ogen dicht. Ik heb zo'n angst om papa. Was het niet genoeg dat hij zoveel ellende moest doorstaan onder Saddam? Waarom is het zijn lot om opnieuw zo te moeten lijden? Maar dan pak ik een andere brief, want zijn woorden hebben een aantrekkingskracht die ik niet kan weerstaan.

Het is moeilijk, liefste, om hier optimistisch te blijven. Ik doe mijn best – voor jou, voor de kinderen, om zelf te kunnen overleven. Maar ik word gekweld door mijn hulpeloosheid. Zeker, ik ben een vader, maar soms is zelfs dat een bittere gedachte voor me, want wat kan ik hier zo opgesloten nu voor vader zijn? Ik kan mijn kinderen niets leren, ik kan ze niet beschermen. Ik kan geen echtgenoot zijn voor jou. Ik kan je niet eens brood brengen of je komen omhelzen. Deze beesten hebben me zwak gemaakt, Zaynab, en ik ben nooit een man geweest die dacht dat hij zwak was.

Alles wat ik je nu te bieden heb, zijn mijn gedichten, deze onzicht-
bare brieven en mijn liefde. Ze zijn allemaal abstract, allemaal stil.
En toch houden ze me in leven, voor jou.

Genoeg. Ik kan er niet tegen. Haastig leg ik de brieven terug in mama's la. Ik weet dat papa nu diezelfde wanhoop moet voelen, maar
dan erger, want ditmaal zit ook zijn zoon gevangen, zo dichtbij en
toch onbereikbaar. Weten dat je kind misschien moet lijden zonder dat je er iets aan kunt doen – dat moet de ergste straf zijn van
allemaal.

Ik besef dat oorlog draait om onrechtvaardigheid en wreedheid.
Om onschuldige mensen gevangenzetten en doden. Om harten
en gezinnen, steden en levens kapotmaken. En toch lijken wij
mensen net zomin te kunnen stoppen met oorlogvoeren als we
kunnen stoppen met ademhalen. Waarom toch?

Niet lang nadat ik de brieven weer heb opgeborgen komt mama terug, als ik net thee sta te zetten voor oma. 'Kijk,' roept ze als ze
binnenkomt met een zware mand, en als ze de doek eraf trekt krijg
ik een onvoorstelbare overdaad te zien: drie verse komkommers en
een grote pot geitenyoghurt, zelfs een paar uien en kaas – veel meer
dan ik ooit heb kunnen vinden op mijn zoektochten naar voedsel.
Ze heeft ook een jerrycan vol petroleum bij zich, waarmee we moeten koken en onze huizen verlichten nu het elektriciteitsloeder zo
gierig is. Petroleum stinkt en is gevaarlijk. Er komen hele gezinnen om het leven omdat het zo snel explodeert. Maar nu is het onze redding.

'Mama, waar heb je dit allemaal vandaan?'

Glimlachend schudt ze haar hoofd. 'Ik vertrouw op Allah, liefje.'

Maar ik weet dat ze nieuwe moed heeft omdat ze zichzelf
dwingt te geloven dat papa en Zaki elke dag kunnen terugkomen.
Zelfs tijdens het koken doet ze alsof het ook voor hen is. Dat zie ik,
want het is het enige moment waarop ze er gelukkig uitziet. Soms

neuriet ze zelfs als ze bij het fornuis in de weer is, haar grijzende haar in een lage knot gedraaid, haar magere lichaam gehuld in een van haar geïmproviseerde schorten. Ze neuriet omdat ze een paar kostbare momenten lang is vergeten dat haar man en zoon niet in de kamer ernaast op het eten zitten te wachten.

Gisteren, toen we voor de zoveelste keer werden geteisterd door een zandstorm, verraadde ze haar droom opnieuw. Elke centimeter van het huis zat onder het stof – de meubels en vensterbanken, de vloeren, zelfs onder de tapijten en op alle muren – alsof de woestijn zichzelf had opgetild en naar binnen had verplaatst. Mama liet me de hele dag helpen met vegen en boenen totdat elk piezeltje zand en stof was verdwenen, al woeden er deze zomer om de haverklap van dit soort stormen. Voor wie anders zou ze al die moeite doen dan voor Zaki en papa? Oma Maryam is weer weggezakt in haar ziekte en ligt de hele dag op haar kamer; ze kijkt angstig rond met doffe ogen, haalt piepend en moeizaam adem. Mama en ik zijn de hele dag op jacht naar voedsel, water en brandstof. We maken ons allang niet meer druk om stof. Nee, met deze schoonmaakwoede laat mama zien dat haar hoop nog niet is vervlogen.

Ook ik blijf hopen, hoe aarzelend ook, en sleep me elke ochtend met mijn laatste twee metgezellen naar de gevangenis. Die soldaat met de naam waar ik zo om moest lachen, McDougall, is er nog steeds, maar ze neemt niet meer de moeite om met ons te praten. Ze staat daar maar met geheven wapen, haar rode gezicht verborgen achter haar helm en zonnebril, en kijkt onze kant op zonder ons echt te zien, tot we moedeloos onze pogingen staken haar aandacht te trekken en we naar huis gaan. De enige verandering in deze routine is wanneer ze een nieuwe lijst met gevangenen voor me heeft om voor te lezen, of die ene keer dat ze me dat bericht van Zaki voorlas.

Ik begin echter wel mijn vraagtekens te zetten bij dat bericht. In eerste instantie was ik te blij om eraan te twijfelen, maar nu begint er iets aan me te knagen. Ik zal het er nooit met mama over hebben, maar Zaki spreekt niet genoeg Engels om de Amerikanen te vertellen dat hij twee vrienden uit Basra heeft, laat staan dat hij zijn gitaar mist. En waarom zouden soldaten de moeite nemen om een tolk te vinden voor een onbeduidend jochie? Dan is er het feit dat ik zelf aan die Kate heb verteld dat Zaki gitaar speelt. Zou zij dat bericht zelf hebben geschreven om te zorgen dat ik voor haar bleef tolken, of als een soort misselijke grap? Die Amerikanen lijken tot alles in staat. En als ze wreed genoeg is om dat bericht te verzinnen, hoe kan ik er dan in vredesnaam op vertrouwen dat Zaki nog leeft?

's Nachts lig ik urenlang te piekeren over deze vragen, maar het doet me geen goed, want de enige die ze kan beantwoorden is Kate. En die zie ik nooit meer.

Als de weduwe Fatima, Zahra en ik de ochtend na mama's succes op de markt via de gebruikelijke route door het dorp naar de gevangenis lopen, zien we tot onze schrik voor het eerst mannen op straat, hoewel de zon nog niet eens op is. Meestal zijn de straten op dit tijdstip uitgestorven, op een enkele verdwaalde geit of kip na. De mannen kijken ons na als we langslopen. Het zijn aanhangers van Muqtada al-Sadr. Dat weet ik omdat ze in het zwart gekleed zijn en sjaals om hun gezicht hebben om hun identiteit te verhullen. Ik vind ze laf en onmenselijk, maar aarzel toch als ik ze zie omdat ze, zo donker en zonder gezicht, angst inboezemen, wat ook precies hun bedoeling is.

'Doorlopen en niet kijken,' fluistert Fatima. 'En dicht bij mij blijven.'

Ik hou mijn blik op de grond gericht en loop haastig naast haar door, want ik ben verreweg de jongste van ons drieën, en daarmee het duidelijkste doelwit van de afkeuring van de mannen. Maar het is moeilijk om ze niet aan te kijken en uit te dagen. 'Waarom zijn jullie zo destructief?' wil ik het liefst tegen ze zeggen. 'Ook ik wil dat de Amerikanen vertrekken, maar niet als er nog meer haat en moord onder onze eigen mensen voor in de plaats komen, en niet door toedoen van fanatici zoals jullie.'

'Je loopt als een hoer alleen over straat!' sist een van hen naar me als ik voorbijloop. 'Je beledigt Allah en zult je straf niet ontlopen.' En hij spuugt me voor de voeten.

Haastig loop ik verder, bang en geschrokken, maar Fatima blijft staan en kijkt hem recht in de ogen. 'Ze is niet alleen!' roept ze met haar oude, krakende stem terwijl ze een vuist naar hem maakt. 'Ze hoort bij mij, haar eigen grootmoeder! Hoe durf je mijn kleinkind zo te beledigen! Heb je geen respect voor de ouderen?'

Stuurs wendt de man zich af.

Ik ben dankbaar voor de leugen en schaam me dat mama en ik deze lieve oude weduwe hebben gewantrouwd. Maar ik durf me niet af te vragen hoe lang ik nog kan rekenen op haar broze bescherming.

Als we zo'n veertig minuten later bij de gevangenis aankomen, nog natrillend van deze ontmoeting, zien we het gebruikelijke dertigtal volhardende maar uitgeputte burgers al staan, op een kluitje in het stof en de hitte. Die soldaat McDougall is er ook, maar ditmaal is ze in gezelschap van een man die ik nog nooit eerder heb gezien, een lange, donkere man in uniform. Ze brengt hem naar ons toe en gaat naast hem staan, met een dreigende blik en haar wapen tegen haar borst. Ze staat wijdbeens, alsof de woestijn als een schip onder haar heen en weer deint. De man doet een stap naar voren.

'Goedemorgen, en Allah zij met u,' zegt hij, en er stijgt een verbaasd gemompel op uit de menigte, want hij spreekt Arabisch. 'Vergeef me mijn gebrekkige Arabisch, maar ik hoop dat u me kunt verstaan.'

Er stijgt weer gemompel op, ditmaal van instemming. Hij heeft een Amerikaans accent en zijn dialect is niet Irakees, maar zijn woorden zijn duidelijk.

'Ik ben hier om iets te vertellen over het smartengeld dat de Amerikaanse regering aanbiedt aan burgers die door een ongeval een familielid hebben verloren.' Voor we precies begrijpen waar hij het over heeft, vertelt hij dat de Amerikanen vijfentwintighonderd dollar zullen betalen aan gezinnen waarvan ze 'onbedoeld' de vader of moeder of een kind hebben gedood, althans, zolang het slachtoffer onschuldig was. 'Dat is uw *di'ah*,' zegt hij. 'Uw schadeloosstelling voor overlijden door een ongeval.'

Waarom vertelt hij ons dit? Hij heeft vast slecht nieuws.

Als hij klaar is met zijn onaangename verhaal over geld, wordt zijn stem zachter en begint hij te frummelen met een vel papier.

'Harder!' roept iemand tegen hem. 'We verstaan u niet!'

De tolk schraapt zijn keel. 'Ik moet u op de hoogte brengen van een ongelukkig voorval dat zich gisteren heeft voorgedaan in de gevangenis,' begint hij.

Het is of er ijs door mijn aderen stroomt.

'Zoals u weet, behandelen we de gevangenen hier goed. We laten speciaal voedsel leveren om aan hun eetgewoonten tegemoet te komen. We hebben alle voorzieningen voor hen gebouwd...'

'Klets niet en zeg wat u ons te zeggen hebt!' roept een oude man naast me. 'Bent u zo wreed dat u ons op hete kolen wilt laten zitten?'

De tolk kijkt verschrikt op en McDougall doet een stap naar voren, haar wapen zwenkt onze kant op. Haar mond is vertrokken van pure haat.

De tolk wuift haar terug. 'Ik zal verdergaan. Gisteren, om elf uur 's avonds, kwamen de gevangenen in de complexen drie en vier in opstand en vielen ze onze soldaten zonder enige aanleiding aan. Er werd met stenen en illegale zelfgemaakte messen gegooid, waarbij enkelen van onze bewakers gewond raakten, waarna de gevangenen met elkaar op de vuist gingen. In een poging de slachtoffers te redden, gingen onze soldaten de complexen binnen om de opstandelingen in bedwang te krijgen, maar ze werden opnieuw aangevallen. Bij het conflict raakten tien gedetineerden gewond, van wie er zes later zijn overleden. Ik zal de namen oplezen van degenen die we tot nu toe hebben geïdentificeerd.'

Er stijgt een hevig gekreun op uit de menigte.

De man gaat op uitdrukkingsloze toon verder. 'Als er familieleden aanwezig zijn van de namen die ik voorlees, wilt u dan zo vriendelijk zijn naar voren te komen zodat we uw gegevens kunnen noteren en een regeling kunnen treffen.'

Hij frommelt weer met het papier terwijl het om ons heen doodstil wordt.

'Falah Hasun.'

Stilte. Er komt niemand naar voren. Niemand kent hem. Mijn hand kruipt naar mijn keel.

'Saadi al-Ramli.'

'Nee,' roept de oude man naast me uit, dezelfde die de tolk heeft uitgefoeterd. Hij wankelt en valt tegen me aan. 'Mijn zoon!' En hij barst zo hevig in snikken uit dat ik bang ben dat het zijn borst zal doen openscheuren. Samen met twee anderen ondersteun ik hem, maar ik kan niet naar hem kijken. Met vlammende blik kijk ik de tolk aan en ik wacht tot hij de derde naam voorleest – vlammend, maar ook met de snijdende kou van angst.

KATE

'Waarom moet het nou zo?' vraag ik Jimmy op een dag in mijn toren. 'Waarom is alles zo klote?'

'Over welk alles heb je het precies?' We zitten elleboog aan elleboog op de vloer van mijn platform en hij zit op een tandenstoker te kauwen, zijn lange benen opgetrokken tot aan zijn borst en zijn prachtige ogen verborgen achter zijn onafscheidelijke zonnebril.

'Je weet wel. De godganse dag zo naar die waardeloze hadji's zitten kijken. Samenleven met goorlappen als Kormick en Macktruck. Op Fort Dix zeiden ze dat we scholen zouden bouwen, dat soort goeie dingen. Niet dat we hier als een stel katten in een kattenbak zouden zitten.'

'Ja, dat zeiden ze bij mij ook. Maar het interesseert het leger geen ruk wat ze tegen ons zeggen, dat weet je. Wat hen betreft zijn we gewoon robots. GI staat toch voor *Government Issue*? Rijksuitgave, dat zegt genoeg.'

Net op dat moment schuifelt een gevangene met hangend hoofd wat rond bij de concertina. Ik kijk naar hem en naar de andere gevangenen op de luchtplaats om te zien of Naema's vader erbij zit. Ik heb hem niet meer gezien sinds ik zijn gezicht in het zand heb getrapt. Ik heb Jimmy niet verteld wat ik hem heb aangedaan. Hij denkt nog steeds dat al-Jubur de rukker was, en dat ik me er die dag gewoon rot over voelde dat ik hem had afgetuigd.

We blijven een tijdje zwijgend zitten. We weten allebei dat we deze rotplek soms zo zat zijn dat we niets meer te zeggen hebben. Het enige waar we dan toe in staat zijn is in de verte staren en met onze ogen knipperen. Dan komen een paar MP's de luchtplaats op om de gevangenen binnen te roepen voor het eten, dus als ze weg zijn hebben we helemaal niets meer om naar te kijken.

Een paar minuten later verschijnt er zowaar een wolk, die eenzaam de hemel doorkruist als een verdwaalde gans, dus ik kijk hoe hij met zijn beweging de grond van kleur doet veranderen. De woestijn verandert zo vaak van kleur. Onder de wolken, als die er al zijn, wordt hij donker karamelbruin, als een kameel. Tijdens een zandstorm is hij grijs, tenzij het tegelijkertijd regent, want dan wordt hij modderbruin. In de ochtend- en avondschemering is hij leiblauw tot praktisch zwart. En overdag, als de zon hoog aan de hemel staat, wat meestal zo is, is hij verblindend wit.

'Je hebt gelijk, het is ook klote,' zegt Jimmy plotseling, alsof we nooit zijn opgehouden met praten. 'Ik wou dat we hier iets deden waar we ons goed over voelden. Steden weer opbouwen of zo, weet je wel?'

'Ja.' Ik huiver omdat ik het bebloede gezicht van meneer al-Jubur weer voor me zie. 'Het enige waardevolle wat ik sinds mijn komst hier heb gedaan, was Naema dat bericht bezorgen. Cool dat Ortiz er een tolk bij heeft gehaald. Ik had niet gedacht dat hij zou willen helpen.'

'Ja, ik wist wel dat hij mee zou werken. Ortiz is een goeie vent.' Jimmy wendt zijn gezicht naar het mijne. 'Er is nog iets wat ik zou willen,' zegt hij dan.

Er trilt iets in mijn borst als hij dat zegt. Iets warms en zachts. Hij schuift een beetje dichterbij.

'Wat dan?' vraag ik verlegen.

'Ik wou dat ik hier de hele dag bij jou kon zijn, elke dag.'

'Echt waar?'

'Mm-hm. Ik ben liever bij jou dan bij wie ook in deze hele rot-woestijn.'

Het trillen in mijn borst wordt zo hevig dat ik bang ben dat hij het zal horen. 'Ik ook bij jou,' fluister ik.

Jimmy buigt zich naar me toe en zet zijn bril af. En dan doet hij iets wat ik nooit had verwacht. Hij kijkt om zich heen om te zien of er geen andere soldaten in de buurt zijn, wat natuurlijk niet zo is. Dan buigt hij zich voorover, doet ook mijn bril af en slaat zijn armen om me heen, daar boven op die toren. En hij houdt me een hele tijd vast.

Ik leun met mijn hoofd tegen zijn borst, adem zijn geur van zweet, tabak en stof in, de heerlijkste geuren die ik me kan wensen. En een paar heerlijke seconden lang verdwijnen de haat en de walging die continu in me gisten in het niets.

'Er is nog één ander ding dat ik wil,' fluistert Jimmy dan terwijl hij ietsje achteroverleunt zodat hij me aan kan kijken.

'Jimmy, ik...'

'Nee, wacht. Luister even. Ik wou dat ik je kon kussen. Ik zal het niet doen als jij het niet wilt. Ik weet dat je veel hebt meegemaakt, dus ik zal het begrijpen. Echt waar. Maar... wil jij het ook?'

Ik knik. Omdat het zo is. Meer dan wat ook.

Hij trekt me weer naar zich toe, en heel langzaam drukt hij zijn lippen op de mijne. Hij voelt zo warm en teder, zo lief. Ik sla mijn armen om hem heen en er spoelt een enorme golf van verlangen naar hem door me heen. Dan beginnen we heviger te zoenen, en voor het eerst in maanden begin ik te denken dat ik misschien toch niet zo'n afschuwelijk mens ben.

Maar net als ik in katzwijm begin te raken en mijn ogen dicht-doe om me eraan over te geven, voel ik mijn voet op het hoofd van meneer al-Jubur neerkomen, zie ik het bloed en zand waar zijn mond mee vol zit, voel ik mezelf genieten van elke seconde pijn die de man lijdt, en ik maak me met een ruk los alsof iemand me een klap heeft gegeven.

'Wat is er?' vraagt Jimmy geschrokken.

Ik duw hem weg en schud mijn hoofd. 'Ik kan dit niet. Ik kan het gewoon niet.'

'Waarom niet? Ik zal je geen pijn doen, Kate. Dat weet je toch?'

'Nee, dat is het niet.' Ik kijk hem hulpeloos aan. 'Het zou goed zijn als we ergens anders waren, weet je? In een andere situatie. Maar... Ik kan het gewoon niet.'

Jimmy kijkt me onderzoekend aan. 'Weet je het zeker? Als we het meer tijd geven misschien?' Hij blijft me smekend aankijken. Wat doet dat een pijn.

'Ja,' dwing ik mezelf te zeggen. 'Ik weet het zeker.'

Zijn gezicht verstrakt. 'Oké. Ik begrijp het. Laat dan maar.' Hij staat op en loopt naar de ladder.

Ik wil nog meer zeggen, zoveel meer. Ik wil hem vertellen dat het niet aan hem ligt, dat hij de enige op aarde is die ik nu vertrouw – en dat ik ontzettend naar hem verlang. Maar er komt niets uit.

'O ja,' zegt hij, en hij blijft halverwege de ladder staan. 'Ik ga vanavond pokeren met Ortiz en een paar andere jongens. Moet ik nog vragen of er nieuws is over dat ene jochie?'

'Ja. Graag.' Ik krijg het nauwelijks uit mijn strot.

Dan is hij weg.

Als Creeley ons die avond na onze shift terugrijdt, ga ik op mijn gebruikelijke plek achterin naast Mosquito zitten en doe mijn ogen dicht, alsof ik zit te dutten. Maar ik ben gespitst op elke beweging die Jimmy maakt. Normaal gesproken draait hij zich om om met me te praten of weet hij even een lief gebaartje te maken, een knipoog of aanraking, iets wat ons onderscheidt van de rest, wat me laat weten dat hij om me geeft. Maar ditmaal keurt Jimmy me geen blik waardig en hij wenst me niet eens goedenacht als Creeley me afzet.

Toch blijf ik daar als een idioot de Humvee nakijken, dan draai ik me om en sleep mezelf de tent binnen, waar ik bijna tegen DJ aan loop die vlak achter de ingang staat, stralend alsof hij de Kerstman is. 'Post!' kondigt hij aan zodra hij me ziet, en hij maakt een weids armgebaar naar de dozen en brieven die opgestapeld om hem heen staan. 'Jij hebt er twee, mazzelpik.' Hij geeft me een doos en een envelop. DJ is ineens superaardig voor me sinds hij Boner in elkaar heeft geslagen omdat die me in mijn borst had gestompt.

'Dank je,' mompel ik, en ik neem ze mee naar mijn bed. Brieven en matskisten vol lekkernijen en cadeautjes zijn hier pure verwennerij, iets waar wij zielige zandvlooien normaal gesproken helemaal opgewonden van raken. Maar ik heb niet eens zin om de mijne open te maken. Ik heb helemaal nergens zin in, alleen maar om wat voor me uit te zitten staren.

Uiteindelijk dwing ik mezelf de doos open te snijden. Er zitten allemaal spullen in waar ik mijn ouders maanden geleden om heb gevraagd. Kauwgum, zonnebrand, lippenbalsem, insectenspray, deodorant, bodylotion... samen met een paar bidprentjes van mama waar ik niet om heb gevraagd. Er zit ook nog een tekening van April in de doos, met rode viltstift op een groot stuk roze papier: een klein meisjespoppetje dat hand in hand staat met een groot meisjespoppetje, en de twee staan samen in een hart. Ik stop de tekening en mama's bidprentjes onder in mijn plunjezak, bij alle andere brieven van thuis. Dat soort dingen kan ik op dit moment niet hebben. Het zou makkelijker zijn als ze me helemaal niet meer schreven.

De envelop is van Tyler. Ik haal diep adem en maak hem open.

Hoi Katie-lief,
Man, ik heb je wat te vertellen! Er is iets waanzinnigs gebeurd. Het beste wat me ooit is overkomen! Afgezien van jou natuurlijk.
Ik stond in Moondog – je weet wel, die bar in Albany? En het zat bomvol! D'r zaten wel honderdvijftig mensen in gepropt om ondergetekende te kunnen horen. En aan het eind van mijn optreden komt er een vent naar me toe die zegt dat hij een onafhankelijk la-

bel heeft dat Lizard heet, en dat hij me een contract wil aanbieden! En het bleef niet bij woorden, want...

Ik stop met lezen, vouw de brief op en stop hem ook in mijn plunjezak. Fijn voor je, Tyler. Maar op deze plek en op dit moment interesseert het me geen ene moer.

Dan ga ik op mijn nest liggen, pak *Trots en vooroordeel* en probeer zoveel mogelijk te lezen voor het te donker wordt. Helaas is Macktruck ook terug van zijn shift en hij ligt links van me al neuspeuterend in een pornoblaadje te kijken. Yvette is nog steeds op konvooi. Maar rechts van me ligt Drieoog zoals gewoonlijk uitgestrekt op haar bed als een dooie omhoog te staren. Ik voel haar naast me liggen, roerloos als een blok beton, en ik heb er zo'n last van dat ik me niet kan concentreren. Dus ik leg mijn boek weg en kijk haar kant op.

'Hé,' zeg ik zachtjes. 'Gaat het een beetje?'

Ze geeft geen antwoord, maar dat verwachtte ik ook niet. Ik haal mijn schouders op en lees verder over die opgeprikte Darcy. Maar na een paar minuten laat ze me versteld staan door daadwerkelijk iets te zeggen.

'Die hadjivriendin van je draaide vandaag door. Ging helemaal door het lint en stond te schreeuwen dat we moordenaars zijn, dat soort dingen. We hadden haar bijna gearresteerd.'

Ik ga rechtop zitten. 'Hoe bedoel je? Waarom?'

'Weet ik het?' Drieoog vouwt haar armen achter haar hoofd en staart naar het dak van de tent. 'Ik kan je alleen maar vertellen dat er vanochtend ineens een tolk opdook die de burgerbevolking vertelde over die gevangenen op wie was geschoten. Je vriendin en al die anderen draaiden helemaal door. Als je het mij vraagt moeten we ze dat soort dingen helemaal niet vertellen. Dat maakt dat klotewerk van ons alleen maar nog moeilijker.'

'Maar haar vader of broertje zat er toch niet bij, hè? Hij heeft toch niet de namen Zaki Jassim of Halim al-Jubur voorgelezen, hè?' Mijn stem trilt. Ik kan er niets aan doen.

'Jezus, Brady. Effe dimmen. Nee, die namen heb ik geen van tweeën gehoord. Ze heeft gewoon een grote bek. Probeert een beetje de held uit te hangen. En ze is alleen maar erger geworden sinds ik haar dat bericht heb doorgegeven. Stom wijf.'

'Daar zitten er hier veel te veel van,' zegt Mack zonder op te kijken van zijn porno.

'Zei ze verder nog iets?'

'Nee. We hebben haar weggejaagd. En nou je bek houden en mij even laten slapen.' En zonder nog een woord te zeggen trekt Drieoog een kussen over haar hoofd.

'Hé, Tieten, moet je deze zien,' zegt Mack dan. Hij buigt zich naar me toe om me zijn tijdschrift onder de neus te duwen zodat ik naar een vrouw met gespreide benen moet kijken die haar vinger in haar kont heeft. 'Heb je dit ooit geprobeerd?'

Walgend duw ik het tijdschrift weg en ik ga met mijn rug naar hem toe zitten. Dan diep ik een pen en een blocnote op uit mijn plunjezak en ga op de rand van mijn bed zitten om te schrijven.

Lieve Tyler,
Wat goed om te horen over je succes. Dat heb je altijd al verdiend.
Zo fijn dat je mensen blij maakt. Ik wou dat dat ook voor mij gold.
Ik weet dat dit pijn gaat doen, en dat spijt me want je bent zo goed
voor me geweest. Maar ik denk dat we er een punt achter moeten
zetten. Dus schrijf alsjeblieft maar niet meer.
Kate

'Tieten?' zegt Mack weer. Ik reageer niet en lees mijn brief nog eens over, terwijl er zich een steen vormt in mijn borst.

'Hé, ik heb het tegen jou!' Mack rukt aan mijn bed. 'Draai je om en luister nou eens!'

Ik vouw de brief zorgvuldig op, stop hem in een envelop, doe die dicht en schrijf dan langzaam en duidelijk het adres op.

Dan pakt Mack me bij mijn arm. 'Hé!'

'Laat me los!' Ik por met mijn elleboog naar achteren tegen iets zachts en knisperends.

'Au!'

'Laat haar met rust, Macktruck,' zegt Drieoog mat vanonder haar kussen. 'We moeten hier met zijn allen in deze afvoerput wonen. Je hoeft het niet nog erger te maken.'

'Ik ben niet bij het leger gegaan om met een stel gestoorde hoeren samen te wonen!' sputtert hij terwijl hij naar zijn neus grijpt. En hij begraaft zich weer in zijn porno.

De volgende ochtend word ik op de gebruikelijke tijd wakker en ga ik naar buiten om te wachten tot Jimmy me komt halen om te gaan hardlopen. Ik weet niet of hij komt en of hij überhaupt nog met me wil praten, maar wat kan ik anders doen dan hopen? Ik red het hier niet zonder hem, ik kan de dagen en uren en minuten niet doorkomen die zich als een gevangenisstraf voor me uitstrekken. Hij is de enige reden waarom ik nog uit bed kom en durf te doen wat ik moet doen.

Ik hoef niet lang te wachten. Hij komt toch, en maar een paar minuten nadat ik de tent uit ben gekomen. Ik ben zo opgelucht dat ik alsnog in zijn armen zou willen vliegen – het mezelf makkelijk wil maken door te doen alsof ik echt degene ben voor wie hij me aanziet en hem van me laten houden. Maar dat heb ik niet verdiend. En ik denk niet dat dat ooit nog zal veranderen.

'Hoi.' Hij glimlacht voorzichtig. Ik probeer terug te lachen, maar mijn mond wil niet meewerken. Ik weet niet wat ik moet zeggen. Dus doen we zwijgend rekoefeningen en rennen dan de zandweg op.

We lopen lange tijd in een hardnekkige stilte. En het is niet de aangename stilte die er altijd tussen ons was, zonder druk, gewoon gezellig. Het is een samengebalde stilte, vol ongesproken woorden, vol pijn, verlangen en schaamte. Een stilte die me een verstikkend gevoel geeft.

Maar uiteindelijk zegt Jimmy iets. 'Het lijkt hier verdomme wel Jupiter.' Zijn stem klinkt vlak en neutraal. Ik kijk om me heen, en het lijkt wel alsof ik de woestijn nog nooit eerder heb gezien. Hij heeft gelijk. Alles is donkergrijs vanmorgen: het zand, de lucht, de tenten, onze kleren. De schemering, of misschien onze stemming, heeft alle kleur uit de wereld weggezogen.

'Komt het jou hier niet je strot uit?' vraagt hij dan.

'Ja, joh.' Maar opnieuw kan ik niks anders verzinnen.

'Weet je wat ik als eerste ga doen als ik thuis ben?' gaat hij verder, licht hijgend van het hardlopen in deze hitte. 'Ik sleep mijn broertjes mee, zoek een veldje en ga in het sappige groene gras liggen en alleen maar ademhalen. Dan ga ik een paar steenovenpizza's halen en sla ik een kan bier achterover.' Als ik niet reageer, vraagt hij: 'Mis je nog steeds boomwortels?'

Hij doet zo hard zijn best. O, Jimmy. 'Ja,' zeg ik zacht. 'Ja, nog steeds.'

Dan vervallen we weer in stilte. We lopen helemaal naar de berm en weer terug, als ratten in een doolhof, zonder ook maar één woord te zeggen. Ik kan gewoon niet praten. Ik kan er alleen maar aan denken dat het gemak en het vertrouwen tussen ons ineens weg zijn, dat als Jimmy wist wat voor iemand ik werkelijk ben, hij me zou haten. En die gedachte is zo pijnlijk dat ze mijn woorden als een stop tegenhoudt.

Maar als we bijna weer bij mijn tent zijn, schiet me toch één ding te binnen dat ik moet zeggen. Dus ik pers het eruit. 'Had Ortiz gisteravond nog nieuws voor me?'

Jimmy haalt zijn schouders op. 'Dat vertel ik nog wel.' En zonder me nog aan te kijken rent hij door naar zijn tent.

Maar hij vertelt het niet. Hij zegt niets tegen me in de Humvee, en hij komt ook al niet voor zijn gebruikelijke middagbezoekje. Alle veertien uren van mijn shift zit ik in mijn eentje opgesloten in mijn toren, en ik blijf maar hopen dat hij komt. Alleen gebeurt dat niet. En aan het eind van de dag, als Creeley en hij me komen halen in de Humvee, zit hij de hele rit geintjes te maken met de jongens en net te doen alsof ik niet besta.

De ziekenhuistelefoon blijft rinkelen, maar het enige wat de soldaat doet is er wantrouwig naar kijken. Ze staat tegen de muur ertegenover gedrukt en doet voorzichtig rekoefeningen met haar been waar haar rug volgens de revalidatiearts echt sterker van wordt. Die telefoon zorgt de laatste tijd voor een hoop gedoe waar ze helemaal geen trek in heeft. Ouders. Tyler. Burgervrienden die geen idee hebben. Laat het niet een van hen zijn, bidt ze. Laat het alsjeblieft Jimmy zijn, zodat ik hier weg kan. Maar ze weet dat hij het niet zal zijn.

Hij gaat vijf keer over voor ze zichzelf eindelijk kan dwingen de kamer door te lopen en op te nemen. 'Wat?' snauwt ze.

'Katie, ben jij dat?'

April! Bij het horen van het hijgerige stemmetje van haar zusje krijgt de soldaat een brok in haar keel. Ze moet flink slikken en op bed gaan zitten voor ze iets over haar lippen krijgt. 'Dag liefie, hoe gaat het?'

'Ik ben van mijn fiets gevallen,' zegt April.

'O jee! Heb je je pijn gedaan?'

'Ik heb een grote gele plek op mijn knie en ik heb mijn elleboog geschaafd. Het prikt heel erg als ik onder de douche ga, net een bijensteek.'

'Au. Maar toch niks gebroken, hè?'

'Nee.' April valt stil op die vanzelfsprekende manier die jonge kinderen aan de telefoon hebben. Als er niets te zeggen valt, valt er niets te zeggen.

'Al vrij van school?' vraagt de soldaat dan.

'Natuurlijk niet! Het is nog geeneens Halloween.'

'O.' Om de een of andere reden dacht de soldaat dat het lente was. Misschien door die gele bloemen die ze door de kamer heeft gesmeten. 'En, weet je al hoe je verkleed gaat?' vraagt ze in een poging haar vergissing te verdoezelen.

'Raad eens.'

'Hmm, eens even zien. Als prinses?'

'Dat is stom. Dat is voor kleine kinderen.'

'O, sorry. Als marshmallow?'

April giechelt. 'Nee joh. Ik ga als soldaat, net als jij. Mama heeft het kostuum bij de drogist gevonden.'

De soldaat kan even niets uitbrengen. Ze slikt weer.

'Vond je mijn cadeautje leuk?' vraagt April dan.

O god, helemaal vergeten. Ze heeft het nooit opengemaakt. De laatste tijd heeft ze moeite om dingen te onthouden. Tijd. Spullen. Mensen.

'Ja, wacht even.' De soldaat klemt de telefoon onder haar kin, trekt de la van haar nachtkastje open, pakt het roze doosje eruit en peutert het deksel eraf. Er zit een stemmingsring in en zo'n geweven vriendschapsarmbandje dat kinderen op school maken.

'Prachtig!' zegt de soldaat terwijl ze de ring om haar opgezette vinger wurmt. Gelukkig is hij verstelbaar. 'De ring past precies en hij is zo mooi. Heb je dat bandje helemaal zelf gemaakt?'

'Ja, maar Lizzy heeft geholpen. Zij heeft het middelste stuk gemaakt en ik de uiteinden.'

Op dat moment herinnert de soldaat zich de laatste keer dat ze April zag. Dat ze helemaal stuk van de pijn en het verdriet terugkwam van de oorlog en die gezichten en dat bloed maar niet uit haar hoofd kreeg. Dat ze het wapen van haar vader van zijn verboden plek in het buffet pakte en uit de eetkamerramen schoot omdat die gezichten naar binnen keken. Van Kormick, van de rukker, van meneer al-Jubur. Dat April schreeuwend in een hoek wegkroop omdat ze niet begreep dat haar zus haar alleen maar wilde beschermen. Dat de vader de soldaat in de auto zette om haar hiernaartoe te brengen.

'Hé, April?' zegt ze zachtjes. 'Sorry dat ik je zo bang heb gemaakt toen ik thuiskwam. Je weet toch dat het toen niet goed ging, hè? Je weet toch dat ik van je hou en dat ik je nooit iets zou doen? Dat weet je toch?'

'Joh, mij maak je niet bang. Ik ben geen klein kind meer. Ik ben al acht!'

Shit. De verjaardag van haar zusje is de soldaat ook al vergeten.

'Wat heeft jouw ring nu voor kleur?' vraagt April dan. 'Die van mij is rood. Volgens mij betekent dat dat ik gelukkig ben.'

De soldaat doet haar ogen dicht. Ze kan niets zeggen omdat ze moet huilen. Ze huilt en huilt en kan er niet meer mee ophouden.

NAEMA

Dus ze vermoorden onze mannen tóch in die gevangenis! Ik wist het wel! Zodra die tolk begon te praten, wist ik dat die meisjessoldaat me had voorgelogen. Waarom heb ik mezelf toegestaan haar te geloven? Nu weet ik zeker dat ze dat bericht van Zaki zelf in elkaar heeft geflanst. Hoe kan iemand zo harteloos zijn?

Nadat dat mens van McDougall ons heeft weggejaagd alsof we niet meer zijn dan een stel zwerfhonden en ik met mijn metgezellen op weg ben naar huis, peins ik over wat ik te weten ben gekomen. De gevangenen komen in opstand, ongetwijfeld omdat ze worden uitgehongerd en geslagen. De Amerikanen schieten op ze, vermoorden ze, maar weten niet eens de namen van alle doden. Hoe kan die kleine Zaki dit overleven? En die arme papa met zijn hart? Als ze het al hebben overleefd.

Wat zijn we dom geweest, mijn metgezellen en ik, dat we dag in, dag uit met niets dan foto's en smeekbeden naar deze gevangenis zijn gekomen. We hadden met wapens moeten komen.

Maar zodra ik thuiskom en moed vat om mama dit vreselijke nieuws te vertellen, rent ze in paniek op me af. 'Snel!' roept ze nog voor ik iets kan zeggen. 'Kom mee!'

Ik ren achter haar aan de slaapkamer binnen. Oma ligt er verstijfd bij, met weggedraaide ogen en haar mond wijd opengesperd. Ik pak haar hand beet, zo scharminkelig als een vogellijkje. Haar hart klopt zwak en onregelmatig.

'Wat heeft ze, Naema, wat is er met haar aan de hand?' vraagt mama met een smekende blik.

'Volgens mij heeft ze een beroerte gehad,' zeg ik, geraakt door haar vertrouwen in mijn povere medische kennis. 'Ze moet meteen naar een dokter!'

'Ga vlug naar de buren – ga snel hulp halen!'

Ik leg oma's magere hand op haar borst en ren naar de buren, waar Abu Mustafa bezig is in zijn moestuin en probeert iets van groente uit de verbrande bleke aarde te krijgen. De oude man kijkt verschrikt op als ik op hem af ren en komt met een pijnlijke grimas overeind. 'Wat is er, kindje?'

'We hebben een dokter nodig! Mijn oma ligt op sterven!'

Hij kijkt me meewarig aan. 'Maar meisje, weet je dan niet dat onze artsen en leraren al maanden geleden zijn gevlucht?'

'Waar moet ik dan naartoe? Is hier niemand die kan helpen?'

Hij schudt zijn grijze hoofd. 'Je moet met haar naar het ziekenhuis in Umm Qasr, als dat tenminste niet is gebombardeerd. Je hebt je vaders auto, geloof ik. Kun je rijden?'

'Ja, maar we hebben geen benzine.'

'Kom.' Hij neemt me mee naar achteren, om zijn kleine huis van gele leem heen, en wijst naar een blik van twintig liter. 'Neem dit maar. Ik hoop dat het genoeg is.'

'Maar u hebt het toch nodig? En ik kan u er niet voor betalen, tenminste nu nog niet.'

Berustend brengt hij zijn handen omhoog. 'Je oma is al vijftig jaar of langer onze buurvrouw en vriendin. Huda en ik hebben die benzine niet nodig. Waar moeten we op onze leeftijd nog naartoe? Nee, neem maar mee, en niet tegensputteren.'

Dus nu zit ik met mijn handen om het stuur van onze gehavende oude gezinsauto geklemd, net zoals papa nog maar een paar weken geleden, op weg naar Umm Qasr. Mama zit achterin met oma in haar armen en probeert het haar zo aangenaam mogelijk te maken, maar mijn arme grootmoeder heeft geen idee waar ze is. Ze rolt met haar ogen en haar adem komt er haperend en rochelend uit. Mama kan haar paniek nauwelijks bedwingen, ze prevelt gebeden en verzen uit de Koran; ik hoor haar oma zelfs aansporen om Allah om vergeving te vragen, zoals elke stervende moet doen, al is oma veel te ver heen om waar dan ook voor te bidden. Ikzelf vraag me onwillekeurig af of alles wat we doen wel zin heeft, of we dat ziekenhuis ooit zullen bereiken en zo ja, of het eigenlijk wel in bedrijf is.

Umm Qasr ligt maar vijf kilometer bij oma's huis vandaan, maar de rit duurt uren. Overal op de weg staan Amerikaanse tanks en vrachtwagens, die soms beide rijstroken blokkeren of juist zo hard aan de verkeerde kant langsdenderen dat ik bruusk moet uitwijken om er levend van af te komen. De stoplichten doen het niet omdat er geen elektriciteit is, en iedereen is zo bang dat de auto's alle kanten op slingeren. En dan rijdt er een reeks konvooien voorbij die ons dwingt langs de rand van de weg te wachten. We moeten in de genadeloze zon blijven zitten zonder ons te verroeren, en onze angst om oma's leven neemt toe terwijl de ene enorme Amerikaanse truck na de andere voorbijdendert en uitlaatgassen in ons gezicht blaast.

Mama blijft hardnekkig proberen water in oma's keel te gieten, al zien we allebei dat het leven met elke minuut oponthoud verder uit haar wegebt. Maar telkens als ik probeer de weg op te rijden, beginnen de soldaten in de konvooien met hun wapens naar ons te zwaaien en schreeuwen ze tot de aderen in hun roodverbrande nekken opzwellen.

Die soldaten. Wat zien ze er onmenselijk uit, zo staand in hun geschutskoepels, leunend uit het raam met hun wapen in de aanslag, hun lichamen verscholen achter zonnebrillen en helmen en die lelijke camouflage-uniformen die nergens bij kleuren. Wat willen ze met ons dat ze er zo uitzien? Wat denken ze dat we hun hebben aangedaan?

Eindelijk, na bijna twee uur, komt er ruimte tussen twee konvooien en slaag ik erin de weg weer op te rijden en onze rit voort te zetten. De lucht is blauw van de uitlaatgassen en het stof, maar toch zie ik aan weerszijden van ons vrouwen op de velden werken, voorovergebogen in hun zwarte abaya's en gravend en plukkend in de stoffige grond. Wat kunnen ze laten groeien in deze toenemende droogte? Er staan kinderen langs de weg met opgezette buiken van ondervoeding en honger, hun benen spichtig en schurftig, hun kleren haveloos, bedelend om voedsel bij de soldaten. Sommigen rennen zelfs tot bij de Amerikaanse trucks, zo dichtbij dat ik vrees voor hun leven. Zijn dit de mensen die de Amerikanen zijn komen helpen? En zo ja, hoe helpt het dan om bommen op hun huizen te gooien en hun zoons en vaders op te sluiten? Om hun dorpen te vernietigen die al zo arm zijn en hun kinderen af te slachten? Hen te vermoorden zonder zelfs maar te weten hoe ze heten? Is dat hoe je een volk bevrijdt van een dictator? Of heeft de wereld zich gek laten maken door de zucht naar olie en bloed?

Als we eindelijk de buitenwijken van Umm Qasr bereiken, ben ik alweer ontsteld, want ook hier is het een pandemonium. Auto's volgestouwd met onmogelijk veel mensen blokkeren de weg en toeteren dat het een aard heeft. Kamelen drentelen tussen het verkeer door, waarbij hun dunne poten dreigen te worden geplet. Voetgangers storten zich tussen de voertuigen. Ezelkarren komen vast te zitten achter spatborden en autobanden. Ik moet tussen al deze mensen en dieren door laveren, zo goed en zo kwaad als ik kan vrachtwagens en karren ontwijken, en maar hopen dat ik niemand heb aangereden. En overal om me heen dringt de menigte de stad binnen met een gejaagdheid waar ik niets van begrijp.

Turend door de stoffige voorruit, met gespannen schouders en een uitgerekte, pijnlijke nek, rij ik moeizaam in de richting van het ziekenhuis. Maar als ik in de buurt kom, wordt de drukte alleen maar groter en de verwarring alleen maar erger. We komen vast te zitten in een opstopping van voertuigen die allemaal een andere kant op staan, zonder stoplichten of politieagenten om ons te vertellen hoe we de knoop moeten ontwarren. Ik leun uit het raampje en roep tegen de bestuurder naast me: 'Neem me niet kwalijk, meneer, maar wat is hier aan de hand?'

'Er is een team Britse dokters aangekomen in het ziekenhuis om te helpen,' roept hij terug. 'Mijn baby heeft granaatscherven in haar borst. Ze gaat dood!'

En dan heb ik in de gaten door wie ik word omringd. Een vader met een met bloed besmeurde zuigeling, de tranen stromend over zijn afgetobde gezicht. Een jongen, slap en uitgemergeld, pus sijpelend uit diepe snijwonden op zijn been. Een stoffige pick-up met een bewusteloos tienermeisje achterin, haar borst en hals onder de blaren en brandwonden. Ik word omringd door gewonden en stervenden, de slachtoffers van clusterbommen en machinegeweren, van mijnen en explosieven, van vergiftigde lucht en vervuild water. En net als mama en ik wil iedereen zo snel mogelijk naar het ziekenhuis om die Britse artsen te bereiken, voor het te laat is.

KATE

Als ik na een lange dag vergeefs wachten op Jimmy terugkom in de tent, zie ik Yvette die terug is van haar laatste konvooi. Opgefokt, hongerig en kwaad ijsbeert ze door het gangpad. 'Die meuk krijg ik niet weg,' zegt ze zodra ik binnenkom, en ze schopt haar MRE over de multiplex vloer. 'Ik ga naar de winkel om wat junkfood te halen. Ga je mee?'

'Maar het is al bijna donker.' Ik ben blij haar weer heelhuids terug te zien, maar op dit moment heb ik geen zin om bij wie ook te zijn, zelfs niet bij haar. Ik wil alleen maar gaan liggen en verdringen wat er met Jimmy is gebeurd.

'Doe niet zo schijterig! Bijna donker. Jezus.' Ze kijkt me kwaad aan met haar grote ogen. 'Zeik niet, Sproetenkop. Ik rammel.'

'Oké. Tjezus.' Zuchtend draai ik me om en ga achter haar aan.

Van hieraf is de winkel van de basis ruim twintig minuten lopen verderop, en omdat het gevaarlijk is voor vrouwen houden we ons wapen stevig vast en onze ogen goed open. De tenten lijken net dieren, ineengedoken in de steeds donkerder schaduwen, hun flanken deinend in de wind alsof ze ademhalen. De messen van de concertina glinsteren scherp en puntig in de schemering. Overal om ons heen klinken het woestijngefluit en de griezelige kreten van de gevangenen. Het lijkt verdomme wel alsof we door het dodenrijk wandelen.

Het grootste deel van de weg loopt Yvette te vloeken en te tieren over van alles en nog wat, terwijl ik zwijgend naast haar doorstap en maar half luister. 'Weet je dat we in de kloterigste rotbasis van deze hele zandbak zitten?' zegt ze. 'Die andere bases waar ik kom, Mortaritaville en Scania bijvoorbeeld? Daar hebben ze eetzalen, computers, pingpongtafels. Godver. Op maar een halfuur hiervandaan is een basis waar ze het helemaal voor elkaar hebben, terwijl wij... hé, luister je wel?'

Ik grom.

Ze kijkt me van opzij aan, haar smalle gezichtje verdwijnt in de schaduw. 'Je bent nogal stil. Wat is er? Weer eens mot met Drieoog? Of liefdesperikelen met Frik?' Net als iedereen denkt Yvette dat Jimmy en ik nu een stel zijn. Ze pest me er altijd mee.

'Ik heb toch gezegd dat we gewoon vrienden zijn,' antwoord ik. Al lijkt het erop dat zelfs dat niet meer opgaat.

'Nou, meid, ik kan alleen maar zeggen: als een vriend van me naar mij keek zoals Frik naar jou kijkt, dan zou ik een soppende doos hebben.'

'Zo is het helemaal niet! Hij is gewoon een aardige vent, meer niet.'

'En trouwens ook zoals jij naar hem kijkt.'

'Hou er nou over op.'

'O. Sórry hoor.'

'Hé, het spijt me. Ik ben gewoon moe.'

Yvette kijkt me even aan. 'Ik ben je maatje, Sproetenkop. Als je niet met mij praat, met wie dan wel? Je kunt ervan op aan dat ik niet klets, dat weet je. Maar doe nou niet alsof ik Drieoog ben, en doe nou niet alsof ik een of andere bitch ben die je een hak wil zetten, oké?'

Dat raakt me, en heel even kom ik in de verleiding haar alles te vertellen. Wat ik Naema's vader heb aangedaan, dat ik me te smerig voel om ooit Jimmy's liefde te verdienen. Maar dan zet ik het van me af. Als ik Yvette zou vertellen wat ik heb gedaan, zou ik haar

ook nog kwijtraken. Zij wil dokter worden en gewonden weer oplappen, niet hun gezicht in het zand trappen en van elke seconde
genieten.

'Je hebt gelijk,' zeg ik zacht. 'Sorry. Maar ik zweer je dat het waar
is. Jimmy en ik gaan niet op die manier met elkaar om. Dat hebben
we nooit gedaan.'

Ze zegt niets terug. Maar ik weet dat ze me nog steeds niet gelooft.

Inmiddels kunnen we de winkel zien, die niet meer is dan de
open achterbak van een truck en een stel burgers die junkfood, ge-
kopieerde dvd's en namaakhorloges uit China verkopen. (Het
schijnt dat ze ook nog porno en pillen en zelfs hun zus in de aan-
bieding hebben.) Er staan al een paar kerels, en als we dichterbij
komen zie ik wie het zijn: Kormick en zijn trouwe maatjes, Boner
en Rickman. Ik blijf abrupt staan.

Yvette loopt nog een paar stappen door voor ze het merkt. 'Wat
is er?' Ze kijkt achterom.

'Kunnen we wachten tot die eikels weggaan? Ik heb geen zin
om met ze te praten.'

'Wees een soldaat, schat. Trek je maar niks van ze aan.'

Maar ik begin alweer te trillen en mijn handen zijn helemaal
koud geworden. 'Ik wil die rotzakken nu gewoon niet zien. Kom,
we gaan.'

'Nee, man, ik heb honger! Doe niet zo schijterig.' Ze beent zonder mij weg.

Ik heb Yvette nooit verteld wat Kormick en Boner mij hebben
aangedaan, of Drieoog. Ze weet niet dat als ik vrijwillig naar die
kloothommels ga, ze zullen denken dat ik om meer vraag.

Ik sta daar te trillen. Wat ik echt wil is me omdraaien en wegren-
nen. Maar zoals Yvette al zei: ik moet een soldaat zijn. Ik mag niet
toestaan dat ik, elke keer dat ik ze zie, me wil verstoppen en begin
te trillen. Ik moet gewoon flink zijn.

Dus trek ik het mes uit mijn riem en knip het open. Met het mes achter mijn rug haal ik diep adem en dwing mezelf naar ze toe te lopen.

'Hé, kijk, sergeant,' zegt Boner. 'Biggenkont komt even een praatje maken.'

'Biggenkont en Plankenkont,' voegt Rickman eraan toe met dat debiele gehinnik van hem.

'Wat zeik je nou, klootzak? Heb je soms een zere poes of zo?' zegt Yvette doodgemoedereerd tegen hem.

Kormick negeert dit alles. Maar mij kijkt hij doordringend aan, zijn mond vertrokken tot een kaarsrechte, woedende streep. Dit is de eerste keer dat we tegenover elkaar staan sinds ik hem bij Henley heb gerapporteerd. Ik pak mijn mes steviger beet en probeer het trillen te laten ophouden.

'Zo,' zegt hij. 'Daar hebben we soldaat Tieten Brady. Hoe gaat het met u deze fraaie avond, soldaat?'

'Goed,' mompel ik.

'Mooi, mooi.' Hij wendt zich tot Boner. 'Hou jij Plankenkont even bezig. Ik heb nog wat af te handelen met Tieten. En soldaat Sanchez?' zegt hij tegen Yvette. 'Sla niet zulke taal uit tegen mijn soldaten. Dat is ordinair, zelfs uit de mond van een mooie dame als u. Kom, Tieten. Deze kant op.'

'Ik blijf hier.' Mijn stem klinkt zwak en beverig. Maar ik heb het gezegd.

Kormick komt zo dicht bij me staan dat ik hem kan ruiken. 'Slaat u soms alwéér een rechtstreeks bevel in de wind, soldaat?'

Yvette kijkt van hem naar mij, en opeens valt het kwartje. Ik zie het gebeuren in haar ogen, de overgang van donker naar licht. 'Sergeant?' zegt ze snel terwijl ze naast me komt staan. 'Sergeant Henley heeft bevolen dat we niet zomaar mogen opsplitsen, dus ik ben bang dat soldaat Brady niet met u mee kan gaan. Sorry.' Ze pakt me bij mijn arm en we lopen snel weg.

'Kom terug, stelletje rotwijven!' roept Kormick ons achterna, maar we lopen door, ervan overtuigd dat hij ons achternakomt.

We rennen niet omdat we geen aandacht willen trekken, maar lopen zo snel we kunnen. Mijn oren suizen zo hard van angst dat ik niets anders hoor. Ik verwacht elk moment Kormicks hand op mijn schouder te voelen, zijn wapen in mijn nek te voelen. Maar de hele weg terug naar de tent durf ik niet één keer achterom te kijken.

Als ik dat wel doe, is hij nergens te bekennen.

'Niet te geloven!' sputtert Yvette als we stilstaan. 'Niet te geloven dat hij zo tegen je praat!' Ze wijst naar het mes in mijn hand. 'Dat zou ik maar opbergen, schatje, voor je je bezeert. Dat wou je voor die klootzak gebruiken, of niet?'

'Als het nodig was geweest wel, ja.' Ik stop hem weer achter mijn riem. Mijn handen trillen zo erg dat ik dat rotding er bijna niet in krijg.

'Gaat het wel?' vraagt Yvette terwijl ze me doordringend aankijkt.

Ik knik en kijk van haar weg.

'Waarom loop je dan zo te shaken? Vertel jij maar eens wat er is gebeurd. Volgens mij is er iets goed mis.'

'Het is niks.' Ik ontwijk haar blik nog steeds.

'Gelul. Natuurlijk wel. Kijk me aan.' Dat doe ik. Ze heeft haar handen op haar heupen en kijkt me fel aan met een onverbiddelijke uitdrukking op haar kleine gezicht. 'Toe maar, meid. Gooi het eruit.'

Dus doe ik dat eindelijk. Kormick, Boner, zelfs Henley: ik vertel haar het hele rotverhaal.

'Wat een vuile klootzakken!' zegt ze als ik klaar ben. 'Ik wist dat er iets aan de hand was. Geen wonder dat je zo zenuwachtig bent, meid. En Drieoog? Halen ze daar ook zoiets smerigs mee uit?'

Ik kan mijn belofte aan Drieoog niet verbreken, zelfs nu niet. Maar ik zeg: 'Je hebt gezien hoe ze doet. Wat denk jij?'

Yvette kijkt even fronsend naar haar voeten, schopt met de neus van haar schoen tegen het zand. 'Ik zal je zeggen wat ik denk,' zegt ze uiteindelijk. 'Ik vind dat jij en ik snel naar de vertrouwenspersoon moeten zodat er een eind komt aan dit gelazer. Als iemand je nu nog eens probeert de mond te snoeren, krijgen ze met mij te maken. En we beginnen met wat ik vanavond heb gezien.'

'Maar die vertrouwenspersoon luistert toch niet! Je weet best dat leidinggevenden liever een sergeant de hand boven het hoofd houden dan vrouwen zoals wij te beschermen.'

'Kijk, eerst was het jij in je eentje tegen Henley en zijn vriendjes. Nu zijn we samen, we gaan naar een andere officier, een vrouw, en niemand kan je ook maar iets verwijten. Kom, we gaan.'

'Nu nog? Maar het is al hartstikke laat.'

'Ja, nu. Voor we het gaan bagatelliseren. Kom op, Kate, je weet dat je dit moet doen.'

Daar ben ik niet zo zeker van, maar toch loop ik achter haar aan, en de hele weg ernaartoe woedt er in mijn hoofd een discussie tussen twee stemmen. De ene zegt dat ik alleen nog maar verder in de problemen kom en Yvette erin meesleep, want een peloton heeft nergens zo'n hekel aan als aan een klikspaan. De andere zegt juist dat dit mijn kans is om Drieoog eindelijk te helpen, dat dit mijn kans is om niet langer een laffe, schijterige slappeling te zijn.

Als we binnenkomen, zit de vertrouwenspersoon achter een multiplex tafel in haar geïmproviseerde kantoortent, en ze ziet er net zo verveeld en verhit uit als iedereen hier. Ze heet luitenant Sara Hopkins en ik heb haar nog nooit gezien, ook al vormt ze de helft van alle vrouwelijke superieuren in onze hele compagnie.

Tot nog toe is mijn ervaring met vrouwelijke superieuren niet al te best, om het zacht uit te drukken – op trainingskamp, de vervolgopleiding of hier. Het zijn stuk voor stuk keiharde en ambitieuze rotwijven die niet te beroerd zijn om elke vrouw die hun in de weg zit neer te maaien. Dus ik ben niet echt hoopvol als ik deze zie. Ze is lang en slank en heel keurig, met een hartvormig gezicht en grote bruine ogen. En haar donkere haar is zo strak en glanzend achterovergekamd dat het wel geschilderd lijkt, als het hoofd van een houten pop. Door haar realiseer ik me hoe vies en mager ik ben: niets dan botten en bruinverbrande huid. Afgekloven nagels, stinkende camobroek, zenuwen aan gort. Eén hoop ellende.

Nadat we hebben gesalueerd, onze naam en rang hebben genoemd en de gebruikelijke poppenkast achter de rug is, vertel ik haar mijn verhaal. Het is een marteling het allemaal weer aan een vreemde te moeten vertellen, al is het minder erg dan bij Henley. Toch vind ik het moeilijk haar tijdens het praten aan te kijken, want op hetzelfde moment dat ik vertel wat er allemaal is gebeurd – Boner die me stompte, Kormick die me aanrandde in het hok – denk ik continu: Je had je meer kunnen verzetten. Je had je harder kunnen opstellen. Je hebt de verkeerde signalen afgegeven, geef nou maar toe. Wat ben je nou voor soldaat? En ik ben ervan overtuigd dat deze luitenant er net zo over denkt.

Maar dan verrast ze me. 'Dit is afschuwelijk!' zegt ze. 'U had weken geleden al naar me toe moeten komen.'

'Ik weet het, luitenant. Het spijt me.'

'Hebt u iemand anders hierover verteld? De aalmoezenier of wie dan ook?'

'Nee, luitenant.'

Ze kijkt even fronsend naar haar bureau. 'Ik ga hier werk van maken, daar kunt u van op aan. Het is te laat om vanavond nog iets te doen, maar ik zal kijken naar passende maatregelen en u laten oproepen. Ik zal mijn best doen, soldaten, om te zorgen dat deze mannen niet onbestraft blijven.'

Ik kan mijn oren niet geloven. 'Echt waar? Ik bedoel, dank u wel, luitenant. Ik... ik vind het heel fijn.'

'Ik ook, luitenant,' zegt Yvette enthousiast.

'Nou, we kunnen een paar rotte appels het moreel van de hele compagnie toch niet naar beneden laten halen?' zegt de luitenant opgewekt. Ze staat op, loopt om haar bureau heen en geeft ons een hand. 'Goed, u kunt nu allebei gaan. En, soldaat Brady, ik weet dat dit niet makkelijk voor u was, dus ik bewonder uw moed en doorzettingsvermogen.'

'Dank u, luitenant!' Ik sta nog meer versteld.

'U hoort nog van me. In de tussentijd lijkt het me beter als u dit voor u houdt.'

'Ja, luitenant.' We bedanken haar nog eens, salueren en gaan weg.

'Wauw!' zeg ik zodra we buiten gehoorsafstand zijn. 'Ze is geweldig!'

'Ja, dat zei ik toch? Waarom ben je niet eerder naar haar toe gegaan?'

'Omdat ik dacht dat het niets zou uithalen. Je weet hoe de meeste vrouwen hier zijn. Ik dacht dat ze me een slettenbak zou noemen en me weg zou sturen.'

'Niet iedereen is eropuit om je te naaien, weet je,' zegt Yvette met een lachje. 'Je moet eens wat relaxter worden, mens.'

Ik kijk haar van opzij aan en glimlach dan ook. 'Bedankt dat je dit hebt gedaan, Yvette. Hartstikke goed van je.'

'Hé, *no problemo*. Wij vrouwen moet elkaar toch een beetje steunen?'

'Ja.' Ik ben even stil. 'Yvette?' zeg ik dan, een beetje verlegen. 'Ik heb eens zitten denken. Als – áls – we veilig thuiskomen, wil je dan met mij samenwonen? Ik bedoel, ergens een huis zoeken en de huur delen?'

Ze draait zich naar me om en kijkt me aan; haar gezicht is piepklein onder haar helm. 'Meen je dat nou? Ik dacht dat je naar huis ging, naar je familie en verloofde en zo.'

'Nee, dat wil ik niet meer. Ik wil ergens naartoe waar ik nog nooit ben geweest en daar met jou iets huren.'

Er verschijnt een brede glimlach op haar magere gezicht. 'Ja. Oké. Dat zou cool zijn.'

Na ons bezoek aan luitenant Hopkins gebeurt er een paar weken eigenlijk niet zoveel. Yvette gaat op nachtkonvooi en komt te uitgekakt terug om te praten. Drieoog ligt op haar nest naar het dak te staren, haar gezicht zo blanco als een blok beton. Macktruck blijft maar doorgaan met zijn gebruikelijke vuilspuiterij. Ik hoor niets van Hopkins of iemand anders over mijn aangifte. En Naema's vader zie ik nooit meer in mijn complex. Maar wat echt pijn doet, wat zoveel pijn doet dat het al het andere overheerst, is dat Jimmy niet meer met me wil hardlopen en me niet meer komt opzoeken in mijn toren. In de Humvee, op weg naar en terug van onze shift, is hij beleefd, maar hij doet nu net alsof hij me niet kent, en zelfs alsof hij me niet eens echt mag. En misschien is dat ook wel zo.

Toch wacht ik op hem. Ik kan er niets aan doen. Elke ochtend tot lunchtijd, als hij me altijd kwam opzoeken, zit ik te hopen dat hij komt. En ook elke middag. Ik zit meer uren naar de rand van het complex te turen om te zien of hij de hoek omkomt dan dat ik die stomme gevangenen in de gaten hou. En ik blijf maar denken dat ik hem zie, want op winderige dagen, als het zand en het maanstof rondwervelen in grote golvende wolken, zie je al snel een menselijke gestalte, zelfs al is die er niet. De lucht lijkt wel bevolkt met spoken, alleen is het dag en ben je klaarwakker.

Juli loopt ten einde en augustus breekt aan, en de dagen slepen zich eentonig voort. Zonder Jimmy's bezoekjes om naar uit te kijken word ik wakker met niets in het vooruitzicht dan angst, en de hele dag niets anders omhanden dan in mijn eentje in mijn toren zitten, me afvragend waarom ik Naema's vader nooit meer zie en hoe ik in godsnaam te weten kan komen wat er met hem is gebeurd. Intussen verspreidt zich binnen in mij een zwarte drab van hopeloosheid als gif door mijn organen. En niets van wat ik doe of denk kan het een halt toeroepen.

Aan het eind van een van die lange, lege dagen vind ik Yvette in onze tent, zoals gewoonlijk onder het stof en het zand, maar stuiterend van opwinding. 'Sproetenkop!' zegt ze als ik binnen kom lopen. 'Kom eens hier.' Ze begint zachter te praten zodat niemand ons kan horen. 'Ik heb net bericht gehad van luitenant Hopkins. Jij en ik moeten ons direct melden op het onderofficierskwartier. Ik geloof dat er eindelijk iets gaat gebeuren, meid!'

'Nu meteen?'

'Ja.' Ze zet haar handen op haar smalle heupen en houdt haar hoofd een beetje schuin. 'Wat is er? Ben je niet blij? Hier heb je toch op gewacht?'

'Jawel.' Maar eigenlijk kan ik me er niet meer echt over opwinden. Het is vast allemaal een hoop gedoe om niets, daar ben ik van overtuigd.

'Kom op, schat. Ze zeiden dat het een bevel was, dus laten we gauw gaan.'

'Goed. Maar het leidt vast nergens toe.'

Onderweg probeert Yvette me op te peppen. 'Hé, ik weet dat je niet echt vrolijk wordt van wat er hier allemaal gebeurt. Ik weet dat het moeilijk is om te blijven geloven in legerwaarden of wat ze ons allemaal hebben geleerd als er een stel oerdomme eikels en viespeuken aan het hoofd staan van deze compagnie en deze oorlog. Maar je moet vertrouwen hebben, weet je? Je moet het blijven proberen. Anders ga je kopje-onder, meid. Dan beland je linea recta in de hel. Dus ik wil die vechtlust bij je zien, Sproetenkop, want ik weet dat je die hebt. Beloof je dat?'

Daar moet ik om lachen. 'Yvette, jij bent gestoord, wist je dat?'

Als we bij het onderofficierskwartier zijn en de brompot die op wacht staat vertellen wat we komen doen, wacht ons een verrassing. We moeten ons niet melden bij Hopkins, zoals we hadden verwacht, maar krijgen bevel naar binnen te gaan bij die teringlijer van een Henley.

'Shit,' fluistert Yvette onderweg. 'Dit bevalt me niet.'

Eenmaal binnen wacht ons een nog grotere verrassing. Want daar zit toch luitenant Hopkins, naast Henley achter zijn multiplex bureau, glad en onberispelijk als altijd. Ze geeft ons elk een formeel knikje. Opgelucht salueren we voor haar en gaan in de houding staan.

'Op de plaats rust,' zegt Henley, met zijn Pa Bush-lippen wit en op elkaar geperst. Ik durf te wedden dat die lulhannes dat zinnetje al sinds zijn achtste oefent. Ik zie al voor me hoe hij als mollig ettertje zijn leger van speelgoedsoldaatjes afblaft terwijl zijn moeder hem koekjes voert. 'Ik heb hier orders die betrekking hebben op u beiden,' gaat hij verder. 'Soldaat Brady en soldaat eerste klasse Sanchez, u krijgt allebei bevel om morgenochtend om zes uur op konvooi te gaan naar Baquba. Als uitmuntende soldaten bent u uitverkoren te worden uitgezonden voor een schietmissie. Na afloop zit er waarschijnlijk voor u allebei een promotie in.'

We gapen hem aan. Een schietmissie? Dat doen ze bij soldaten die ze willen straffen! Het houdt in dat je konvooien moet beveiligen. Niet zoals Yvette heeft gedaan, ergens in een vrachtwagen middenin rijden, maar helemaal voor of achter aan het hele konvooi, naast de bestuurder, met je wapen uit het raam. Het komt erop neer dat je de eerste verdedigingslinie vormt, de eerste die wordt beschoten en de eerste bij wie een lichaamsdeel wordt afgeschoten als je op een bermbom rijdt. In ons geval komt het erop neer dat Henley van ons af probeert te komen.

'Sergeant, is dit bedoeld als strafmaatregel?' flapt Yvette er uit.

'Het verbaast me u zoiets te horen vragen, soldaat,' antwoordt hij koeltjes. 'Zoals ik al zei is het een blijk van vertrouwen in u beiden. U moet het zien als een eer.'

Ik kijk woest naar zijn zongedroogde gezicht, en dan naar Hopkins, die net zo'n glad en hard gezicht heeft als het geverniste haar op haar hoofd. Is dat alles wat ze met al haar sympathie en begrip weet te bereiken? Ze is luitenant; ze staat boven Henley – wat is er in godsnaam aan de hand? Is ze in dat lulverhaal van Kormick getrapt over dat ik hem probeerde te verleiden? Gelooft ze die graffiti dat ik een Zandkoningin ben? Of is ze een van die legertrutten die haar eigen hachje wil redden ten koste van andere vrouwen, iets waar ik al die tijd al bang voor was?

'Mevrouw,' zeg ik wanhopig, 'toestemming om vrijuit te spreken?'

'Afgewezen,' antwoordt ze terwijl ze mijn blik ontwijkt. 'We hebben al meer dan genoeg gehoord van uw openhartigheid, soldaat. Allebei ingerukt.'

We hebben geen keus dan te salueren en weg te gaan.

Zodra we de tent uit zijn, ontploft Yvette. 'Klootzakken! Niet te geloven! Geen wonder dat we het aan niemand anders mochten vertellen! Ik durf te wedden dat Henley iets over haar weet. Kutwijf!'

Ik laat haar een tijdje uitrazen zonder iets te zeggen. Het is te heftig. Die schoften sturen Yvette en mij op zelfmoordmissie. En het is mijn schuld.

'Zuster? Welke dag is het?'

De verpleegster zet het dienblad met het ontbijt naast het bed.

'Maandag, moppie. Dat staat daar op die krant.'

De verpleegster moet toch inmiddels weten dat haar patiënt niet in de krant kan kijken. Net zomin als naar de tv.

'Maar wat is de datum?'

'22 oktober. Weet je wat dat betekent, schat? Dat je je bed nu al een hele week droog hebt gehouden. Dat het steeds beter gaat. En nu in de benen. Je therapie begint over twintig minuten.'

De soldaat realiseert zich dat als het 22 oktober is, ze al vijf hele weken zit weg te rotten in dit oord.

De soldaat wacht terwijl de verpleegster in de weer is, en zodra die weg is, staat ze voorzichtig op om zich aan te kleden. Jeans, sneakers en een vaalblauw T-shirt van thuis. Ze kiest voor het shirt omdat er helemaal niets op staat. Geen bedrijfslogo, geen domme grappen. Geen US ARMY. Daaroverheen doet ze een spijkerjack aan. Tijd om haar plan ten uitvoer te brengen.

Ze borstelt wat er over is van haar haar, nog steeds dun en slap van Irak, stopt haar toiletspullen in haar rugzak bij de rest van de spullen die ze de vorige avond heeft ingepakt en doet er het geld bij dat ze stiekem heeft gepind in de ziekenhuislobby. Dan slikt ze genoeg pijnstillers om te kunnen lopen, pakt ook de pillen in en steekt haar hoofd om de deur. Niemand te zien.

Vliegensvlug gaat ze de lege witte gang door naar de achterste lift. Ze zakt naar de begane grond... en ze is vrij. Fluitje van een cent.

Parkeerplaats. Zon. Verblindend. Ze zet haar zonnebril op en heeft al haar kracht nodig om zich te realiseren dat ze niet meer in de woestijn is. De oktoberlucht helpt, koud, met een wind die je in het gezicht slaat. Zo snel haar vernachelde rug en nek het toelaten, loopt ze het ziekenhuisterrein af.

Dag dokter Kachelpook. Dag Betty Boop en alle andere losers die denken dat je het zo moeilijk hebt. Dag godvergeten triest zootje.

Ze loopt naar een bushalte, concentreert zich om de weg af te lopen zonder te flippen. Een plastic zak is onder een hek blijven steken en klappert in de wind; ze schrikt zich wild en kijkt er wantrouwig naar. Ze loopt nu al te hijgen en heeft pijn in haar rug. Dus begint ze in gedachten te bidden, een gebed dat ze nu al weken tot niemand richt, sinds Jezus en de rest van Zijn clan niet meer lijken te luisteren: Laat me het vergeten, laat me het alsjeblieft vergeten.

De enige die bij de bushalte staat is een oude vrouw in een wijde bruine regenjas, die geen aandacht schenkt aan de soldaat. Er is geen afdakje, niet eens een bankje, dus de soldaat moet wachten op open terrein. Ondanks de pijnstillers heeft ze ergere pijnscheuten in haar rug dan ooit, en de kou gaat dwars door haar dunne jack heen. Ze zet haar rugzak op de grond en gaat er stijfjes op zitten, kijkt naar een plastic bekertje met een restje koffie dat in de wind over straat rolt.

Ze weet tenminste waar ze naartoe gaat. Wat ze niet weet, is wat er gaat gebeuren als ze er is.

De bus komt pas na een halfuur, en tegen die tijd is ze licht en draaierig in haar hoofd, ze rilt van de kou en haar zenuwen gieren door haar lijf als knappende gitaarsnaren. Het is voor het eerst dat ze in haar eentje buiten is sinds ze terug is uit Irak, en telkens als er een auto voorbijrijdt, krimpt ze in elkaar. Als er ergens achter haar een vuilniswagen kabaal maakt, kan ze zichzelf er nauwelijks van weerhouden zich op de grond te laten vallen. Ze begint weer te bidden. Laat me alsjeblieft geen auto's horen terugslaan. Laat me alsjeblieft niemand horen gillen of schreeuwen. Laat me alsjeblieft geen soldaat zien.

In de bus doet ze hetzelfde: ze bidt tot niemand. Ze bidt als ze uit het raam kijkt en de bus kreunend en knarsend door de straten rijdt. Als ze naar haar handen staart, die nog steeds trillen. Als een jonge vent met kort haar en een kwaad gezicht instapt. Bidt dat ze een beetje bij haar positieven blijft en niet vergeet waar ze is, niet in haar broek pist. Niemand kwaad doet.

De bus rammelt door de achterafstraten van Albany. Rode bakstenen huizenblokken en halflege winkelstraten, voordeelwinkels en slijterijen met rolluiken voor de etalages. Uitpuilende vuilnisbakken. Dikke mensen die zich in en uit auto's wurmen.

Eindelijk rijdt de bus de buitenwijken in. Het is beter hier, rustig. Ze leunt met haar voorhoofd tegen het raam en kijkt opgelucht naar buiten, laat de herfstkleuren over zich heen spoelen. Rode suikeresdoorns. Gele struiken. Bergen oranje bladeren in de goten. Het is zo mooi na de bruine woestijn en het genadeloze wit van het ziekenhuis dat haar ogen ervan prikken.

De bus stopt op een hoek en er stappen twee passagiers in: een tienermeisje in een strakke jeans en een wijde goudbruine trui, en een vrouw van middelbare leeftijd in een korte zwarte rok en witte laarzen met hoge hakken. De soldaat heeft geen idee of wat ze dragen cool is of sletterig, modieus of goedkoop. Ze is blijven steken in de tijd en teruggekomen in de toekomst.

De tiener laat zich op de stoel voor de soldaat vallen, stopt snoertjes in haar oren en begint met haar hoofd te knikken op de maat van de blikkerige muziek die uit haar koptelefoon sijpelt. Haar lange paardenstaart, bruin en golvend, bungelt over de rugleuning en slingert van links naar rechts mee met haar geknik. Gebiologeerd staart de soldaat ernaar. Heen en weer, heen en weer. Ze voelt een sterke drang het zakmes uit haar rugzak te halen en dat stomme ding af te snijden.

Ze gaat op haar handen zitten om zich in te houden, doet haar ogen dicht en begint weer te bidden. Laat me alsjeblieft geen domme dingen doen. Laat me het alsjeblieft niet verpesten. Maar ze bidt vooral dat dit goed zal aflopen. Want als dat niet gebeurt, heeft ze geen idee wat ze moet doen.

III

KONVOOI

KATE

'Je hebt gisteravond toch wel goed je M-16 schoongemaakt, hè?' zegt Yvette op de eerste dag van onze nieuwe missie. We staan in de ochtendschemering voor onze tent, rillend van het slaapgebrek en de zenuwen. 'Ik zou maar zorgen dat hij het goed doet, meid, want op dat konvooi heb je niks anders tussen jou en de hadji.'

'O, dat zit wel goed.' Ik klop met mijn handen over mijn lijf om er zeker van te zijn dat ik alles bij me heb: kevlar helm, nachtkijker, identiteitsplaatjes, kogelvrij vest, OPS-vest, eetgerei, mes, munitiestrips, granaten, M-16-schoonmaakkit, gasmasker, handschoenen, NBC-pak (een vacuüm verpakt pak om te zorgen dat ik niet levend smelt bij een chemische aanval), slachtoffercodicil, Medische Evacuatiekaart, gedragscodekaart, wapen... en het belangrijkste van allemaal: een zak Skittles om op te sabbelen, zodat ik niet hoef te drinken of te pissen.

Yvette kijkt even naar me, doet dan de crucifix die ik haar gegeven heb af en geeft hem aan mij. 'Hier, neem deze maar weer. Daar heb je meer aan dan aan al die onzin.'

'Nee, ik wil dat jij hem houdt,' zeg ik, nog steeds bibberend als een muis in het nauw. 'Hij is nu van jou.'

'Maar dit is je eerste keer buiten de concertina, schat. Je hebt alle Jezus nodig die je kunt krijgen.'

Vastbesloten druk ik hem weer in haar hand. 'Nee, jij verdient hem meer dan ik. Je hoort niet eens deel te nemen aan deze missie. Het is allemaal mijn schuld.'

Yvette klakt geërgerd met haar tong, hangt de crucifix weer om haar hals en gespt haar helm vast onder haar smalle kleine hoofd. 'Niks is jouw schuld, Sproetenkop. Kom, we gaan.' Ze slaat haar armen om me heen, houdt me even stevig vast en loopt dan rap als een kievit naar de voertuigplaat, alsof de veertig kilo uitrusting die aan haar lichaam vastzit helemaal niks weegt. Ik sjok achter haar aan, heb nu al een zere nek en rug.

Het blijkt als volgt te zijn ingedeeld: Yvette komt in de Humvee die de kop van het konvooi moet bewaken, pal in de vuurlinie, terwijl ik in de Humvee zit die de boel afsluit, de kont van het konvooi. Tussen ons in zitten twintig trucks met oplegger en een pantservoertuig in het midden, maar niemand loopt zoveel gevaar als Yvette. Alsjeblieft, bid ik tot mama's crucifix, zorg alsjeblieft voor mijn vriendin.

Strontkop Henley heeft uitgelegd dat onze missie inhoudt dat we de vrachtwagens, waarvan de meeste worden bestuurd door onopgeleide, ondervoede burgers die geen Engels spreken, bijna vijfhonderd kilometer over de Snelweg des Doods naar Baquba moeten escorteren, een stad iets ten noorden van Bagdad. Daar moeten we god mag weten wat voor lading lossen, blijven slapen op een basis genaamd Camp Warhorse en dan weer terugrijden. Dat is waar wij zogenaamde soldaten het grootste deel van de tijd mee bezig zijn deze oorlog: met koeriertje spelen.

Als ik bij de Humvee kom die mij is toegewezen, ga ik op de passagiersplaats zitten, nog steeds zo opgefokt als wat. Dit is totaal andere shit dan ik gewend ben. De rukkers en de schorpioengooiende gevangenen zijn niets vergeleken bij wat daar achter die concertina zit: mortiergranaten vol scherven die tot doel hebben een mens aan flarden te scheuren. RPG's die je hand er in een oogwenk af kunnen blazen. Zelfgemaakte bommen die krachtig genoeg zijn om een Humvee en alle pechvogels die erin zitten in piepkleine stukjes te scheuren. Lui met AK-47's die me haten. En het enige pantser dat ik kan zien is het kogelvrije vest uit het Vietnamtijdperk dat ik zelf draag en dat niets uithaalt tegen diezelfde AK-47's, of wat die hadji's ook op me afsturen.

Mijn chauffeur is een gigantische sergeant genaamd Nielsen, die een groot, plat, salamiroze gezicht heeft. Zijn ogen zijn rood van irritatie door het maanstof en hij is ver boven de veertig, maar zijn lichaam ziet er tenminste sterk uit. Als ik instap, gromt hij verbaasd: 'Waarom sturen ze mij nou weer een meisje?'

'Ook goedemorgen, sergeant.' Ik haal het condoom van de loop van mijn M-16 (een condoom met dank aan Jimmy, van toen we nog met elkaar praatten) en hang het over de binnenspiegel, gewoon uit baldadigheid.

Nielsen grinnikt. 'Beter dan een konijnenpoot, hè, soldaat?' zegt hij. Dan grist hij het condoom eraf en kust het.

Fantastisch. De zoveelste randdebiel.

Ik installeer me en probeer een enigszins prettige houding te vinden. Niet dat iemand lekker kan zitten in een Humvee. Ik weet niet wie die dingen heeft ontworpen, maar hij kan onmogelijk een menselijk lichaam voor ogen hebben gehad. Om te beginnen hobbelt hij zo erg dat als je door de woestijn rijdt, je het gevoel krijgt dat je op een dienblad over de rotsen wordt getrokken. Verder zit er, zoals ik al zei, in Humvees altijd zoveel troep dat je verdomme als een sprinkhaan met je knieën tot naast je oren opgevouwen moet zitten.

Net als ik een min of meer draaglijke houding heb gevonden, schudt het konvooi zichzelf met brullende motoren wakker en begint ronkend in een lange, traag kronkelende slang de voertuigplaat af te rijden. Als we de ingang van het kamp naderen komt de zon op, die de warmte als een ovenknop omhoogdraait, en door het stof heen zie ik een stuk of dertig burgers voor de afrastering bij elkaar staan, net als toen ik daar werkte. Ik zoek Naema – Drie-oog heeft verteld dat ze nog steeds elke dag komt – maar ik zie haar niet. Opnieuw voel ik het hoofd van haar vader onder mijn voet, zie ik de bloedklonters op zijn gehavende gezicht, hoor ik hem naar adem happen...

Het heeft geen enkele zin om daar nu aan te denken. Het heeft trouwens geen zin om aan wat dan ook te denken.

Zodra we op de hoofdweg zitten, is het geluid oorverdovend, al die motoren vol zand met kapotte schokbrekers die knarsen, rammelen en gieren. De stank is ook enorm: de vrachtwagens braken hun uitlaatgassen recht in mijn gezicht, en omdat ik achteraan rij, heb ik het genoegen het allemaal in te mogen ademen. Ik trek mijn sjaal over mijn neus, maar kan de olie, de diesel en het roet nog steeds ruiken en zelfs proeven. Binnen een paar minuten ben ik bedekt met een vettige zwarte korst, als een aangebrande pizza.

Ik steek mijn M-16 uit het zijraampje, geef die stomme zenuwen van me opdracht zich gedeisd te houden en duik in elkaar om mijn werk te doen.

Lange tijd hangen er zulke dikke stofwolken dat ik helemaal niets zie. Ik weet dat je hier beter af bent dan vooraan, zoals Yvette, die al schrikt bij het zien van een stomme plastic zak of een dode hond op de weg, maar helemaal niets kunnen zien is ook eng. Er wordt van me verwacht dat ik uitkijk naar die gekken die zelfmoordaanslagen plegen in auto's, iets waar we sinds kort over horen, en naar opstandelingen die vanuit het niets kunnen opduiken om een granaat te gooien of op ons te schieten. Maar ik zie alleen maar die dagspoken, stofzuilen in de vorm van mensen die voor me opdoemen en dan in het niets verdwijnen, zodat ik met bonkend hart en doorgeladen wapen blijf zitten, mijn hoofd zoemend als een zwerm paniekerige bijen.

'Het lijkt goddomme wel of ik een blinddoek om heb,' roep ik boven het lawaai uit tegen Nielsen. 'Ik zie geen flikker.'

'Misschien moet je achterin klimmen en van daaruit de boel in de gaten houden,' schreeuwt hij terug.

Ik kijk hem over mijn schouder aan. Meent hij dat nou? Achterin zit helemaal niets, niet eens een schild.

'Ja,' gaat hij verder, alsof hij het tegen zichzelf heeft. 'Goed idee. Ga maar achterin zitten.'

Dus dat moet ik doen. Hij is tenslotte de sergeant.

Dit is wat ik nodig heb om mijn werk goed te doen: een tank, of op zijn minst een fatsoenlijk pantservoertuig. Een echt scherfwerend vest. Een Mark 4-kijker. Een M-60-machinegeweer. En een geschutskoepel.

Dit is wat ik in werkelijkheid heb: een Humvee met vouwdak, open achterbak en canvas deuren. Een kogelvrij vest uit het jaar nul. En een wapen dat binnen de kortste keren verstopt raakt met zand. Ik kan net zo goed in een skelter ten strijde trekken, gekleed in bikini en zwaaiend met een parasol.

De rit duurt zo lang dat het hypnotiserend begint te werken. Het gekletter en geklapper van onze Humvee die over het asfalt hobbelt. Het oorverdovende gebrul van al die vrachtwagenmotoren vóór ons. De wind die fluit en suist.

Ik tuur over mijn M-16 door het stof. Aan weerszijden van ons strekt de woestijn zich uit in een waas, bezaaid met afval, bandenflarden en lage gele huizenblokken, in dezelfde kleur als het zand. Achtergelaten stukken militair materieel steken ook uit de woestijn omhoog: roestende metaalscherven, hulzen van oude tanks en bommen, vliegtuigdelen die zijn blijven liggen van de vorige oorlog.

We komen langs een dode geit die op zijn zij ligt en zo opgezwollen is door ontbinding dat zijn poten als tandenstokers uit een worst omhoogsteken.

We komen langs het karkas van een verkoolde auto, de mensen erin verwrongen zwarte skeletten.

We komen langs een lijk dat zo vaak is overreden dat het zo plat is als een dubbeltje.

We komen langs een gier die staat te trekken aan wat een berg kleren lijkt, maar een klein jongetje blijkt te zijn.

Daarna kijk ik niet meer.

Er kruipen nog meer uren voorbij. Gedender, stank, gedender. Niet kijken. Niets zien. Rugpijn. Hoofdpijn. Armen die tintelen van het wapen omhooghouden.

Apachehelikopters vliegen voorbij, gigantische zwarte horzels tegen de zon – zwiep, zwiep, zwiep – de lucht slaat me om de oren. Zand en nog meer zand. Gedender, stank, gedender.

Wat doet Jimmy nu? Is hij langs geweest? Weet hij waar ik ben? Is hij bezorgd? Zal hij ooit weten hoeveel ik van hem hou?

Gaat het goed met Yvette? Gaat het goed met Drieoog? Gaat het goed met Naema en haar vader?

Ik moet water drinken. Ik moet pissen. Ik moet Jimmy zien. Ik moet, ik moet...

BOEM!

De explosie is zo hard dat het voelt als een trap in mijn borst. De Humvee komt abrupt tot stilstand en ik beland met een smak op mijn rug. Zwarte rook beneemt me het zicht en de adem, de radio krijst – *iejie-ie-die, iejie-ie-die* – maar ik weet niet wat dat betekent, waar mijn adem is gebleven, of ik gewond ben, of ik nog leef.

Dan hoor ik: 'Godver!'

Terwijl ik daar hulpeloos en buiten adem lig, probeer ik mijn longen aan de praat te krijgen en loop in gedachten mijn lichaam na: geen pijn, geen wonden, geen ontbrekende ledematen voor zover ik dat kan voelen. Ik heb nog even moeite met ademhalen en hijs me dan zo snel als ik kan overeind en draai me om. Nielsens gezicht zit onder het bloed.

'Shit! Hebt u pijn?' Ik klauter voorin.

'Geef eens iets,' kreunt hij. Ik doe mijn sjaal af en geef die aan hem, met vet en al. Hij veegt zijn gezicht schoon, smeert het bloed uit. 'Godver. Ik heb altijd van die stomme bloedneuzen.'

Ik staar hem aan.

'Wat zit je nou te kijken?' vinnig geeft hij mijn sjaal vol bloed en snot weer terug. 'Volgens de radio is een van de voorste vrachtwagens op een bermbom gereden. Nu moeten we allemaal op sein veilig wachten tot onze lul is verschrompeld.'

'Wachten? Waarom kunnen we niet verder? Moeten we niet blijven rijden, wat er ook gebeurt?' Dan herinner ik me Yvette weer. Ik gooi de deur open om uit te stappen.

Nielsen grijpt me bij mijn OPS-vest en trekt me weer naar binnen. 'Waar ga jij verdomme heen?'

'Mijn vriendin rijdt vooraan! Ik moet haar zoeken!' Ik probeer opnieuw uit te stappen, maar Nielsen weigert me los te laten.

'Jij blijft hier. Ik weet dat het moeilijk is, meid, maar je moet hier blijven, dat weet je. En nou snel die deur dicht.'

'Ik kan niet! Ik moet kijken of ze in orde is, dat moet!'

'Wat jij moet doen is hier blijven. Doe de deur dicht!'

Dat doe ik. Maar als ik me naar hem omdraai, zie ik tot mijn verrassing een meewarige blik op zijn vlezige gezicht. 'Bidden, meer kunnen we nu niet doen,' zegt hij zacht. 'Kom, laten we elkaar een hand geven en bidden tot de Heer om ons te helpen.' Hij steekt zijn hand uit, maar ik deins terug. Bidden is wel het laatste waar ik zin in heb, en het een-na-laatste is zijn zweterige poot vasthouden.

'Dank u, maar ik ga weer op de uitkijk zitten,' zeg ik vastbesloten, en ik klim met het wapen in mijn handen weer achterin.

We zitten daar maar te zitten. Ik hoor Nielsen net zomin bidden als ik. Hij zit naar de radio te staren alsof het geheim van het heelal erin schuilt. Maar de radio zegt niets, en wij een tijd lang evenmin.

We blijven nog een minuut of tien zitten, en ik ben dodelijk bezorgd om Yvette. Laat haar alsjeblieft nog leven, zeg ik telkens weer in gedachten, dus ik geloof dat ik toch zit te bidden.

'Brady?' roept Nielsen na een tijdje naar achteren. 'Zo heet je toch?'

'Ja.'

'Denk je er weleens aan dat we elk moment dood kunnen zijn?'

Wat een zeikstraal. 'Sergeant, op dit moment denk ik alleen maar aan mijn vriendin.'

'Weet ik, weet ik.' Zijn stem trilt een beetje. 'Maar bedenk je weleens hoe zonde het zou zijn om dood te gaan zonder, nou ja, alles in het leven te hebben meegemaakt?'

Ik geef geen antwoord. Hou mijn hoofd gewoon bij Yvette. Als ik nou heel hard aan haar blijf denken, kan ik haar misschien beschermen. Misschien stromen mijn gedachten dan over haar heen als een schild, als een pantser, als een buffer tegen het kwaad.

'Brady? Luister je wel?'

Ik hoor iets en kijk achterom. Nielsen klimt over de stoel naar me toe met een bange, behoeftige blik op zijn gezicht. Ik weet niet wat hij wil. En ik ben echt niet van plan om daarachter te komen.

'Naderend voertuig!' schreeuw ik, hoewel er alleen maar stof te zien is. 'Hij rijdt snel onze kant op, sergeant! Hij remt niet af!'

'Godver!' Razendsnel kruipt hij weer voorin en duikt onder de voorruit. 'Vuur!' schreeuwt hij.

Dat doe ik. Recht omhoog, in de ongevaarlijke lucht.

'Heb je 'm geraakt?' roept hij met schrille stem. Ik kijk even zijn kant op – hij ligt nog steeds op zijn buik op de voorstoelen. Hoe een condoomkussende schijtluis als hij ooit sergeant heeft kunnen worden is me een raadsel.

'Het was maar een waarschuwingsschot, sergeant. Ze rijden nu weg. Geen wapens in zicht.'

'Mooi. Hou het in de peiling, Brady.' Beverig komt hij overeind. 'Blijf die weg continu in de gaten houden.' Hij steekt zelf zijn wapen uit zijn raampje en richt zijn blik op de woestijn.

Nu ik die schijterd althans voorlopig de mond heb gesnoerd, hoor ik alleen maar de wind en het bloed dat in mijn oren klopt en suist als een helikopter die rondvliegt in mijn hoofd. Ik zit eindeloos te wachten, met gespannen spieren, een bevende vinger om de trekker. Wie weet wat er onze kant op komt als we hier zo zitten, als kleuters op de plee? Nog een zelfgemaakte bom? Een verrassingsaanval?

Zo blijven we bijna een uur lang zitten, zonder beweging, zonder nieuws, terwijl de artillerie waarschijnlijk verderop nog meer verborgen bommen van de weg veegt. Ik luister of ik de Black Hawks van Medevac hoor, probeer niet uit te gaan van het ergste voor Yvette. Niets. Ik luister of ik nog een aanval hoor. Nog meer niets. Alleen maar spanning en angst die als elektriciteitsdraden om ons heen knetteren.

Eindelijk, na wat wel drie dagen lijkt, wordt de radio met een schreeuw wakker, zodat we allebei opschrikken. 'Sein veilig,' krijst hij. Het konvooi wordt ronkend wakker, als een draak die zich uitrekt na een dutje, en het ene na het andere voertuig begint eindelijk weer te rijden.

Een paar minuten later rijden we langs twee van onze trucks, die midden op de weg in de fik staan. Een ervan ligt op zijn kant, de andere staat nog overeind, maar uit allebei komt zoveel rook en vuur naar buiten dat ze nauwelijks te zien zijn. Ik weet niet of het door de bermbom komt of dat we de vrachtwagens zelf in brand hebben gestoken, zodat de Irakezen er niets meer uit kunnen jatten – dat doen we vaak met onze eigen voertuigen, zelfs als ze alleen maar een lekke band hebben. Laat Yvette alsjeblieft niet in een van die trucks hebben gezeten. Alsjeblieft.

Aanvankelijk moet Nielsen tergend langzaam rijden omdat we helemaal achter aan de staart van de draak zitten, en daar raak ik zo gefrustreerd van dat ik hem wel in zijn gezicht kan schieten. Maar gaandeweg begint het konvooi snelheid te maken, zelfs nog meer dan eerst – de draak is nu bang – en al snel scheuren we met honderd kilometer per uur verder, slingeren de andere baan op als de weg versperd is, wie het ook mag wezen. Auto's zwenken de berm in om ons te ontwijken. Gezinnen staan met doodsbange gezichten gestrand langs de weg, weggeblazen door onze uitlaatgassen en stof en wind. Een of andere idioot met een pick-up vol kinderen probeert zich tussen ons en de truck voor ons te wurmen, dus zwaaien we met onze wapens naar hem en schreeuwen dat hij aan de kant moet. Maar nog steeds geen nieuws over slachtoffers op de radio, en nog steeds geen nieuws over Yvette.

'Yvette,' zweer ik in gedachten, 'als je nog heel bent en we levend uit dit rotoord wegkomen, zal ik alles wat ik heb en alles wat ik ooit krijg met je delen. We helpen elkaar er wel doorheen, oké? Maar zorg alsjeblieft dat je levend en ongedeerd bent.'

Bijna drie uur lang zitten mama, oma en ik in Umm Qasr in de file, en nog steeds kan niemand voor- of achteruit. Het wordt zelfs alleen maar erger, want er komen steeds meer mensen bij die als bezetenen proberen het ziekenhuis te bereiken. Overal paniekerige gezichten. Overal wonden en ziekte. Overal auto's en mensen die duwen en trekken. Maar we zitten muurvast.

Een oude man komt aanhobbelen en steekt een gekweld gezicht door het raampje. 'Water? Dames, alstublieft, hebt u water?' smeekt hij met trillende stem. 'Ik heb water nodig voor mijn gewonde kleinzoon, alstublieft!'

'Ik heb geen water, grootvader, het spijt me,' zeg ik terwijl ik met één voet onze reservefles onder mijn stoel trap. Ik schaam me voor mijn harteloosheid, maar ik moet oma in leven houden.

Kreunend loopt de man door naar de volgende auto, terwijl ik vol afschuw de taferelen om me heen bekijk. Wat heeft mijn volk hiertoe gedreven? Wat is er met mijn land gebeurd?

'Naema, kijk! Er is iets mis!' roept mama op dat moment. 'We moeten nu de auto uit!'

Ik draai me vlug om. Het uitgemergelde gezicht van oma is weer vertrokken van de pijn, haar tandeloze mond hapt naar adem. Haar vitale functies laten het duidelijk afweten: ze heeft zuurstof- en vochtgebrek, en daar moet nu meteen iets aan worden gedaan. Ik spring uit de auto en til haar samen met mama op. We maken een stoel van onze armen en rennen met haar de menigte in. De auto laten we aan zijn lot over.

Oma kreunt terwijl we haar dragen; ze haalt reutelend adem, haar troebele ogen rollen van angst en verwarring. We komen steeds moeizamer vooruit in de mensenmassa, duwen hardhandig kleintjes en ouden van dagen opzij die zich op ons pad bevinden, zien steeds meer gewonden en zieken. Een baby met een bungelend beentje dat aan flarden is gereten, druipend van het bloed. Een man met een ontveld gezicht, gulzige vliegen zoemend om de wonden. En als we ons eindelijk naar de ingang van het ziekenhuis hebben geworsteld, wringen we ons met de kracht der wanhoop naar binnen, omringd door anderen die net zo krachtig, net zo wanhopig zijn.

Maar hier is het niet beter. De ziekenhuisgangen wemelen van de mensen! Een paar verpleegsters die onder de bloedspatten zitten proberen de orde te herstellen, maar het lijkt meer op een overvol vluchtelingenkamp dan op een huis van rust en genezing. En het is er smerig! Naast ons staat een gootsteen vol bebloede reageerbuisjes die wachten tot ze worden afgewassen. Een klein kindje ligt moederziel alleen te schreeuwen op een ondergeplaste brancard, het gezicht en lichaam zo onder de brandblaren dat ik niet kan zien of het een jongetje of een meisje is. Er wordt een jongen voorbijgedragen wiens schedel is doorboord door een metaalscherf, zijn ogen rollend van de pijn. Ergens in een hoek zit een groepje mensen te drinken uit een olievat, maar als ik dichterbij kom, zie ik dat er slijmerig, grijs schuim op het water drijft.

'Wat is hier aan de hand?' roep ik tegen een vrouw naast me.

'Het ziekenhuis heeft al drie dagen geen water meer,' antwoordt ze, en ze moet schreeuwen om boven het lawaai uit te komen. 'Er is maar één dokter! Duizenden mensen komen hier hulp zoeken. Maar die is er helemaal niet!'

'Waar zijn de Britse artsen dan?'

'Welke Britse artsen? Er is hier echt helemaal niemand!'

'O, Allah!' jammert mama als ze dit hoort. 'Hoe moet dat nu met mijn moeder?'

Ik kijk om me heen, me afvragend of er een triageteam is aangesteld in dit helse oord. Ik geef het niet graag toe, maar als ik de leiding had zou ik eerst voor deze gewonde kinderen zorgen, niet voor een oude vrouw wier dagen bijna geteld zijn.

'Oma,' fluister ik in haar oor, 'vergeef me, maar ik moet dit doen.' Tegen mama zeg ik: 'Laten we haar naar die hoek dragen. Wacht jij bij haar. Ik ga helpen. Mijn medische opleiding is hier te kostbaar om er niets mee te doen.'

Daar is mama het mee eens en ik zie in haar ogen dezelfde wetenschap als de mijne. Al onze inspanningen hebben er alleen maar toe geleid dat we oma Maryam naar haar dood hebben gebracht.

De rest van de dag zie ik mama of oma niet één keer. Zodra ik aan de dichtstbijzijnde hulpverlener vertel wie ik ben, zet ze me in. 'We hebben twaalf bedden, geen elektriciteit en geen water,' vertelt ze me vermoeid. 'Ik heb geen handschoenen, geen instrumenten voor je. Stelp zoveel mogelijk bloed. Daar ligt een vrouw te bevallen – help haar. Zonder de stervenden af, die kunnen we niet redden. Zorg dat iedereen die kan lopen vertrekt.'

Ik werk me een slag in de rondte, benut de weinige vaardigheden waarover ik beschik. De tijd wordt een lange stroom van wanhopige gezichten, van diepbedroefde ouders, van bloed, brandwonden en verminkingen. Ik schakel mijn gevoel uit, zet mijn tanden op elkaar en doe wat ik moet doen. De baby wordt levend geboren – ik bind de navelstreng af, knip hem door en dwing de moeder op te staan en te vertrekken. De jongen met de granaatscherf in zijn hoofd overlijdt zodra ik hem aanraak. Ik geef hem mee aan zijn ouders, die totaal verslagen en wankelend weglopen. Het verbrande kind op de ondergeplaste brancard, dat al een tijdje geleden is opgehouden met schreeuwen, blijkt dood te zijn. Degenen die alleen maar ziek of onwel zijn stuur ik zonder blikken of blozen weg. Zonder verdoving trek ik granaatscherven uit, ik sla zwermen bloeddorstige vliegen weg. Verbind benen met repen stof van mijn eigen stoffige rok, benen waar niet veel meer van over is dan een massa vlees en bot. En al snel zit ook ik onder het bloed: het rood ervan dringt steeds dieper door in mijn kleren en maakt me koud tot op het bot.

De rest van de dag werk ik achter elkaar door tot in de avond, tot ik me niet meer bewust ben van mijn lichaam en ik elk tijdsbesef kwijt ben.

KATE

Die avond komen we pas om zes uur aan bij Camp Warhorse. Twaalf klote-uren rijden om maar vijfhonderd kilometer af te leggen. Het konvooi parkeert in een enorme cirkel en de burgerchauffeurs stappen struikelend uit, geschokt en bezweet. Zodra Nielsen me toestemming geeft, spring ook ik eruit en ren naar de voorste vrachtwagen om Yvette te zoeken. Alsjeblieft alsjeblieft alsjeblieft.

Op dat moment zie ik de brancards. Hospikken tillen de gewonden uit een vrachtwagen en dragen ze naar een wachtende ambulance. Overal bloed en opengereten vlees. In paniek ren ik van brancard naar brancard om Yvette te zoeken, zodat ik iedereen voor de voeten loop. Een burgerchauffeur wiens been één grote gore brij is, met een wit stuk bot dat uitsteekt op de plek waar zijn knie hoort te zitten. Een jongenssoldaat wiens arm een rafelige stomp bloed en huid is. Een meisjessoldaat bij wie de helft van het gezicht is weggeschroeid, een roze-bloed-zwarte smurrie.

Mijn maag keert zich om.

Maar nog steeds geen Yvette.

'Of wegwezen of helpen,' roept een hospik tegen me, en het volgende moment ren ik aan één kant van een brancard door het zand. De soldaat die ik draag is de jongen wiens arm eraf geschoten is en hij ligt te sidderen van de shock, zijn gezicht één grauwe brok ondraaglijke pijn onder het bloed en het roet. Ik voel zijn shock in me doordringen totdat ook ik begin te huiveren. God, laat me Yvette niet zo aantreffen.

Ik help de hospik die arme jongen in de ambulance laden en wil me omdraaien om nog meer te gaan helpen. Dan hoor ik achter me: 'Ben je d'r nog?'

Vliegensvlug draai ik me om. En daar staat ze in het zand, haar hele een meter vijfenvijftig, en ze kijkt me aan. Ik sla mijn armen om haar heen en barst in snikken uit.

'Hé, meid, rustig aan. We zijn toch allebei ongedeerd – goddank?' Ze duwt me zachtjes van zich af en kijkt naar de brancards. 'Moet je die arme jongens en meisjes zien. God, wat zou ik er niet voor over hebben om die kinderen te kunnen oplappen.'

'Aan de kant!' roept een hospik terwijl hij ons opzij duwt zodat hij achter in de open ambulance kan springen die net wegrijdt. We kijken hem na. Omdat er dan niets meer voor ons te doen is, draaien we ons om en slenteren naar de tenten.

'Waarom kwam Medevac niet?' vraag ik als ik mijn misselijkheid genoeg heb weggeslikt om te kunnen praten.

'Door die waardeloze kutradio. Hij deed het niet! Stomme benepen rotoorlog.' En meer valt er niet te zeggen.

Ik loopt achter Yvette aan de basis over – zij is hier al een paar keer geweest, dus ze weet de weg. Rijen stoffige geelbruine tenten hutjemutje op elkaar, een paar slappe zandzakken opgestapeld bij de ingangen. Vuilgrijs zand met hier en daar plassen motorolie. De gebruikelijke herrie van helikopters en vrachtwagens.

Nadat ik eindelijk heb kunnen plassen brengt ze me naar de vreetschuur, een enorme KBR-tent waarvan ze zegt dat hij vol staat met eindeloze rijen kantinetafels en stoelen, net als thuis op Fort Dix. We kunnen alleen niet meteen naar binnen omdat er al een gigantische rij zanderige, uitgeputte soldaten staat te wachten. Dus moeten we erbij gaan staan. Het duurt bijna een uur.

Toch komen we uiteindelijk binnen, scheppen een bord vol

runderstoofschotel en sla, nemen sinaasappelsap en limoenpudding en kijken om ons heen waar we kunnen zitten. Na zes maanden smakeloze MRE's en vliegtuigmeuk zou ik superblij moeten zijn dat ik eindelijk eens fatsoenlijk te eten krijg. Maar na alles wat ik heb gezien ben ik te misselijk om ook maar een beetje eetlust te hebben.

We laveren tussen de honderden mannen door die ons met hun ogen uitkleden en neuken, net als in Bucca, naar een paar lege plekken aan het eind van een tafel. Ik prik wat in mijn eten en Yvette eet vlug; we voelen ons met die duizenden ogen op ons gericht allebei te opgelaten om ook maar een woord te zeggen. Dan gaan we vlug naar het MWR-gebouw. MWR staat voor Moraal, Welzijn en Recreatie, militaire blabla voor een grote metalen loods vol pingpongtafels en loopbanden. Maar er staat ook een hele rij computers die volgens Yvette behoorlijk snel zijn en het ook echt doen, in tegenstelling tot de supertrage machines die we in Bucca hebben.

Na nog eens eindeloos in de rij te hebben gestaan krijgt Yvette eindelijk een computer achteraan, terwijl ik er een halverwege krijg, en al binnen een paar minuten heb ik contact. Ik open mijn mailbox, helemaal met vlinders in mijn buik. Ik heb er op dit moment zo'n behoefte aan om iets van mijn oude vrienden te horen, van Robin of een van de anderen die ik uit het oog ben verloren sinds ik soldaat ben. Maakt eigenlijk niet uit van wie, zolang het maar niet van Tyler is. Ik moet vergeten wat ik op de weg heb gezien. De platgereden lichamen, de gier die een kind zat te eten. Die arme jongen met zijn arm aan flarden. Ik moet eraan herinnerd worden dat er nog een andere wereld bestaat dan deze, een wereld waarin mensen een normaal, geweldloos leven leiden.

Dertig berichten! Gretig neem ik ze door.

Vijf advertenties voor viagra. Drie voor porno. Een die aanbiedt mijn penis te verlengen. En nog een hoop voor diëten en datingsites – nogal ironisch onder deze omstandigheden. En daar, helemaal weggestopt onderaan, de enige vier echte berichten op het hele scherm. Vier.

Ik open ze en probeer me er niet onder te laten krijgen door de teleurstelling. Een lief berichtje vol spelfouten van April. Twee vrienden van de middelbare school die zeggen dat ze hopen dat ik ongedeerd blijf. En ja, een van Robin. Ik leun naar voren om hem in me op te zuigen.

Ze heeft een modellenbureau gevonden. Ze poseert voor kledingcatalogi. Ze vindt de stad geweldig. Ze heeft een nieuw vriendje. Een en al licht en lucht. Maar onderaan heeft ze geschreven: 'Heb je gehoord dat Bush heeft gelogen over de massavernietigingswapens? Wat doen jullie daar eigenlijk nog?'

Dat soort dingen heb ik wel vaker van haar gehoord. Ze is altijd al tegen de oorlog geweest, en hoe vaak ik ook tegen haar zei dat soldaten hun oorlogen niet voor het uitkiezen hebben en sowieso niet kunnen stoppen als ze daar zin in hebben, ze heeft nooit geloofd dat ik er niet zomaar uit kon stappen. We hadden er vaak ruzie over, totdat Tyler haar zo ver kreeg dat ze me met rust liet omdat ik toch wel zou gaan, wat ze ook zei. Ik weet nog dat ik tegen haar zei: 'Ga nou niet lopen preken over mijn keuzes. Jij wilt model worden. Wat heeft de wereld daar nou aan?'

'Moet jij nodig zeggen,' snauwde ze terug. 'Jij hebt je net aangemeld om baby's te vermoorden.'

Dit begint deprimerend te worden. Stomme e-mail.

Ik doe mijn ogen even dicht en het grauwe gezicht en de bloederige stomp van die soldaat scheren voorbij. Mijn maag keert zich weer om.

Een gefluit – zo'n doordringend gefluit dat mijn trommelvliezen in mijn schedel worden gedrukt en knappen. Ik sla mijn handen voor mijn oren en kijk de vent naast me aan. 'Kop laag!' schreeuwt hij. Een verblindende flits en de lucht wordt uit mijn longen gezogen. Dan wordt het hele gebouw opgetild en het explodeert.

Ik gooi me op mijn buik op de grond en grijp naar mijn helm, maar het is nu pikdonker en ik zie hem niet. Dichte, korrelige rook verstikt mijn keel, en overal om me heen komen stukken van ramen, apparaten en wanden neer. Ik hijs mezelf overeind en ren gebukt rond om de uitgang te vinden, hoestend en kokhalzend, struikelend over dingen die ik niet kan zien in het donker, harde dingen, zachte dingen. 'Waar is de uitgang?' schreeuw ik.

'Hier!' Iemand pakt mijn hand en trekt me mee naar buiten. Een tweede mortier ontploft. 'Dekken!' schreeuwt hij, en ik laat me weer op de grond vallen.

Plat op mijn buik met mijn armen over mijn hoofd wacht ik tot ik het voel: metaal dat mijn rug doorklieft. Mijn been dat wordt afgerukt. Mijn hoofd dat wordt opengespleten, iets zwaars wat me steeds verder naar beneden drukt...

Niets.

Hoestend en spugend ga ik zitten, stomverbaasd dat ik nog leef. En op dat moment hoor ik de kreten die uit het gebouw komen: 'God, help me dan!' 'Jezus! Mama! Jezus!'

Ik spring op en ren weer naar binnen.

Ik pak de minizaklamp die op mijn kraag zit geprikt en schijn ermee in het donker. Zes lichamen in het puin op de grond, doordrenkt met bloed en roet. Bij drie mensen zijn er al mensen neergehurkt, dus ik ren naar een van de anderen, een Irakese werknemer; er steekt een lange granaatscherf uit zijn keel. Het bloed klokt uit zijn hals en zijn zwarte ogen staren me doodsbang en smekend aan. Ik hurk neer om te kijken hoe ik hem kan helpen, maar op het moment dat ik hem aanraak, is er iets wat me dwingt naar de andere twee lichamen te kijken om te zien of het soldaten zijn. Dat is zo. En meteen, zelfs in het donker, zelfs in de rook, weet ik het.

'Yvette.' Ik laat de Irakees liggen en strompel naar haar toe. Ze ligt er verdraaid en geknakt bij, met haar hoofd ver achterover, de hals gebogen, haar ledematen op de verkeerde plek – ze ziet eruit alsof een gigantische hand haar heeft verfrommeld en op de grond heeft gekwakt. Ik zwaai met mijn zaklamp over haar heen om te zien wat er aan de hand is. Ze zit zo onder het bloed dat ik niet eens kan zien waar het vandaan komt. 'Yvette! Zeg iets!'

Dat doet ze niet. Ik buig me voorover om in haar ogen te kijken. Ze kijkt me recht aan. Ze glimlacht zelfs een beetje.

Ik grijp haar pols beet, glibberig van het bloed, en zoek naar een hartslag. Die is er – godzijdank! Terwijl ik snel mijn handen over haar heen laat gaan, probeer ik het bloed weg te vegen om te zien waar ze gewond is. Ze zit vol granaatscherven – als een speldenkussen, zoveel zitten er in haar.

'Kreun dan, verdomme!' roep ik snikkend tegen haar. 'Kreun dan! Maak een geluid!'

En dan doet ze dat. Alleen maar een zucht, zoals je zucht wanneer je aan het eind van een lange dag gaat liggen.

Ik til haar op – wat is ze toch een magere spriet – hijs haar op mijn rug en loop wankelend naar buiten. Door de rook heen zie ik andere soldaten de gewonden achter in een Humvee laden, dus ga ik naar hen toe. Een van hen neemt Yvette van me over en helpt me haar neer te leggen bij de anderen. Ik spring er ook bij, ga tussen de gewonden zitten, luister hoe ze kreunen en huilen, hou haar kleine, natte, benige hand in de mijne en staar naar de vlammen, de rook en het geschreeuw.

We rijden zo snel als dat gaat zonder koplampen door het donker. Een derde mortier komt fluitend naar beneden en landt op vijftig meter afstand met zo'n krachtige explosie dat hij de grond als bij een aardbeving openrijt en onze Humvee als een gek doet slingeren. Ik gooi mezelf over de gewonden heen en pak Yvette beet, druk mijn gezicht zo stijf tegen haar borst dat ik het bloed proef dat mijn mond in sijpelt. Ik hou haar vast, hou haar uit alle macht vast in een poging het leven in haar te houden.

Zodra we het veldziekenhuis bereiken, komen er vanuit het donker hospikken aanrennen met brancards. 'Voorzichtig, ze is heel zwaar gewond!' roep ik tegen eentje. Hij helpt me Yvette op een brancard te tillen. Ik pak één kant en we rennen naar binnen.

Een verpleegster vliegt op me af. 'Bent u gewond?'

'Nee, mijn vriendin! Doe iets!'

De verpleegster blijft naar me kijken. 'Weet u het zeker?' Ze bekijkt me ontzet, dus kijk ik zelf even naar beneden. Elke centimeter- van mijn handen tot mijn laarzen – is glibberig van het bloed.

'Dat is niet van mij, het is van haar!' schreeuw ik terwijl ik naar Yvette wijs, die op de brancard op de grond ligt. Ik kijk om me heen... waar is die hospik in godsnaam? Waarom helpt niemand haar? 'Doe iets!' roep ik weer.

De verpleegster doet een stap naar voren, pakt me stevig bij de arm en trekt me weg. Dan zit ik op een stoel en gaat de tijd heel langzaam en beweegt iedereen in slow motion, ze doen wat ze kunnen om Yvette niet te helpen. Ik wil schreeuwen, tegen ze schreeuwen tot ze iets doen.

'Soldaat,' zegt de verpleegster, zich vooroverbuigend om me aan te kijken. 'U hebt rust nodig.'

De bus rammelt veertig minuten lang door de buitenwijken van Albany voor hij eindelijk stopt bij de halte waar de soldaat moet zijn. Maar nu ze er is, weet ze niet zo zeker of ze dat wel wil. Ze had liever de rest van haar leven in deze bus willen blijven zitten, knus en beschut, noch op de ene plek, noch op de andere, alle beslissingen en bestemmingen uitgesteld.

Maar omdat dat niet kan, dwingt ze zichzelf op te staan en ze hijst haar rugzak met een pijnlijke grimas op haar rug, loopt voorzichtig door het gangpad en probeert geen plotselinge bewegingen te maken met haar rug. De passagiers kijken naar haar. Ze weet dat ze raar loopt – half paraderend als een vent, half kreupel als een oude dame. In het leger is ze vergeten hoe je normaal moet lopen, want als je er ook maar een beetje vrouwelijk uitziet als je loopt, laten de jongens je niet met rust. En dan zijn er nog de verwondingen.

Moeizaam stapt ze uit en ze kijkt de bus na, half wensend dat ze hem terug kon roepen. Haar handen trillen nu erger dan ooit en ze heeft het zuur. Maar ze kan nu niet meer terug, net als in het liedje. Dus hijst ze haar rugzak een beetje op en dwingt zichzelf de heuvel af te lopen, waarbij elke zwaai met haar been een pijnscheut door haar vernachelde rug jaagt.

Er is hier geen stoep, alleen maar gras bezaaid met bladeren, waar ze niet graag op loopt omdat ze weet dat ze met elke stap iets vermoordt. Een lieveheersbeestje of een mier. Een regenworm of een bloem.

Ze loopt langs rijen huizen, knus en kneuterig achter hun hekjes, het gazon bedekt met herfstbladeren: oker en koper en brons. Maar ze komt geen mensen tegen. Mensen lopen niet in dit deel van de wereld, die rijden alleen maar. Dus hoewel ze driewielers van kinderen ziet, pompoenkleurige vuilniszakken, schommels en vroege halloweenversieringen, heeft ze het gevoel dat de wereld is opgehouden te bestaan en iedereen in rook is opgegaan, behalve zij.

Ze loopt door, haar gympen ritselend door de dode bladeren. Knalrode bessen geven signalen vanuit de struiken. De bomen glinsteren glanzend goud. De lucht tintelt. Een kale ginkgo staat in een bad van kleine gele waaiertjes, als een vrouw die net haar jurk heeft laten vallen. Een doodskop kijkt uit een raam, loert naar haar met bloedende ogen. Ze duikt in elkaar, een pijnscheut schiet door haar rug, ze tast naar haar wapen...

Opstaan, dom wicht. Het is maar een masker.

Beschaamd komt ze overeind. De ene voet voor de andere. Doorlopen, gewoon doorlopen.

Overal om haar heen fluiten de vogels erop los – kardinalen, roodborstjes, gaaien – hoewel ze hun zang niet meer zo goed kan horen als vroeger omdat haar trommelvliezen aan gort zijn. Een hond blaft, ze schrikt ervan – dat kan ze prima horen. Een specht hamert naast haar op een telefoonpaal, ra-ta-ta. Ze klemt haar tanden op elkaar en loopt stug door.

Hoe verder ze de heuvel afdaalt, hoe verder de huizen uit elkaar liggen, vaak met tuinen zo groot als weilanden. Sommige zijn rommelig, vol afgedankte auto's en grasmaaiers. Sommige zijn versierd met beelden van herten, uitgehakte beren, geschilderde heksen op ski's die met hun gezicht tegen een boom zijn gesmakt. Sommige zijn zo verzorgd dat het gazon wel klittenband lijkt. Ze denkt aan de gele lemen huizen in Irak, de aanbouwtjes van karton dichtgepropt met lappen. De bedelende kleine kinderen.

Ze krijgt een vreemde gewaarwording, alsof haar lichaam is geslonken in haar kleren, die nu als een tent om haar heen fladderen. Ze is een halloweenskelet dat aan een veranda bungelt, slechts gehuld in een zak. Ontdaan van haar huid. Botten en vlees maar geen ziel.

Ophouden. Doorlopen.

De wandeling lijkt wel honderd kilometer lang. Dat deert haar niet. Ze is zo bang voor wat er zou kunnen gebeuren dat een deel van haar niet eens wil aankomen. Maar ze komt er natuurlijk wel, lang voor ze eraan toe is – want wat je niet wilt komt altijd het makkelijkst.

Daar staat ze dan, voor dit huis waar ze al maanden over droomt, met haar hart kloppend in haar keel en zulke knikkende knieën dat ze bang is op de grond te zullen vallen.

Wat nou als dit één grote vergissing is?

KATE

Ze laten me pas de volgende ochtend uit het veldhospitaal van Camp Warhorse vertrekken, en pas nadat ze me hebben platgespoten met kalmeermiddelen, het ergste bloed van me hebben afgewassen en me de helm van een dode soldaat hebben gegeven omdat ik de mijne ben kwijtgeraakt. Ik loop er weg met het gevoel dat ik straalmotoren in mijn schoenzolen heb. En mensenstemmen hebben een rare echo. Het klinkt alsof ik in een overdekt zwembad ben en mijn oren vol water zitten.

Ik krijg het bevel direct met het konvooi mee terug te rijden naar Bucca, dus voor ik het weet zit ik weer in mijn skelter met salamikop Nielsen.

'Dus we zijn er allebei nog,' zegt hij als ik instap. 'Dat was me 't nachtje wel, hè?'

Ik reageer niet.

'Met je vriendin is het toch wel goed afgelopen, hoop ik?'

'Wanneer gaan we rijden?' is het enige wat ik zeg.

'Over tien minuten.'

Ik klap mijn wapen open, veeg het maanstof eraf, smeer de magazijnveer licht in en klik hem weer in elkaar om te zorgen dat hij soepel loopt. Dan rol ik weer een condoom over de loop om het zand eruit te houden. Deze jongen kan zevenhonderd schoten per minuut afvuren als ik dat wil. Ik steek hem uit het raam en ga met mijn rug naar Nielsen zitten. Zelfs die lamzak heeft door dat hij niets meer moet zeggen.

En daar gaan we weer, zij het met minder vrachtwagens ditmaal. Ik vraag me af wat we in godsnaam hebben afgeleverd. Dat vertellen ze nooit. Misschien wapens. Misschien pleepapier. Misschien wel helemaal niets. Sommige van die vrachtwagens zijn echt leeg, ik heb ze gezien. Wij losers gaan hier dood, onze benen en ons gezicht worden aan gort geschoten, alleen maar om vrachtwagens vol lucht af te leveren.

Het konvooi dendert de basis af, terug naar waar het vandaan kwam, zo voorspelbaar als een pendel. Wat een topidee. Laten we die kameelrijers een dienstregeling sturen, ze precies vertellen waar en wanneer ze ons kunnen afmaken. We kunnen net zo goed een bord om onze nek hangen met: Hier, schiet maar.

Ik veeg mijn tactische zonnebril schoon, steun mijn wapen tegen mijn schouder en kijk door het vizier. Ik teer nog steeds op temesta en valium, of waar die dokters me ook mee hebben volgespoten, maar sta toch zo strak als een snaar. Er lopen veel te veel mensen op de weg naar mijn smaak, en er ligt ook veel te veel afval. Overal kan een bom in zitten. Een kartonnen doos. Een berg vodden. Een plastic zak. Wat dan ook.

Al snel zijn we Camp Mortarhorse uit (zoals Warhorse wordt genoemd, wat ik te laat heb ontdekt) en rijden we over dezelfde hoofdweg waarlangs we naar deze dumpplaats zijn gereden. Overal om ons heen dezelfde rotzooi: de woestijn, de bandenflarden, de stukken artillerie die als vreemde sculpturen uit het zand steken. De gestrande families, verwarde burgers, de kamelen, wagens en gedeukte oude auto's die ons voor de voeten rijden. Ik oefen door op hen allemaal te richten. Voor je weet maar nooit.

'Hé, Brady, haal verdomme je wapen binnen. Je hoeft hier geen rare dingen te gaan doen,' blaft Nielsen. Ik reageer niet.

Dan zie ik een mager jochie van een jaar of zeven dat langs de weg loopt. Hij leidt een ezel die voor een gammele kar met twee wielen is gespannen. Ik bekijk hem eens goed. Je kunt in een kar een kanon verstoppen. Je kunt in een kar verdomme de grootste bom verstoppen die je ooit hebt gezien. Je kunt genoeg bazooka's en munitie in een kar verstoppen om een heel konvooi op te blazen, met alle pechvogels die erin zitten.

Ik richt mijn vizier op hem. Eén verkeerde beweging, stomme minitulband, en je gaat eraan. Bij de basistraining was ik altijd al goed op de schietbaan – dat waren veel vrouwen. We schepten altijd op dat we de harige linkerbal van onze drilsergeant er met gemak op dertig meter afstand af konden schieten.

De jongen kijkt naar onze trucks die langs hem heen denderen en trekt aan het tuig van de ezel, alsof hij probeert hem op de een of andere manier te positioneren. Dat bevalt me niks. Ik knip de veiligheidspal van mijn wapen los en tuur langs de loop.

'Wat doe je nou weer?' snauwt Nielsen.

'Gewoon mijn werk, sergeant.'

'Nergens op schieten, tenzij ik het zeg. Dat weet je toch?'

De ezel gooit zijn kop in zijn nek en probeert verder bij de weg vandaan te lopen, maar om de een of andere reden trekt de jongen hem weer onze kant op. Dan rukt de ezel weer met zijn kop, en ik weet niet waarom, maar ik word er bloednerveus van.

Ik mik op zijn linkerslaap. En ik kijk.

De ezel is nu nog zenuwachtiger, en hij komt steeds wat dichterbij. Ik zou zweren dat de jongen hem onze kant op duwt. Expres.

Dus ik schiet.

In de roos.

'Jezus!' schreeuwt Nielsen. 'Geef dat wapen hier!'

De ezel zakt door zijn poten, aarzelt even alsof hij bidt, valt dan op zijn zij en trekt de kar mee. Sinaasappelen en citroenen vallen eruit en rollen over de weg. Oranje, geel, oranje, geel.

Vervolgens richt ik mijn vizier op de jongen. Met wijd open mond grijpt hij naar zijn hoofd. De ezel ligt even te spartelen op de grond, met wild trappende poten. Dan, na een siddering, ligt hij stil. Er sijpelt bloed uit zijn oren en zijn bek, en uit het gat in zijn slaap waar ik hem heb geraakt.

'Ben je nou gek geworden?' schreeuwt Nielsen weer. 'Geef hier dat wapen!'

Ik leun naar buiten, zodat ik het oor van de jongen recht in mijn draadkruis heb. Hij ligt nu huilend boven op de ezel en streelt hem. De sinaasappelen en citroenen rollen nog steeds over de weg.

Oranje.

Geel.

Oranje.

Geel.

De jongen klampt zich zo stevig als hij kan aan de ezel vast, jammerend met wijd open mond terwijl de tranen over zijn wangen stromen. Hij heeft zijn armen om de hals van de ezel geslagen en blijft hem maar vasthouden. Net zoals ik Yvette vasthield.

Ik haal mijn wapen binnen, leg het op schoot en staar voor me uit.

De rest van de rit terug naar Camp Bucca verloopt 'zonder incidenten,' zoals we dat in het leger noemen. Alleen maar gedender, gedender, wind, roet en stof. Ik weet niet eens hoe laat het is. Ik zit met mijn wapen op schoot voor me uit te staren, zonder iets te zien.

Nielsen zegt geen woord. Zeker te bang dat ik hem neerknal. Maar zodra we de basis weer op rijden, grist hij mijn wapen uit mijn handen en zegt: 'Kom jij maar met mij mee, Brady. Je hebt hulp nodig.'

Ik volg hem in een roes. Mijn oren suizen nu ineens heel erg en ik kan bijna niets anders horen. Ik loop continu met mijn hoofd te schudden omdat het lijkt alsof er een stel krekels in mijn oren zit. Ik loop er nog steeds mee te schudden als we aankomen bij de hulppost.

Mensen bewegen hun mond, kijken met hun ogen, maar ik heb te veel last van mijn eigen geluid om te merken wat ze met me doen tot ik weer een heel stel pillen slik en moet gaan liggen. Als ik bijkom is het donker en brengt iemand me ergens naartoe. En ik ben weer terug in mijn tent.

Als ik binnenkom, rennen DJ, Rickman en alle anderen op me af. 'Gaat het? We hoorden dat het zwaar kut was.'

Ik duw ze opzij en loop naar Yvette. Zij is de enige met wie ik op dit moment wil praten. Zij begrijpt het wel – ze doet niet anders dan op konvooi gaan. Ik kom bij haar bed en kijk ernaar, sta een hele tijd door mijn waas te kijken hoe leeg het is. Dan richt ik me tot Drieoog, die naast me staat met vertrokken mond. 'Waarom is ze nog niet terug?' vraag ik.

Drieoog legt haar hand op mijn arm. 'Ga maar even slapen.'

Dan weet ik het weer.

Ik ga op mijn buik op Yvettes bed liggen. Ik ruik haar in het kussen, niet zo sterk, maar toch. Ik strek mijn armen uit en sla ze om de randen van haar bed. En de rest van de nacht hou ik het vast, ik klamp me er uit alle macht aan vast.

Het huis is groot, wit en oud, veel voornamer dan de soldaat zich had voorgesteld. Het lijkt wel een herberg in New England, met een diepe veranda voor en een deur in dezelfde kleur groen als de luiken. Bewerkte pilaren ondersteunen het verandadak en langs de randen loopt latwerk, als een strook kant. Er zit zelfs glas-in-lood in de deur, rood, blauw en oranje. Maar gelukkig geen bloederige halloweenversieringen.

Het is donker achter de ramen. De soldaat kan alleen maar de weerspiegeling van de bomen achter haar zien. Misschien betekent dat dat er niemand thuis is.

Ze loopt naar de veranda en zoekt een bel. Die is er niet. Dus klopt ze op het hout van de deur, en zorgt ervoor het gekleurde glas niet te raken omdat ze er anders misschien een barst in maakt.

Ze wacht een hele tijd, maar hoort niets. Misschien heeft ze niet hard genoeg geklopt, maar ze wil geen domme indruk maken en nog een keer kloppen. Eigenlijk wil ze het liefst terugrennen naar de bus en voor altijd blijven doorrijden.

Ze kijkt om zich heen terwijl ze wacht en bekijkt het huis eens wat beter. In tweede instantie ziet het er niet zo best uit. De verf van de veranda, hetzelfde diepe groen als van de deur en de luiken, bladdert in lange, gebarsten schilfers van het hout. Een verlaten wespennest bolt op vanachter een van de luiken, de grijze raat brokkelig en poreus. Spinnen hebben acrobatenkoorden tussen de pilaren gesponnen, en op de witte gepotdekselde muren zit een laagje vaalblauwe schimmel.

Degene die ooit voor dit huis zorgde, is er duidelijk allang niet meer.

De soldaat wacht, maar nog steeds gebeurt er binnen niets. Dus dwingt ze zichzelf nog eens te kloppen, harder ditmaal. Binnen blaft een hond. Een bijtgrage hond, zo te horen. Ze doet een stap achteruit en wil haar M-16 weer pakken, grijpt even naar haar schouder voor ze het zich weer herinnert.

Dan hoort ze voetstappen. De deur rammelt terwijl iemand prutst met het slot.

Ineens móét de soldaat vluchten.

Ze deinst achteruit en draait zich om om weg te rennen. Maar net als ze op de onderste tree van de verandatrap staat, gaat de deur open en hoort ze een stem.

'Ja?'

De soldaat draait zich langzaam om en kijkt in het gezicht dat op haar neerkijkt.

Het is een vrouw. Een jonge vrouw met lang zwart haar met een pony. Een vrouw met grote ogen. Een vrouw van wie elke idioot kan zien dat ze bloedmooi is.

Godver.

KATE

'Kate! Hé, Kate!' Iemand schudt me bij mijn schouders door elkaar. 'Wakker worden!'

'Huh?'

'Kom op!'

Ik draai me langzaam om op Yvettes bed en trek mijn ogen open. Drieoog buigt zich over me heen in de grauwe schemering. Ze ziet er wazig en glanzend uit, alsof ze in huishoudfolie is verpakt.

'Opstaan! Er staat een E4 buiten die zegt dat hij bevel heeft om je naar sergeant eerste klasse Henley te brengen. D'r uit!'

'Wat?' Mijn hoofd bonkt en mijn oren zitten nog steeds vol krekels.

'Mens, schiet op! Hij staat nu voor de tent!'

Ik staar haar met knipperende ogen aan, mijn hersenen nog steeds verstopt van de medicijnen waar ze me gisteravond mee vol hebben gepompt. Ik wou dat ze me nog meer hadden gegeven, want nu herinner ik me alles weer.

'O, jezus christus!' Drieoog rukt aan mijn arm. 'Je komt hartstikke in de problemen als je nu niet opstaat!'

Ik schud haar van me af. 'Laat me met rust.' Ik ga moeizaam zitten, klok een fles water leeg en grijp naar mijn wapen en mijn helm. Ik heb nog steeds mijn uniform aan, dat stijf en bruin is van

Yvettes bloed. Ik hijs mezelf overeind en wankel naar buiten; de krekels blijven sjirpen.

De E4 is een vent die ik niet ken, hoewel ik hem eerder dingen heb zien doen voor Henley. Hij is Mexicaans, klein en gedrongen, en zijn gezicht is zo rond en plat als een dubbeltje. Hij knikt naar me en escorteert me door de schemering naar de tent van de onderofficieren. Het voelt alsof ik gearresteerd ben, hoewel hij dat niet zegt. Als ik hem vraag om te wachten terwijl ik een stinkende latrine in ren, zegt hij ook niks. Ik heb geen idee of dat betekent dat ik in de problemen zit of dat hij gewoon geen zin heeft om te praten.

Bij de onderofficierstent laat hij me achter, nog steeds zonder een woord te zeggen. Ik loop Henleys sectie binnen en sta met mijn kaken op elkaar geklemd naar hem te kijken, wachtend tot die eikel eindelijk de moeite neemt om op te kijken.

'Zo,' zegt hij ten slotte zonder me aan te kijken. 'Soldaat Brady. Neemt u plaats.' Ik ga stijf rechtop zitten. Hij vouwt zijn handen op zijn bureau en vestigt zijn blik op mijn haargrens, zijn Pa Bushmond retestrak op elkaar geklemd.

'Om te beginnen mijn deelneming voor uw vriendin soldaat Sanchez. Het is altijd een trieste dag voor het leger als we een goede soldaat zoals zij verliezen. Morgen zullen we haar en de andere slachtoffers de laatste eer bewijzen in een herdenkingsdienst. U bent uiteraard vrijgesteld van presentieplicht.'

Hij wacht even, denkt blijkbaar dat ik iets zal zeggen. Maar ik haat hem te erg.

'Ik weet dat het moeilijk is als we onze kameraden verliezen, maar vergeet niet dat ze niet de enige goede soldaat was die gisteren zijn leven heeft verloren. Er zijn ook drie anderen omgekomen, en twee zijn er zwaargewond geraakt. We moeten het nobele offer van hen allemaal eren.'

'Háár leven, sergeant.'

'Wat?'

'Ze heeft háár leven verloren. Niet zíjn.'

Henley knijpt zijn priemogen samen. 'Maar goed, ik heb u laten komen om te zeggen dat het ons gezien de omstandigheden, en vanwege een verontrustend rapport van uw konvooisergeant, het beste lijkt u van de schietmissie te halen en weer op bewaking te zetten. Dat betekent, Brady, dat u niet de promotie zult krijgen waar ik het over had. Begrijpt u dat?'

'Ja, sergeant.' Alsof dat me ook maar ene flikker interesseert.

'U moet ook weten dat als we nog meer van dit soort labiel gedrag zien zoals u de laatste tijd vertoont, we u elk moment weer op schietmissie kunnen zetten. Begrijpt u dat?'

'Ja, sergeant.'

'Goed dan, u kunt gaan.'

Ik sta op om te vertrekken, maar voor ik dat doe, kijk ik Henley lange tijd strak en zwijgend aan. Het is jullie schuld dat Yvette dood is, zegt mijn blik. Ook mijn schuld, maar vooral die van jullie. Van jou en Kormick samen. Jullie zijn niks anders dan moordenaars. En als je denkt dat je mij de mond kunt snoeren met je halfbakken dreigementen, dan heb je het mis!

Hij kijkt me even ongemakkelijk aan. 'Ik zei dat u kunt gaan. En Brady? Trek in godsnaam een schoon uniform aan.'

Dat doe ik. Een halfuur later zit ik weer in mijn toren.

Jimmy komt me opzoeken tijdens de lunch, zijn eerste bezoek in weken. Hij vindt me als een zoutzak op mijn stoel, met mijn wapen gericht op het gevangenencomplex, nog steeds schuddend met mijn hoofd om de krekels eruit te krijgen. Mijn handen trillen als een gek.

'Hé,' zegt hij behoedzaam terwijl hij van de ladder stapt. 'Zin in gezelschap?'

'Tuurlijk.' Ik kijk hem niet aan. Ik wil niet dat hij ziet hoe dankbaar ik ben dat hij is gekomen.

Hij loopt naar me toe en gaat op zijn hurken naast me zitten. 'Ik heb gehoord wat er met je konvooi is gebeurd. Wij allemaal. Jezus.'

Ik kijk achter hem. 'Ben je alleen?'

'Ja, hoezo?'

'Ik hoor steeds dingen.' Ik schud weer met mijn hoofd. 'Hoor jij iets raars?'

Hij luistert. 'Alleen de wind.'

'Het lijkt wel alsof er continu krekels in mijn hoofd zitten. Volgens mij hebben de mortieren mijn trommelvliezen beschadigd.' Ik sla met mijn pols op de zijkant van mijn hoofd. Het helpt niet.

Jimmy zegt even niets. Maar dan raakt hij mijn hand aan. 'Ik heb het ook gehoord van Yvette,' zegt hij zacht. 'Ik weet dat ze een goede vriendin van je was. Ik weet dat je nogal op haar gesteld was. Ik vind het zo rot voor je, Kate.'

Ik knik, en slik even. 'Ja.' Ik heb wat tijd nodig voor ik weer kan praten. 'Ze zat alleen maar op die zelfmoordmissie vanwege mij.'

'Dat kan niet waar zijn.'

'Dat is het wel. Ze wilden van mij af, Jimmy. Niet van haar. Zij raakte er alleen bij betrokken omdat ze me hielp Kormick aan te geven.'

Dan slaat hij zijn armen om mij heen, zo vanzelfsprekend alsof er nooit iets is misgegaan tussen ons. Ik leun tegen hem aan, zo opgelucht – die gevangenen kunnen de boom in, ze lopen daar beneden al te joelen en met hun heupen te schokken. Zijn zilte warmte, zijn vertrouwde, troostende geur. Ik doe mijn ogen dicht en haal gewoon adem.

'We zouden samen iets huren als we weer thuis waren,' zeg ik uiteindelijk tegen hem, mijn stem gedempt op zijn schouder. 'We zouden samen een huis zoeken en elkaar erdoorheen helpen.'

'Ik vind het zo erg,' fluistert hij weer, en hij blijft me vasthouden. Dat is het beste wat wie dan ook kan doen. Veel beter dan pillen.

Maar ik huil niet, ik kan nog steeds niet huilen.

De herdenkingsdienst voor Yvette en de andere drie soldaten die zijn omgekomen wordt gehouden in de kapel, die niet meer is dan een ingezakte tent, alleen dan supergroot en lichtbruin. We komen met meer dan honderd man opdagen en zitten in rijen, net als in de kerk, maar dan op metalen klapstoelen in plaats van houten kerkbanken. Ik kijk om me heen. We hebben allemaal een beetje de moeite genomen om ons op te frissen, zelfs Drieoog. Dat had Yvette wel kunnen waarderen.

Het altaar is niks meer dan een ongeverfd multiplex podium, waar een ongeverfd multiplex paneel achter is gezet bij wijze van nepwand. Aan weerszijden staat een Amerikaanse vlag in een met zand gevulde vuilnisbak, als een plant in een pot. En aan de nepwand hangt een gigantisch zwart hart, met het insigne van onze compagnie ermiddenin gedrukt.

Het raakt me allemaal niet echt. Maar wat me wel raakt is wat ze op het podium zelf hebben neergezet: de lege kistjes van de dode soldaten. Er staan vier paar op een rij, stoffig en afgetrapt, alsof de soldaten er nog maar net uit zijn gestapt. En tussen elk paar kisten staat het wapen van de dode soldaat half rechtop als een lichaam, met de identiteitsplaatjes van de dode soldaat eraan bungelend als een ketting om een hals, en de helm en de zonnebril van de dode soldaat er balancerend bovenop, als een hoofd met twee ogen.

Spooksoldaten. Of, zoals Jimmy zei, robots.

De compagniescommandant begint de dienst. Het is een reusachtige kolonel die eruitziet als een crimineel met een glimmende kale kop en een zware basstem. Hij stapt het podium op en gaat ons voor in het volkslied. Rij aan rij staan we als robots in de houding, met de hand op ons robothart, onze nationale trots te brommen en te piepen. Rij aan rij met ontblote robothoofden, die van de mannen met donzige borstelkoppen, die van de vrouwen glanzend en plat van de haarolie. Rij aan rij robots die zich allemaal hetzelfde afvragen: Wanneer staan mijn kisten daar?

Dan zegt de commandant dat we moeten gaan zitten, en door een krakende microfoon verzoekt hij de aalmoezenier met bulderende stem het podium op te komen en een paar sentimentele verzen uit de Bijbel voor te lezen. Al word ik er niet sentimenteel van. Het doet me wel denken aan papa en mama en pastoor Slattery, en al hun naïeve gezeik over de vernederden oprichten en beschermd worden door Jezus. Jezus stak duidelijk geen vinger uit om Yvette te beschermen, zelfs niet nadat ze haar barmhartige deal had gesloten met Zijn vader. Wij soldaten zijn niets anders dan werk- en moordmachines, en noch Jezus, noch God heeft daar iets mee te maken. Dat hoop ik tenminste.

Dan neemt de commandant het weer over, en op vlakke, uitdrukkingsloze toon komt hij met een paar holle frasen: dat de vier dode robots helden zijn die hun robotleven hebben opgeofferd voor ons land en onze vrijheid. Hij zegt dat de dode robots de belichaming waren van moed en heldendom, en dat sterven voor je land de grootste eer is die een robot zich kan wensen.

Niks moed en eer. Yvette is goddomme midden tijdens het schrijven van een e-mail omgekomen omdat het leger te krenterig en te ongeorganiseerd was om een alarmsysteem te installeren in de MWR-tent, laat staan een mortierbestendige bunker voor ons om in te schuilen. Ze is vermoord omdat die klootzak van een Henley maatjes is met Kormick, en Kormick wilde wraak op mij nemen omdat ik die geschifte goorlap had gerapporteerd. Moed en eer? Gelul.

De commandant houdt eindelijk zijn mond, geen seconde te vroeg, en iemand zet een opname van de 'Last Post' op, waar ik altijd een brok van in mijn keel krijg, dus we gaan allemaal weer staan en salueren. Ik kijk even naar Drieoog om te zien hoe zij reageert op dit gedoe – zij kon tenslotte ook goed overweg met Yvette. Haar gezicht is van steen.

Als de 'Last Post' is afgelopen, gaan we weer zitten en sjokken een paar robots naar het podium om iets te zeggen over hun dode robotvrienden. Eentje vertelt hoe dapper en grappig de negentienjarige soldaat eerste klasse robot Molsen was, en dat die arme knul brandweerman wilde worden toen hij klein was. Een ander zegt dat sergeant robot Miller een toegewijde echtgenoot en vader was, en hoe trots zijn drie kinderen zullen zijn dat hun robotvader is gestorven voor zijn land. (Ja, vast.) Een derde vertelt dat soldaat robot Gomez de taaiste en trouwste robot was die hij ooit had ontmoet, en hij kon waanzinnig gitaar spelen, al was hij nog maar achttien.

Ik kan er niet tegen. Ik kan er niet tegen dat de levens van deze pechvogels zijn verspild.

Dan is het DJ's beurt om iets over Yvette te zeggen. Hij vroeg of ik het wilde doen, maar ik zei echt niet. Als ik daar zou staan, weet ik al wat ik zou zeggen: Jullie eikels hebben haar vermoord. Stuk voor stuk. Je moet bij mij niet over eer beginnen.

'Soldaat eerste klasse Sanchez was alles wat een soldaat hoort te zijn,' begint DJ voor te lezen van het papiertje waarop ik hem gisteravond zijn toespraak heb zien schrijven. 'Drie maanden lang ging ze bijna elke avond op konvooi, en ze doorstond vele aanvallen zonder te klagen. Ze was een goed soldaat, een lieve vriendin...'

Ik hou op met luisteren. Ik weet dat DJ het goed bedoelt, maar hij schildert haar net zo af als de andere robots. Snel opgeofferd, snel vergeten.

DJ loopt eindelijk het podium af, en een voor een leggen hij en de andere drie robots die hebben gesproken een *Purple Heart* neer voor elk van de vier spooksoldaten. Dan gaan we allemaal staan om 'Amazing Grace' te zingen en buigen we ons hoofd om te bidden. Maar de hele tijd dat ik daar sta – eerst starend naar mijn tenen, dan naar de neuzen van Yvettes lege kistjes – vraag ik me alleen maar af waarom ik haar dit heb laten overkomen. Waarom heb ik haar er niet van weerhouden naar Hopkins te gaan en deining te maken terwijl ik donders goed wist dat er alleen maar heibel van komt als je deining maakt in het leger? Waarom dacht ik dat die stomme plastic crucifix van mama haar zou beschermen? Waarom ben ik zo roekeloos omgesprongen met haar leven?

De toespraken en liederen zijn eindelijk afgelopen. De gebeden beëindigd. De metalen stoelen ingeklapt en opgestapeld. Yvette is nu niets meer dan een lijk in een kist, terwijl een Amerikaanse vlag, opgevouwen tot een perfecte driehoek, officieel op weg is naar huis, naar haar familie.

Maar Yvette heeft geen familie. Het enige wat ze in de schamele twintig jaar van haar leven heeft gehad is eenzaamheid. Ze zei altijd dat wij robots haar familie waren, de enige familie van wie ze ooit had gehouden. En wij zijn degenen die haar hebben vermoord.

NAEMA

'Naema?' Ik voel iemand aan mijn mouw trekken. 'Naema, liefje, luister eens!'

Uitgeput kijk ik op van het kind dat ik verzorg, zowat het honderdste dodelijk gewonde kind dat ik in dit smerige ziekenhuis heb behandeld vanwege granaatscherven, bommen of verbranding. Mama's gezicht zweeft voor mijn afgepeigerde ogen. 'Ik kan nu niet praten,' zeg ik tegen haar. 'Hoe laat is het? Is het al ochtend?'

Ze grijpt mijn arm beet. 'Naema, luister nou naar me. Je oma, ze...' Ze barst in tranen uit.

'Waar is ze? Wat heb je met haar gedaan?' zeg ik langzaam terwijl ik mijn ogen laat gaan over de heksenketel die het ziekenhuis nu is. Ik ben nu achttien uur non-stop aan het werk en zo onvoorstelbaar moe dat ik het gevoel heb dat ik op de bodem van een rivier lig.

Mama trekt aan me. 'Kom zelf maar kijken.'

'Maar ik...'

'Kom!'

'Wacht, ik maak dit even af.' Ik kijk naar het kind dat ik verzorg, een jongetje van een jaar of vijf. Hij ligt op de grond, die vol ligt met spetters bloed, braaksel en urine, maar hij heeft niet eens een laken om hem te beschermen. Het ziekenhuis heeft geen lakens meer, laat staan brancards of bedden. Zijn gezicht is zwart ver-

278

koold, net als een groot deel van zijn lichaam, één arm is eraf ge-
brand, zijn lichaam krioelt van de vliegen en hij ligt levend te ver-
rotten van de ontstekingen. Ik kan hem niets anders bieden dan
woorden, maar hij heeft te veel pijn om ze te horen, dus heb ik hem
helemaal niets meer te bieden. Hij staart me aan, zijn ogen groot
van de pijn, zelfs te ver heen om te huilen.

'Ga maar slapen, kleintje,' zeg ik. 'Dan houdt de pijn snel op.'
En dat zal ook gebeuren.

Ik laat hem alleen achter en loop achter mama aan, tussen de andere patiënten die op de grond liggen en jammerende familieleden die om hen heen zitten door. Als ik ooit de hel op aarde heb
gezien, dan is het nu.

Mama brengt me terug naar het hoekje waar ik haar en oma
Maryam al die uren geleden heb achtergelaten. Oma lijkt eerder
een hoop vodden dan een mens, helemaal opgerold in haar zwarte
abaya, haar lichaam eigenaardig verschrompeld en bewegingloos.
In één oogopslag zie ik dat ze dood is.

'Aan Allah behoren wij en tot Allah keren wij terug,' mompel ik
automatisch. Maar ik heb de afgelopen nacht te veel gezien om iets
te voelen.

'We moeten haar nu meteen naar huis brengen!' zegt mama.
'We moeten haar voorbereiden voor de begrafenis. We kunnen
haar arme lichaam niet hier zo achterlaten, moge Allah haar genadig zijn.'

'Ja, goed,' zeg ik vlak. 'Hoe lang geleden is ze overleden?'

'Dat weet ik niet! Ik was in slaap gevallen en toen ik wakker
werd was ze dood, moge Allah me vergeven. Hoe kon ik nu...'

'Mama, stil maar. Het is niet jouw schuld. Ik zal even tegen een
verpleegster zeggen dat ik moet gaan.'

De verpleegster die ik vind ziet me niet graag gaan, maar ze kan
me natuurlijk niet tegenhouden. 'Ik kom zo snel mogelijk terug
om weer te helpen,' zeg ik tegen haar, maar ze heeft het al te druk
met het volgende noodgeval om antwoord te geven.

Dus ga ik terug naar mijn moeder. Samen tillen we oma's kleine lichaam op, stijf en verwrongen, en lopen ermee het ziekenhuis uit, door de menigte naar onze auto, die we op precies dezelfde plek terugvinden als waar we hem hebben achtergelaten. Mama stapt achter in en probeert met tranen in haar ogen oma's verstijfde lichaam vast te houden, met haar hoofd netjes in haar stoffige sjaal gewikkeld. Ik zit in mijn eentje voorin, gebogen over het stuur, gedrenkt in andermans bloed en praktisch blind van uitputting. En opnieuw rij ik urenlang tergend langzaam door chaos en gevaar.

Waarom moeten we dit soort dingen doormaken? Waarom kunnen wij en al die andere lijdende mensen in het ziekenhuis niet gewoon met rust worden gelaten en een vreedzaam, normaal leven leiden? Oma Maryam had in haar eigen huis moeten sterven en daar haar laatste gebeden tot Allah moeten kunnen zeggen in plaats van alleen in een smerig hoekje, als een vergiftigde hond. Ze had de kans moeten krijgen om in haar eigen bed te liggen terwijl mama en ik haar voorzichtig wasten met lotusbladeren en kamfer. Om waardig te kunnen sterven, niet omringd door bloed en verderf. Is het zoveel gevraagd om een goedhartige oude vrouw te laten sterven in vrede – om die arme kinderen die ik vanavond heb gezien te laten leven?

KATE

Alles is anders nu Yvette dood is. Ik kan niet eten zonder haar bloed in mijn mond te proeven. Kan niet slapen zonder haar lichaam te zien dat doorboord is met granaatscherven. Kan de dag niet doorkomen zonder telkens te denken dat ik haar zie lopen. Ze komt een stofwolk uit lopen, maar lost op in de lucht. Ze draait zich glimlachend naar me om als ik de tent binnenkom, maar verandert in iemand anders. Haar stem is ook overal, zegt dat ik voor mezelf moet zorgen, dat ik op haar moet vertrouwen. En als ik probeer te huilen, zegt ze: 'Wees een soldaat, meid', en de tranen veranderen in zand.

Jimmy komt zo vaak hij kan langs. We zijn nu bijna echt een stel, hoewel we nog steeds niet meer hebben gedaan dan zoenen. Hij wacht tot ik over Yvette en de aanvallen heen ben, als zoiets al mogelijk is. Ik wacht tot mijn geweten zuiver genoeg is om hem waard te zijn. Maar hij komt me elke ochtend ophalen voor onze shift (ik kan het niet meer opbrengen om te gaan hardlopen), komt 's middags rond lunchtijd naar mijn toren en 's avonds als het lukt naar mijn tent, zodat we stiekem naar buiten kunnen voor een omhelzing. 'Ik hou van je, ik heb altijd van je gehouden,' zegt hij tegen me, en dat is zo fijn om te horen. De enige momenten dat ik me enigszins normaal voel, zijn als ik bij hem ben.

Kon ik maar van het gevoel afkomen dat alles wat ik ben en alles wat ik zeg gelogen is.

Op een dag halverwege augustus, een paar weken na de begrafenis van Yvette, klautert hij zoals gebruikelijk mijn toren op, maar ditmaal kijkt hij ongemakkelijk. We zitten een tijdje zwijgend naar de gevangenen te kijken die rondslenteren in het stof – ik heb zo'n rothekel aan ze dat de gal nú continu in me gist. Dan slaakt hij een zucht.

'Kate, ik moet je iets vertellen.'

'Dat klinkt niet best.' Ik probeer luchtig te klinken, maar mijn maag verkrampt al. Ik zie al die tijd al aankomen dat hij alsnog het licht ziet en me zal dumpen.

'Ik heb Ortiz gisteravond gesproken. Hij vroeg of ik je dit wilde geven. Het is niet best.'

Ik was Ortiz helemaal vergeten. Yvette heeft al het andere naar de achtergrond gedrongen.

Jimmy haalt iets uit zijn OPS-vest en geeft het aan mij. Het is de doormidden gescheurde foto van Naema's broertje die ik weken geleden aan Ortiz heb gegeven, helemaal verkreukeld en vervaagd. De jongen grijnst nog steeds naar me met zijn maffe langgerekte gezicht, maar er lopen nu drie scherpe vouwen over zijn hoofd, en ik zie dat er meer achterop staat dan eerst. Ik draai de foto om. Zijn naam staat er nog in Naema's handschrift: 'Zaki Jassim'. Maar daarnaast, in een ander handschrift, staat in hanenpoten: '9 juli 2003, neergeschoten tijdens ontsnappingspoging. Overleden 10 juli.'

Ik kijk er even naar. 10 juli. Dat was rond de tijd dat Naema's vader doordraaide op de luchtplaats. Dat ik hem trapte en zijn gezicht in het zand stampte.

Ik verfrommel de foto en gooi hem van de toren.

'Wat doe je nou?' zegt Jimmy.

'Het interesseert me geen moer,' antwoord ik. 'Die lui hebben Yvette vermoord. Ze probeerden ons allemaal te vermoorden. Het zijn stinkende beesten en het interesseert me geen flikker wat er met ze gebeurt.'

Jimmy kijkt me ontsteld aan. 'Vind je het niet erg dat we een jochie van dertien hebben neergeschoten?'

'Ik wou zelf op een kind schieten tijdens dat konvooi. Een klein kind, een jaar of zeven, net zo oud als April. Ik heb zijn ezel doodgeschoten.'

Nu kijkt Jimmy geschokt, maar ik kan niet meer ophouden. 'Ik wou hem doodschieten. Echt doodschieten.' Ik kijk Jimmy boos aan. 'Zo ben ik nu. Snap je?'

'Zoiets moet je niet zeggen!'

'Het is zo. Ik heb zoveel mensen pijn gedaan, je hebt geen idee. Ik ben foute boel.' Ik begin te lachen. 'En dit is nog maar het begin, want ik ga ook nog andere mensen doodschieten! Om te beginnen kuttenkop Henley.'

Jimmy pakt me bij mijn schouders. 'Doe even normaal, Kate! Je bent aan het raaskallen. Je bent gewoon in de war door alle rotzooi die je mee hebt gemaakt. Het komt allemaal goed, schatje, echt waar.' En hij omhelst me.

Maar ik zie het in zijn ogen, ik hoor het in zijn stem: twijfel.

'Ik moet nu terug naar mijn post,' zegt hij zacht. 'Maar ik kom vanavond, dan kunnen we er verder over praten, oké? Tot die tijd moet je het nog even volhouden. Je voelt je vast gauw beter.'

Maar als ik die avond de tent weer binnenloop, geloof ik niet dat ik me anders voel. Ik voel me hard en onverzettelijk en koud vanbinnen. Ik voel me nu een soldaat. Een echte robotsoldaat. Ik weet wie ik haat en ik weet wie ik dood wil maken. Al het andere is bullshit.

'Drieoog?' Ik geef een por tegen haar arm. Ze ligt op haar bed voor zich uit te staren als een dooie, zoals altijd. Ze is nu al heel lang een robot. Ik zag het alleen niet.

'Wat?'

'Ik heb een boodschap voor dat meisje Naema. Die komt toch nog steeds naar het checkpoint?'

Drieoog draait haar hoofd in haar gebruikelijke slow motion

mijn kant op. 'Ja, nog steeds. Tot een paar dagen geleden wel, tenminste. Ze is echt stinkvervelend. Altijd aandringen dat we haar dit vertellen en dat vertellen. Volgens mij wil ze ons het liefst helemaal overhoopschieten.'

'Nou, als ze dit hoort houdt ze d'r mond wel. Zeg haar maar dat haar broertje dood is. En haar vader waarschijnlijk ook.'

Drieoog kijkt verbaasd. 'Waar heb je dat gehoord?'

Ik haak de clips van mijn OPS-vest los. 'Van een vent die de jongensafdeling bewaakt. Hij zei dat die jongen is doodgeschoten toen hij probeerde te ontsnappen, maar wie zal het zeggen? Hij maakte zeker een lange neus naar een MP, die kwaad werd en hem heeft neergeknald. Weet ik het. Maar de vader draaide door toen hij het hoorde en is in elkaar geslagen, en sindsdien heb ik hem niet meer gezien. Naema vertelde dat hij het aan zijn hart had, dus ik denk: *finito*.'

Drieoog zwaait haar benen van haar bed en gaat zitten. 'En waarom zou ik haar dat allemaal vertellen? Ik ben hier niet degene die het leuk vindt om met die stomme hadji's aan te pappen.'

'Dan vertel je het niet, mij maakt het geen ruk uit.' Ik trek mijn vest uit.

Drieoog kijkt me fronsend aan. 'Ik dacht dat je d'r aardig vond.'

'Dat was toen.' En ik loop de tent uit om naar Jimmy te gaan.

Als ik Jimmy 's avonds zie, verstoppen we ons op een schemerig plekje tussen mijn tent en die ernaast. De meeste paartjes gaan stiekem naar de voertuigplaat om een lege overdekte twee-en-een-halftonner te vinden waar ze ongestoord seks kunnen hebben. Maar zoals ik al zei: wij zijn nog niet zover.

Hij is er al als ik de tent uit sluip, en als we de hoek om zijn om aan andermans blikken te ontsnappen, omhelst hij me. 'Voel je je al beter?'

'Niet echt.'

Hij laat me los en doet een stap achteruit om mijn gezicht te bekijken. Het zijne staat zo triest. Dat zie ik zelfs in de schaduw van de maan.

'Ik weet dat je je nu rot voelt,' zegt hij zacht. 'Maar je bent een goed mens, Kate. Zorg dat je dat niet vergeet in dit oord.' Hij slaat zijn armen weer om me heen. 'Duw me niet weg, alsjeblieft. We hebben elkaar nodig. Ik weet dat het hier zwaar klote is, natuurlijk is dat zo. Maar ik hou van je, en ik wil dat we elkaar helpen als we weer thuis zijn.'

Ik maak me los uit zijn armen. Mijn hele lichaam doet pijn van zijn woorden. Maar ik weet dat hij het mis heeft, dat weet ik gewoon.

'Jimmy.' Mijn stem klinkt kil en afstandelijk, een echte robotstem. 'Dit wordt niks. Ik heb een beslissing genomen.'

'Hoe bedoel je? Wat voor beslissing?'

'Ik ga terug naar Tyler.'

'Tyler? Waarom?' Er klinkt zoveel verdriet door in Jimmy's stem dat mijn hele lichaam pijn doet.

'Omdat hij het beste in me naar boven haalt. Omdat ik niet weet hoe ik de rest van mijn leven verder moet als ik die kant van mezelf niet terugvind.'

'En wat zegt dat over mij?' vraagt Jimmy verbitterd. 'Haal ik het slechte in je naar boven?'

'Nee, zo bedoel ik het niet. Jij bent de ware. Je bent lief, moedig en eerlijk. Jij bent de beste mens die ik ooit heb ontmoet.'

Hij trekt een zuur gezicht. 'Maar?'

'Maar we zitten hier in een nachtmerrie. Ik bedoel, het is echt, maar het is niet écht. Het heeft niets te maken met het leven thuis. En als we samen zijn, zullen we voor altijd in die nachtmerrie blijven steken.'

'Dat is niet waar! We zullen elkaar erdoorheen helpen, snap je dat dan niet?'

'Maar ik wil niet degene zijn die ik bij jou ben, Jimmy. Ik haat wie ik hier ben. Ik haat wie ik ben, zelfs bij jou.'

Hij doet weer een stap bij me vandaan, en nu kijkt hij kwaad. 'Nou, kom dan maar niet bij me uithuilen als je jezelf ook haat bij alle anderen. Je bent wie je bent, Kate. Daar kun je niets aan veranderen.'

We staan even stil, kijken allebei naar de schimmige grond. 'Jimmy, probeer het alsjeblieft te begrijpen. Ik ben het zo zat om andermans leven te verpesten.'

'Waarom heb je het dan net weer gedaan? Godver.' Hij draait zich om en loopt weg.

Terug in mijn tent kan ik nog geen seconde slapen. Mijn gesprek met Jimmy blijft maar door mijn hoofd malen, maar dan zoals ik het had gewild in plaats van hoe het echt is gegaan: Maak je geen zorgen, Kate, ik zal op je wachten, wat je ook zegt. Maar Jimmy heeft niets in die richting gezegd, en ik weet dat hij dat ook nooit zal doen. Dus lig ik hier te tollen en te draaien als een vlieg waarvan de vleugels zijn uitgetrokken. Zitten, liggen. Mijn laken van me af trappen, weer omhoogtrekken. Met mijn hoofd schudden om de woorden en de krekels eruit te krijgen. Het maakt niks uit. De minuten kruipen voorbij, als de trage druppels zweet die langs mijn ribben lopen. Al snel kan ik me alleen nog maar concentreren op Macktruck die in mijn oor ligt te snurken, en ik vreet me er zo over op dat ik hem wel door zijn nek kan schieten.

Ik gluur om de rand van mijn poncho om hem te bekijken. Hij ligt plat op zijn rug, zijn buik uitpuilend als een kussen. Hij lijkt te slapen, maar hoe hij kan slapen en tegelijkertijd zoveel herrie kan maken is me een raadsel.

'Mack!' Ik pak mijn wapen en por hem ermee in zijn ribben.

Hij schrikt wakker. 'Eh, wat?' Hij schrikt er nogal van dat ik hem ineens aanspreek.

'Kun je verdomme niet eens stil zijn? Je lijkt wel een varken in doodsnood.'

'Eh, oké, ik zal het proberen.' Hij rolt zich op zijn zij.

'En Mack?'

'Ja?'

'Als je ooit nog bij me in de buurt komt, nog één keer snurkt of me lastigvalt met een van die smerige zaakjes van je, dan schiet ik zo'n groot gat in je dat er een heel konvooi doorheen kan.'

Het is even stil terwijl hij hierover nadenkt.

'Jij begint door te draaien, Brady, weet je dat?' zegt hij dan.

'Ja, dat weet ik. Dat is het probleem.'

Daarna zegt hij geen woord meer.

Maar ik kan nog steeds niet slapen. Telkens als er iemand op zijn nest zucht, er een beestje met tikkende pootjes over onze multiplex vloer rent of er in de verte een gevangene schreeuwt, schiet de adrenaline door mijn lijf en moet ik weer denken aan Naema's rouwende vader en wat ik hem heb aangedaan, de smekende ogen van die Irakese werknemer tijdens de mortieraanval, de jongen en zijn ezel, Yvettes laatste zucht. Haar bloed over mijn hele lichaam.

De rest van die nacht lig ik met wijd open ogen op mijn rug, met mijn wapen tegen mijn borst geklemd. Mijn hoofd uit elkaar knallend van wanhoop.

Zodra het buiten licht begint te worden, sta ik opgelucht op en schiet mijn uniform aan. Ik probeer een paar hapjes van mijn T-Rat te nemen voor de energie, maar telkens als het eten in de buurt van mijn lippen komt, moet ik aan Yvette denken en vult mijn mond zich weer met de smaak van haar bloed.

Met een waarschuwende blik naar Macktruck – hij gaat me vlug uit de weg – ga ik naar de latrines met Drieoog, die er weer ouderwets stoïcijns uitziet. Het gebrek aan slaap en voedsel maakt me licht in het hoofd, en er schieten continu zwarte puntjes voor mijn ogen langs, als bijen, maar aangezien ik me meestal toch al zo voel, besteed ik er geen aandacht aan. Als ik bij Jimmy en de rest van mijn ploeg in de Humvee stap, keurt hij me geen blik waardig.

Het is nog warmer in mijn toren vandaag – minstens zestig graden, denk ik, in de zon tenminste. Ik zit te zweten tot mijn onder-goed, mijn uniform, zelfs mijn kogelvrije vest doorweekt zijn. Ik heb water bij me, maar dat smaakt ook naar bloed, dus ik duw de flessen naar het piepkleine vierkantje schaduw onder mijn dak en laat ze daar koken.

Een uur. Twee.

Nog een uur. Vier.

Hitte. Zweet. Vliegen. Zwarte rondvliegende bijen. Geel zand, verblindende hemel, wit stof. Ongeschoren kerels in sjofele kleren die lopen te staren naar de grond, naar de concertina, naar mij.

Mijn helm voelt warm en zwaar, veel erger dan normaal, de twee kilo voelen eerder als twintig. Een kokende ketel die zwaar op mijn rug drukt. Ik ruk hem af en smijt hem achter me. Laat die mortieren maar in mijn hersenen fluiten. Er is toch niemand die het interesseert.

Maar ik ben vergeten wat de aanblik van vrouwenhaar bij de gevangenen teweegbrengt, vooral rood haar als het mijne. Ze lopen al maanden tegen me te schreeuwen dat ik mijn helm af moet doen, dus zodra ze me blootshoofds zien: complete chaos. Schreeuwend en joelend komen ze in groepjes bij elkaar. Alsof ik ze trakteer op een striptease. De staarder komt verlekkerd en lik-kebaardend dichterbij. De rukker natuurlijk ook. Hij loopt tot aan de concertina onder mijn toren, roept iets, haalt zijn pik weer eens tevoorschijn en begint.

Ik breng mijn wapen omhoog en tuur naar hem door het vizier. De zwarte bijen zoemen.

Hij kijkt me recht aan en lacht, en hij gaat maar door. Zijn pik bruin en wormvormig.

Ik knip de veiligheidspal los.

Hij lacht weer, rukkend als een bezetene.

'Laatste kans, klootzak,' fluister ik. 'Hier heb ik op gewacht.' En ik begin te tellen.

Een.

Hij weigert te stoppen, ook al richt ik mijn wapen recht op zijn wormvormige lul.

Twee.

Hij stopt nog steeds niet.

Drie.

Die eikel snapt het nog steeds niet.

Vier.

Oké, jongen. Je vraagt erom.

Vuur!

Rood welt op in zijn lies. Hij kijkt omlaag. Niemand beweegt zich. Ik niet, de gevangenen niet. Zelfs de wind niet.

Dan gooit hij zijn hoofd achterover en schreeuwt.

Ik spring op en ren naar de rand van het platform, klaar om nog eens op hem te schieten, of op elke andere zandvreter die iets wil proberen. Ze weten niet wie ze voor zich hebben – ik ben nu een echte robot. Het liefst zou ik die hufters stuk voor stuk in hun pik of hart schieten – ze mogen zelf kiezen. Wie is de volgende, heren?

Maar net als ik weer richt, raakt een golf van duizeligheid mijn hoofd als een vuistslag. Ik tol. Wankel. De bijen beginnen harder te zoemen.

Alles wordt verblindend wit.

Dan wordt alles zwart.

'Kan ik u helpen?' De knappe vrouw staat in de deuropening en bekijkt de soldaat argwanend. Haar hond, een bruine vuilnisbak met een vierkante kop, steekt zijn kop achter haar benen vandaan om ook te kijken, met een lange, kwijlende tong. Hij blaft niet meer, maar de soldaat deinst toch achteruit.

'Nou?' zegt de vrouw.

'Eh, nee, het is al goed. Ik ben aan het verkeerde adres. Sorry dat ik u heb gestoord.' De soldaat draait zich om en wil gaan.

'Kate?'

Het is Jimmy's stem, maar ze loopt door. Ze had hem met rust moeten laten. Wat stom.

'Kate!'

Ze loopt nog een paar stappen. Dan blijft ze staan. Ze wil niet maar ze kan zijn stem niet weerstaan, haar behoefte eraan is te groot. Hulpeloos draait ze zich om.

Hij kijkt over de schouder van de vrouw. Dan wringt hij zich langs haar heen en loopt de veranda op. Hij ziet er prachtig uit. En verschrikkelijk.

'Je moet binnenkomen,' zegt hij. 'Nu je hier bent.'

Zijn haar is nu langer, zwart en golvend, en hij draagt een ge-vlekt grijs T-shirt, versleten jeans en sneakers zonder sokken, on-danks de kou. Hij heeft een bril op, een normale met een smal bruin montuur. Maar daarachter heeft hij wallen onder zijn ogen.

Hij wendt zich tot de vrouw. 'Sluit jij Daisy even op?'

Er flikkert irritatie over het gezicht van de vrouw, maar ze grijpt de hond bij zijn halsband en sleurt hem weg.

Jimmy draait zich weer om. 'Kom binnen,' zegt hij. 'Het is goed. Echt.' Maar zijn stem klinkt niet goed. Hij klinkt niet zacht en warm zoals vroeger. Hij klinkt kil en op zijn hoede.

Toch loopt Kate achter hem aan naar binnen. Ze weet niet wat ze anders moet.

Binnen is het een puinhoop. Veel erger dan ze had verwacht, zelfs na die bladderende verf en schimmel. Misschien is ze gewoon niet meer gewend aan woonhuizen omdat ze maar een paar weken in haar eigen huis heeft gezeten, tussen de ziekenhuizen door, maar het ziet er donker en somber uit, en overal ligt troep. Tijdschriften en bierflesjes. Uitpuilende asbakken. Bakjes met restjes Chinees eten. En tegen een koude open haard staat een geweer.

Ze laat haar rugzak op de grond vallen en loopt ernaartoe. Ze weet niet precies wat ze doet, maar ze pakt het op en houdt het tegen haar borst.

Jimmy kijkt haar aan en knikt.

De knappe vrouw komt weer binnen, zonder hond, en kijkt naar haar. 'Jezus,' zegt ze bijna onhoorbaar. Dan, harder: 'Wil je een biertje of zo?'

Kate bekijkt haar eens wat beter. Lange pony die in de intrigerend zwarte ogen valt. Grote mond met volle lippen. Laag uitgesneden roze T-shirt, strakke jeans, laarzen met hoge hakken. De vrouw is dan misschien knap, maar ze loopt erbij als een sloerie.

Kate knikt. 'Ja. Graag.' De sloerie loopt de kamer uit.

'Ga zitten,' zegt Jimmy, en hij geeft Kate een pakje sigaretten. Ze laat de stoelen voor wat ze zijn en gaat op de grond zitten, met haar zere rug tegen de muur bij de open haard en het geweer over haar benen. Hij buigt zich voorover om haar sigaret aan te steken. Ze neemt een diepe trek, de eerste peuk die haar in weken is toegestaan.

De sloerie komt terug met drie open flesjes bier, die ze uitdeelt. 'Ik ben Mandy,' zegt ze.

'Ik ben Kate. Bedankt.' Kate neemt een flinke slok. Door het bier en de sigaretten wordt ze duizelig en krijgt ze het steenkoud.

'We hebben samen gevochten,' zegt Jimmy dan. En hij lacht.

'Goh, wat een verrassing,' mompelt Mandy terwijl ze zich op de met kranten bezaaide bank laat vallen. 'Jullie blijven maar komen. Het lijkt wel of Jimmy verknipte soldaten aantrekt. We kunnen net zo goed een revalidatiecentrum beginnen.'

'Hou op,' snauwt hij, en Kate schrikt. Zo heeft ze hem nog nooit tegen iemand horen praten.

'Maak je niet druk,' zegt Kate snel, die nu bijna medelijden heeft met Mandy. 'Ik doe niks.'

Mandy's ogen gaan naar het geweer op Kates schoot, maar ze geeft geen antwoord.

Kate neemt nog een flinke slok en kijkt naar de stoffige vloer. Wat moet ze nu? Ze had nooit verwacht dat Jimmy een vrouw had. Ze verwachtte dat hij haar niet wilde, dat hij haar zou wegsturen, dat hij net als eerst heel boos en gekwetst zou zijn. En ze hoopte dat ze hem om kon praten. Maar om een of andere domme reden had ze dit nooit verwacht.

Ze zitten een tijdje in het schemerige bruine licht zwijgend hun bier te drinken en te roken – Kate op de grond, Jimmy vlakbij in een versleten blauwe leunstoel, Mandy op de rommelige oranje bank. Het is zonnig buiten, maar daar merk je binnen niet veel van, afgezien dan van de bladvormige schaduwen op de vloer. Ze zeggen niet veel. Dat kan niet, met Mandy erbij. Ze is als een explosiebestendige wand die de kamer verdeelt en Kate zit aan de verkeerde kant. Kate vraagt zich af of Jimmy van Mandy houdt, en waar zij naartoe moet als dat zo is.

'Wanneer zijn jullie allemaal teruggekomen?' vraagt ze hem

eindelijk. 'Ik heb van niemand iets gehoord.' Dat kwetst haar. Ze had gedacht dat DJ op zijn minst zou bellen om te horen hoe het ging.

'Begin vorige maand. Ze zeggen dat we binnenkort weer worden uitgezonden.'

Ze is stil terwijl dit onwelkome nieuws haar hoofd binnen dendert. Maar dan vraagt ze: 'Nog iets over iemand gehoord?' Ook al weet ze niet zeker of ze het wel wil weten.

'Over sommigen. Die eikel van een Kormick heeft zich weer aangemeld.' Jimmy kijkt haar veelbetekenend aan. 'Boner ook.'

Kate geeft geen antwoord. Het is lang geleden dat ze die namen hardop heeft horen uitspreken en haar handen beginnen weer vreselijk te trillen. Jimmy kijkt ernaar en fronst zijn wenkbrauwen. 'Gaat het wel?' mompelt hij. Heel even klinkt hij weer als vroeger.

Ze pakt het wapen, grijpt het vast om haar handen te laten stoppen met trillen en bekijkt het. Het is een barrel, helemaal verroest. Waarschijnlijk kun je er niet eens mee schieten.

'Hopelijk is dat ding niet geladen,' zegt Mandy. 'Zou je het even weg willen leggen?'

'Laat haar met rust,' snauwt Jimmy weer, en hij wendt zich tot Kate. 'DJ kwam laatst langs. Het gaat goed met hem. Zijn vrouw en hij zijn bezig met een derde kindje.'

'O ja? Wat leuk.' Kate slikt. Ze vindt het eng om de volgende vraag te stellen, maar ze moet het weten. Dus perst ze de woorden eruit. 'En Drieoog? Heb je daar nog iets van gehoord?'

Jimmy kijkt haar vlug aan. Dan staat hij op en loopt naar Mandy. Hij buigt zich voorover, kust haar – het steekt Kate als een mes als hij dat doet – en fluistert iets. Kate kijkt naar de grond.

Mandy mompelt op geïrriteerde toon iets terug. Maar dan staat ze op terwijl ze haar sloeriehaar achterovergooit. 'Ik ga naar de winkel. Een van jullie nog iets nodig?'

Kate schudt haar hoofd.

'Nog wat bier,' zegt Jimmy. Mandy knikt en loopt heupwiegend de kamer uit. Kate kijkt haar na. Dat is het loopje dat zij niet meer beheerst.

Ze wachten in stilte tot ze Mandy horen wegrijden. Dan komt Jimmy uit zijn stoel, loopt naar Kate en gaat in kleermakerszit op de grond tegenover haar zitten. Hij zet zijn bril af. Ze wil hem zo graag omhelzen dat haar armen er pijn van doen.

'En?' zegt hij, terwijl zijn prachtige blauwe ogen over haar gezicht gaan. 'Wat is er aan de hand?'

'Waar zijn je broertjes?' is alles wat ze zegt. 'Ik wou ze graag ontmoeten.'

Zijn blik schiet heen en weer. 'Die zijn nog bij onze tante. Ik kon niet... Ik kan niet...' Hij kijkt weg, met een trieste blik op zijn smalle gezicht.

'Je hebt me liever niet hier, hè?' zegt Kate dan. 'Ik wist niet dat...' Ze knikt naar de deur. 'Ik ga wel weg.'

'Nee. Blijf maar, het kan prima, echt.' Hij laat zijn ogen over haar gezicht gaan. 'Je hebt het zwaar gehad, hè?' mompelt hij.

Ze haalt haar schouders op en kijkt weer naar de grond.

'Weet je familie waar je bent?'

'Die kunnen in de stront zakken.'

'Ik neem aan dat dat nee betekent. En Tyler?'

'Idem.'

Hij is even stil.

'En in het ziekenhuis, weet daar iemand waar je bent?'

'Nee.'

'Blijf dan hier bij mij. Dat wil ik. Ik leg het Mandy wel uit. Ze draait wel bij.'

'Weet je 't zeker?' Ze kijkt hem weer aan.

'Ja.' Zijn blik houdt de hare vast. 'Ik weet het zeker.'

'Dank je wel.' Ze wil nog meer zeggen, maar er komt niks uit. 'Heb je hier nog meer verpeste soldaten zitten?' Ze probeert te glimlachen.

Jimmy leunt achterover op zijn handen. 'Eentje is gisteren vertrokken. Je kent hem wel. Creeley.'

'Mopsneus? Wat is er met hem aan de hand?'

'Hij heeft een hand verloren. Een paar weken nadat jij was vertrokken. We waren onderweg en toen vloog er een granaat in onze Humvee. Hij probeerde hem weer naar buiten te gooien en toen ging hij af.'

'Shit. Arme vent.'

'Ja, maar het had slechter kunnen aflopen. Hij hoeft tenminste geen tweede ronde.' Jimmy komt weer naar voren en kijkt haar even aan met een gerimpeld voorhoofd. 'En jij? Kunnen ze jou dwingen om weer terug te gaan?'

Ze schudt haar hoofd. 'Medische indicatie.'

'Goddank.'

'En jij?' vraagt Kate dan. 'Moet je echt terug?'

Hij haalt zijn schouders op, kijkt weg. 'Natuurlijk.'

Het antwoord snijdt haar door de ziel. Ze kan het niet verdragen, de gedachte dat hij zonder haar teruggaat, de gedachte dat hij gewond kan raken. Maar ze kan alleen maar knikken en stil blijven.

'Kom,' zegt Jimmy dan terwijl hij opstaat. 'Ik zal je laten zien waar je kunt slapen.'

Hij pakt haar rugzak en loopt de trap op, met Kate achter zich aan. Ze komen op een overloop en gaan een gang door, langs een slaapkamer waarvan de deur openstaat. Binnen ziet ze een glimp van een tweepersoonsbed met gekreukte lakens. Ze kijkt snel weg.

'Hier,' zegt hij terwijl hij een deur openduwt en haar zachtjes naar binnen duwt. Hij wendt zich tot haar. 'Het is fijn je weer te zien, Kate.' En hij glimlacht voor het eerst naar haar.

KATE

Ik heb geen idee waar ik ben. Een bruine tent, zoveel zie ik wel. Een zachter bed dan normaal. Het is dag, want het licht dat door het canvas wordt gefilterd is heet en bleek. Ik probeer om me heen te kijken, maar zodra ik me beweeg gaat er een ongelooflijke pijnscheut door mijn nek en hoor ik een gil. Ik heb het idee dat ik dat ben.

Er verschijnt een mannengezicht in mijn blikveld. Bezweet, rood en met piepkleine plukjes krullend rossig haar. 'Ben je wakker?' vraagt het.

Is dit een van mijn nachtmerries? Ik probeer mijn arm op te tillen om te zien of er geen bloed op zit, maar daardoor schiet er weer een pijnscheut door me heen. 'Jezus!' roep ik uit. 'Godver, wat is er aan de hand?'

'Hoe voel je je?' vraagt de man opgewekt. 'Zeg eens iets, soldaat. Kom op.'

Ik kijk hem eventjes knipperend aan en probeer te achterhalen of hij echt is. 'Wat is er gebeurd? Waar ben ik in godsnaam?'

'Je hebt een ongeluk gehad. Je bent bij de hulppost. Ik ben een hospik. En zeg nu maar je naam, je rang en welk jaar het is.'

'Waarom?' Ik wil het echt graag weten.

Hij kijkt geïrriteerd. 'Ik heb niet de hele dag, gewoon doen wat ik zeg.'

'Waar is Jimmy?'

'Krijg ik nog antwoord?'

Ik probeer me te bewegen, maar alweer krijg ik een ongelooflijke pijnscheut in mijn rug. Nu ben ik bang.

'Kom op,' zegt de hospik vermoeid. 'Naam?'

'Kate Brady. Godver, wat is er met mijn rug? Au! En mijn arm? Wat is er met me gebeurd?'

'Rang, leeftijd, jaar.'

'E4. Shit, au! Twintig. 2003. Jezus! Ik moet Jimmy zien.'

'Nou, je hoofd lijkt me wel in orde. Je rechterarm is gebroken en je hebt je rug verdraaid, voor zover wij kunnen zien. Niks ernstigs, je hoeft je geen zorgen te maken. Maar we sturen je naar Koeweit voor onderzoek.'

'Naar Koeweit? Wanneer?'

'Vandaag. Medevac brengt je ernaartoe met een paar andere gewonden.'

'Maar ik moet Jimmy zien!'

'Hier is geen Jimmy. En nou even rustig, dan kan ik je een injectie geven.'

'Is Jimmy niet op bezoek geweest?'

'Nog niet, soldaat. Nog niet.' En de man steekt een naald in mijn dij.

Jimmy komt ook niet. Echt niet. Maar tot mijn verbazing komt Drieoog wel opdagen, vlak voordat ze me naar buiten dragen.

'Hé, Sproetenkop, heb jij even mazzel,' zegt ze.

'Is dat zo?'

'Ja. Jij mag toch weg uit dit schijtoord? Hé, ik kom nog weleens langs als ik weer thuis ben, oké? Dan gaan we een paar biertjes pakken.'

'Oké,' zeg ik met onvaste stem. 'Wat is er in godsnaam gebeurd, weet jij dat?'

'Je bent van je toren gevallen, stom wijf. Flauwgevallen of zo en hup: daar ging je.'

'Heb ik op iemand geschoten? Volgens mij heb ik op iemand geschoten.'

'Ja. Je zou flink in de problemen zitten als je niet zelf gewond was geraakt. Je bent toch niet expres van die toren gevallen, hè?'

Ik kijk haar alleen maar aan als ze dat zegt.

'Luister,' zegt ze dan. 'Frik vroeg of ik je dit wou geven.' Ze stopt een papiertje in mijn linkerhand, de hand die niet in het gips zit. Er staan alleen maar een adres en een telefoonnummer op, geen bericht, maar ik lees het wel honderd keer, alsof het de Bijbel is, een gebed, alsof het mijn laatste hoop is.

'Waarom is hij niet langs geweest?' vraag ik Drieoog.

Net op dat moment komen er twee hospikken binnen die me op een brancard tillen, wat godvergeten veel pijn doet, en ze gespen me vast, terwijl Drieoog vanaf een afstandje staat te kijken. Ze lopen met me naar buiten en stoppen me achter in een Black Hawk, samen met een paar andere soldaten, die er zo te zien veel slechter aan toe zijn dan ik.

'Goeie reis,' roept Drieoog vlak voor ze het luik dichtdoen. 'Mazzelkont!'

Daarna is het één waas van ziekenhuizen, pijnstillers en artsen. Een paar dagen Koeweit, röntgenfoto's en naalden. Een week Duitsland, nog meer röntgenfoto's en naalden. Gesprekken met artsen, gesprekken met psychiaters. Diagnose: twee gebroken wervels en een stel verrekte spieren door de val. Wervelkolom samengedrukt door het gewicht dat ik dag en nacht moest dragen. Nek verpest door het gehobbel in de Humvee, al die keren dat ik met mijn hoofd tegen dat stomme dak botste. Hersenletsel van de mortieraanval. Uitdroging, ondervoeding, gehoorverlies, depressie...

Mijn ruggengraat is tenminste niet gebroken. Wat mijn arm betreft, het is een eenvoudige breuk, dus hij geneest behoorlijk snel. Ze zeggen dat ik geluk heb dat ik niet op mijn wapen ben gevallen en op mezelf heb geschoten toen ik de grond raakte. Dat noemen ze geluk hebben in het leger.

Eind augustus sturen ze me naar huis met spierverslappers, pijnstillers, antidepressiva en slaappillen om mezelf te behandelen zodat ik weer een robot word, verdoofd genoeg om me weer in te zetten als ze me nog willen hebben. Intussen heeft de medische raad het er maar druk mee en besluit dat ze me toch niet willen hebben. Te schietgraag zeker, zelfs voor het leger. Of Henley en Kormick hebben mijn loopbaan definitief de nek omgedraaid.

De eerste dag dat ik weer thuis ben, strompel ik door het huis van mijn ouders, wanhopig op zoek naar elke druppel drank die ik kan vinden. Het zijn geen grote drinkers, maar weggestopt achter in een keukenkastje vind ik de stoffige flessen wijn en whisky die mijn moeder door de jaren heen heeft gekregen van farmaceutische bedrijven die haar baas, de dokter, probeerden om te kopen.

Ik doe mijn slaapkamerdeur op slot om iedereen op afstand te houden en een week of twee daarna lig ik in bed mijn achterovergedrukte bocht te drinken, pillen te slikken en Jimmy te missen. Bij elke stap die ik zet voel ik de pijn in mijn rug, bij elke gedachte de pijn in mijn hart. Ik kan Tyler niet luchten of zien. Vind papa en mama verschrikkelijk. Vind ons huis en Willowglen en iedereen die er woont verschrikkelijk, behalve April. Kan niet slapen of eten. Kan niet eens bidden of aan God denken. Ik heb bloed in mijn ogen en in mijn ziel. Yvettes bloed, Zaki's bloed, het bloed van de rukker, het bloed van de Irakese werknemer die ik heb laten doodgaan tijdens de mortieraanval. Het bloed van de ezel van dat jochie. Naema's vader die onder het bloed zit als ik zijn gezicht in het zand trap.

Ik kijk in de spiegel. Bleke huid, lege blik. Half robot, half menselijk wrak, en de twee kanten vechten op leven en dood. Ik heb geen idee wie er zal winnen.

IV

OORLOG

KATE

De kamer die Jimmy me heeft gegeven is perfect. Gezellig en ouderwets, met vier hoge ramen en botergele muren. Als hij me heeft binnengelaten, blijf ik er even middenin staan, gewoon om alles op me te laten inwerken. Crèmekleurige gordijnen. Een oude quilt op het bed, geborduurd met gele bloemen en zachtgroene bladeren. De brede vloerdelen zijn donkergroen geschilderd, als mos. Het geeft me een veiliger gevoel dan ik in maanden heb gehad. Of misschien komt dat gewoon door de wetenschap dat hij zo dichtbij is.

'Ben je in dit huis opgegroeid?' vraag ik hem na een poosje.

'Ja, maar het is nu helemaal van mij. Tenminste, totdat mijn broers terugkomen.'

Ik wil hem niet het gevoel geven dat hij moet vertellen waarom zijn moeder er niet is. Weer in het gekkenhuis zeker. Arme Jimmy.

Hij zet mijn rugzak op het bed en draait zich naar me om. Het is nog steeds overweldigend hem hier te zien, vlak naast me, springlevend en tastbaar. Sinds ik terug ben is hij de enige die ik heb gezien die echt voelt. Daardoor heb ik hem zo hard nodig dat ik bijna geen adem krijg.

'Is dit wat voor je, denk je?' vraagt hij.

'O, ja. Ik... Ik had nooit gedacht dat ik op zo'n mooi plekje terecht zou komen.' Ik probeer te glimlachen, maar het lukt niet.

'Nou, laat maar weten als je iets nodig hebt. Je kunt blijven zolang je wilt. Dat meen ik.' Hij glimlacht weer naar me. 'Ik ben blij dat je gekomen bent.'

Daar knijpt mijn keel van dicht. Ik wou dat ik gewoon naar hem toe kon lopen en hem kon omhelzen. Er hangt even een stilte tussen ons.

'Jimmy?' Ik weet eindelijk de moed op te brengen. 'Mag ik iets vragen?'

'Tuurlijk.' Hij kijkt me vriendelijk aan. Alweer die ogen.

'Hoe lang zijn jij en Mandy... Eh... Nu bij elkaar?'

Hij wacht even. 'Een maandje of zo. Sinds ik terug ben.' Dan, nog steeds met zijn ogen op mij gericht, voegt hij er zacht aan toe: 'Ze woont hier niet, hoor.'

'O.' Ik kijk naar hem terug, en er ontvlamt een sprankje hoop binnen in me, als een waakvlam. Ik wil graag meer vragen, maar in plaats daarvan komen er andere woorden uit, woorden die ik helemaal niet had willen zeggen. 'Wil je me nu over Drieoog vertellen? Ik kan het wel aan.'

'Weet je het zeker?'

Ik knik. Al weet ik het helemaal niet zo zeker.

Jimmy pakt mijn hand en loopt met me naar het bed, waar we naast elkaar op de rand gaan zitten. Hij pakt mijn andere hand en houdt ze allebei tussen de zijne. Zijn aanraking verspreidt een warmte door me heen die ik in geen maanden heb gevoeld.

'Kate.' Hij kijkt me in de ogen.

Ik wacht.

'Drieoog is dood.'

Ik haal diep adem. 'Sinds wanneer?'

'Ongeveer een week nadat we terugkwamen. DJ vertelde het. Hij zei dat ze hem een keer dronken had opgebeld, ze raaskalde. Ze was bij haar vader, weet je, in Coxsackie? De volgende dag heeft ze zichzelf doodgeschoten in zijn garage.'

Ik knik. 'Ik wist dat ze zoiets zou doen.' Mijn stem is rustig.

Maar dan zak ik in elkaar, ik val en ik val totdat mijn hoofd op onze verstrengelde handen rust.

'Ik heb haar niet beschermd, Jimmy,' fluister ik terwijl de tranen komen. 'Ik heb Yvette ook niet beschermd, of Naema's vader of haar kleine broertje. Ik heb er zoveel vermoord. O, God, wanneer houdt het nou eens op?'

NAEMA

Als we eindelijk uit Umm Qasr terugkomen bij het huis van oma Maryam, na opnieuw het verkeer, de konvooien en de checkpoints te hebben getrotseerd, is het op het heetst van de middag en ligt oma's lichaam al uren op de achterbank. Mama en ik stappen haastig uit de auto, bevend van de schok en de vermoeidheid, en dragen onze trieste last naar binnen om haar op haar bed te leggen. Daar kleden we haar vlug uit om haar voor te bereiden voor de begrafenis, om niet langer in strijd te zijn met het verbod van de Koran om de doden boven de grond te laten dolen.

We baden haar volgens de gewoonte driemaal en vlechten haar lange grijze haren in drie delen. De rigor mortis begint nu tenminste te verdwijnen, dus we kunnen haar ledematen bewegen, Allah zij haar genadig. Dan binden we haar kaak dicht met een reep stof en wikkelen haar in een schoon wit laken. Nog maar twee dagen geleden zou ik mijn weerzin tegen dit soort taken hebben moeten overwinnen, want haar lichaam zit nog vol ontlasting die we naar buiten moeten persen door zachtjes op haar buik te duwen. Ik zou het vreselijk hebben gevonden haar dunne, grijze schaamhaar en uitwendige geslachtsorganen te zien, die mijn moeder moet wassen en dicht moet stoppen met katoen. Maar na alle ellende die ik in het ziekenhuis heb gezien, voel ik geen walging of medelijden meer. Ik voel helemaal niets meer.

'Naema, kijk eens in die hutkoffer in de hoek,' zegt mama zacht. 'Zie je die bundel witte doeken? Dat zijn de *kafan* die mijn moeder heeft klaargelegd. Breng ze eens hier.'

Ik gehoorzaam en vouw de lijkdoeken open om ze naast haar uit te spreiden: een mouwloze tuniek en vier stukken van verschillende grootte. 'En kijk nu wat ik doe, dan kun je mij op de juiste manier begraven als het mijn tijd is,' zegt mama.

Eerst pakt ze de kalebas met parfum naast het bed en dept een beetje op oma's voorhoofd, neus, handen, knieën en voeten: die plekken waar oma op rustte tijdens het gebed. Dan windt mama een smalle strook als een lendendoek om oma's dijen en bekken, waarna ze een langer, breder stuk om oma's smalle taille wikkelt. Dan tillen we oma op zodat mama de tuniek over haar hoofd en om haar lichaam kan doen; het lijkt wel de jurk van een klein meisje. Daarna leggen we haar weer neer, en ten slotte drapeert mama een kleine, vierkante doek als een sluier om het hoofd van mijn arme oma.

Mama doet dit alles in stilte, al hoor ik de kreten en gebeden die in haar opgesloten zitten zo luid dat het me doof maakt voor al het andere. Ik weet dat ze vanbinnen huilt, niet alleen om oma, maar ook om papa en Zaki. En als ik zie hoe ze haar eigen moeder zo teder klaarmaakt voor het graf, maken mijn schok en mijn verdoving eindelijk plaats voor iets anders en voel ik een grote liefde voor haar in me opwellen. Mama is me extra dierbaar, want nu ik zie dat zij haar moeder heeft verloren, ben ik vreselijk bang om de mijne te verliezen.

'Neem nu maar voor het laatst afscheid,' fluistert ze uiteindelijk. 'Mijn moeder gaat voor altijd heen.' En zachtjes reciteert ze de traditionele woorden van rouw terwijl ze oma's linkerhand op haar borst legt, met haar rechterhand eroverheen ten teken van gebed, en het laatste en grootste kleed om haar heen vouwt tot we niets meer kunnen zien van de oma Maryam zoals wij die kenden, alleen nog maar een koud wit doodskleed.

Al dat leven in oma, al haar leed en vreugde, schalksheid en liefde: weg. Ik wil me met deze gedachte tot Zaki wenden, mijn verdriet delen met mijn broertje. Maar Zaki is hier natuurlijk ook niet.

In de namiddag komen er veel meer mensen naar de begrafenis van oma Maryam dan ik voor mogelijk had gehouden in deze tijd van angst en gevaar. De vriendelijke Abu Mustafa en zijn vrouw en zus komen natuurlijk als buren (volgens mij is Mustafa altijd een beetje verliefd geweest op oma), maar ook hun volwassen zoons, die in de buurt wonen. Vrienden, neven en nichten komen uit het dorp met hun kinderen, en zelfs oma's schoonfamilie is er, hoewel ze al vele jaren weduwe is. Al deze mensen komen bijeen om deze vrouw te eren op wie ze zo dol waren, met hun eten en hun medeleven, ondanks de plunderende soldaten en hun tanks en wegversperringen. Het is zo'n troost voor die arme mama, deze vrijgevigheid, zeker na onze vreselijke ervaring in het ziekenhuis.

Omdat papa en Zaki er niet zijn, vervullen twee van Mustafa's zoons de plichten van de mannen in de familie. Ze tillen de plank op waarop het in doodskleed gewikkelde lichaam van oma ligt en dragen haar naar de begraafplaats, gevolgd door de andere mannen, waar ze oma ter aarde zullen bestellen, op haar rechterzij zodat ze gereed is voor de dag des oordeels, terwijl de imam hun voorgaat in gebed. Wij vrouwen blijven thuis achter om te bidden, want in dit conservatieve dorp waar mijn moeder is opgegroeid mogen vrouwen geen begrafenissen bijwonen.

Ten slotte komen de mannen terug om ons hun laatste condoleances en gebeden te brengen, waarna ze hun gezinnen verzamelen om haastig huiswaarts te keren, zodat ze vóór het donker en al zijn gevaren weer thuis zijn.

En dan is het voorbij – veel te snel voor mijn gevoel – en nu blijven mama en ik achter in het kleine huis van oma, onze ooit zo luidruchtige familie gereduceerd tot twee treurende vogelverschrikkervrouwen, zonder zeggenschap over ons lot en zonder iets te weten over onze toekomst. We dolen door de lege kamers, staren naar de resten van wat eens een gezinsleven was: Zaki's gitaar. Papa's boeken, gedichten en brieven. De bonte kussens van oma, eigenhandig geborduurd, maar al verfletst door een laagje stof. We tollen rond in onze stille eenzaamheid en missen hun stemmen, hun liefde, alles wat we ooit zo vanzelfsprekend vonden.

Toch weiger ik me zelfs hierdoor van mijn zoektocht te laten afhouden. Oma's dood maakt me zelfs nog vastberadener om mijn vader en mijn broertje te vinden, om onze familie weer terug te brengen tot wat ze ooit was. Dus zodra de begrafenis en onze drie dagen van rouw voorbij zijn, sta ik bij het krieken van de dag vol goede moed op, omhels mijn arme moeder en sluit me weer aan bij de dappere kleine Zahra en de weduwe Fatima voor onze tocht naar de gevangenis, alert op de schurken van al-Sadr en de Amerikaanse soldaten met hun genadeloze wapens.

Maar hoe vastberaden ik ook ben, ditmaal voelt het anders. Want de hele tocht naar de gevangenis, als ik met mijn twee trouwe metgezellen over de hoofdweg door de woestijn loop, zijn mijn gebruikelijke verlangens en verontwaardiging stilgevallen. Ik kan niet denken aan Khalil en of hij veilig is, aan mijn toekomst of aan thuis. Ik kan niet eens mijn gebruikelijke woede jegens de Amerikanen en hun zinloze oorlog aanwakkeren. Want het enige wat ik hoor, wat genadeloos in mijn hoofd weergalmt, zijn de woorden van rouw die mama uitsprak boven het lichaam van oma Maryam toen ze haar in de lijkwade wikkelde. Woorden die vastbesloten lijken alle sprankjes hoop in mij stuk voor stuk te doven.

Ik ben het huis van de eenzaamheid.
Ik ben het huis van de duisternis.
Ik ben het huis van de aarde.
Ik ben het huis van de slangen.

OPMERKINGEN VAN DE SCHRIJFSTER

Deze roman speelt zich af in 2003, aan het begin van de oorlog in Irak, in het Amerikaanse leger bekend als OIF, *Operation Iraqi Freedom*. Op het moment dat ik deze laatste notities schrijf, zijn we zeven jaar verder en zijn de VS het grootste deel van hun troepen – zij het niet allemaal – aan het terugtrekken. Toch zijn de dagelijkse omstandigheden voor Irakezen niet veel beter dan in de tijd die Naema beschrijft. De Verenigde Naties melden dat honderdduizenden Irakese burgers zijn omgekomen, twee miljoen zijn het land ontvlucht en nog eens twee miljoen zijn ontheemd. Waterleiding en riolering, elektriciteitsnet en ziekenhuizen zijn nog steeds nauwelijks operationeel en ernstig verslechterd ten opzichte van voor de oorlog. Geweld blijft een dagelijks fenomeen en corruptie is wijdverbreid, terwijl ziekten en aangeboren afwijkingen toenemen door het verarmde uranium en andere verontreinigende stoffen van de oorlog. Het Familierecht uit 1959 dat Irakese vrouwen beschermde en moslima's meer autonomie gaf dan waar dan ook in het Midden-Oosten, afgezien van Turkije, is ontmanteld; hierdoor zijn de vrouwenrechten vijftig jaar teruggeworpen in de tijd.

'Onze legers komen uw steden en landen niet binnen als veroveraars of vijanden, maar als bevrijders.'

Generaal Stanley Maude ten tijde van de inval in Irak, maart 1917

'We komen niet om hun land te bezetten, niet om ze te onderdrukken, maar om hun land te bevrijden.'

Minister van Defensie Donald Rumsfeld ten tijde van de invasie in Irak, maart 2004

'Als ik een Amerikaanse tank door de straat zie rijden, voel ik hem over mijn eigen hart rollen.'

Muhammad al-Naji, Irakese hotelmanager in *About Bagdad* van Sinan Antoon

WOORD VAN DANK

Veel van het materiaal voor deze roman is ontleend aan het onderzoek dat ik deed voor mijn non-fictieboek *The Lonely Soldier: The Private War of Women Serving in Iraq*. Hoewel dit boek fictie is, ben ik geholpen en geïnspireerd door mijn interviews met meer dan veertig veteranen van de Irakoorlog, van wie verschillenden hebben gediend in Camp Bucca en velen van hen hebben gevechten en mortieraanvallen overleefd. Mijn speciale dank gaat uit naar de veteranen Rolanda Freeman-Ard, Mkesha Clayton, Eli Painted-Crow, Chantelle Henneberry, Mickiela Montoya, Laura Naylor, Abbie Pickett, Marti Ribeiro en Jennifer Spranger. Zonder hun moed en openheid en hun bereidheid me hun verhalen te vertellen, had ik nooit kunnen schrijven over de oorlogservaringen van Kate Brady.

Ik wil ook Elizabeth O'Herrin bedanken, die bij de Air Force heeft gediend in Irak, voor haar steun en de zorgvuldige lezing van het manuscript; Leila al-Arian omdat ze me naar Nour al-Khal heeft gestuurd, en Nour al-Khal, die me enorm heeft geholpen met Naema Jassim en zich vol tact en geduld heeft ingezet om mijn fouten te corrigeren. Eventuele fouten die ik heb gemaakt komen volledig voor mijn rekening.

Hala Alazzawi en haar dochter Hiba Alsaffar zijn eveneens gul geweest met hun tijd en belangstelling om me te helpen met Naema's verhaal, evenals Mohanad al-Obaidi. Met deze en andere Irakese vluchtelingen wil ik mijn dankbaarheid en de overtuiging delen dat het leven in Amerika niet zo kil en ongastvrij zou mogen zijn. Door jullie zouden we ons leven moeten beteren.

Nogmaals enorm veel dank aan mijn trouwe en briljante lezer en vriendin, Rebecca Stowe; aan mijn kinderen, Simon en Emma Benedict O'Connor, die me keer op keer versteld doen staan met hun talent en mededogen; en vooral aan Stephen O'Connor, mijn metgezel in leven en kunst, voor zijn aanmoediging en hulp, zijn geloof in wat we doen en voor zijn vertrouwen in dit verhaal.

Voor hun enthousiasme, tijd en suggesties gaat mijn oprechte dank ook uit naar bisschop Regina Nicolosi, katholiek feministe en *rebel extraordinaire*, en naar Zainab Chaudhry en Susan Davies, die zich beiden onvermoeibaar inzetten voor Irakese vluchtelingen en toch de tijd vonden om urenlang met me te praten. Ik bewonder elk van jullie.

Mijn dank ook aan het Virginia Center for the Creative Arts voor het rustige en vruchtbare verblijf in zowel Virginia als het Franse Auvillar. Ik heb grote delen van deze roman geschreven op die twee prachtige plekken, met een concentratie die ik elders onmogelijk had kunnen opbrengen.

Ik heb vele bronnen geraadpleegd voor *Zandkoningin*, maar met name de volgende waren waardevol: The Taguba Report over Abu Ghraib en Camp Bucca (*news.findlaw.com/hdocs/docs/iraq/tagubarpt.html*); BBC, CBC en andere nieuwszenders voor reportages over de omstandigheden in het ziekenhuis van Umm Qasr in 2003; verslagen over Irak, Irakese vluchtelingen en geweld tegen Irakese vrouwen van Amnesty International en Human Rights Watch; het briljante blog *Baghdad Burning* van Riverbend; de documentaire *About Baghdad* en de roman *I'jaam*, beide van Sinan Antoon; *Two Grandmothers from Baghdad* van Rebecca Joubin; *Contemporary Iraqi Fiction*, geredigeerd en naar het Engels vertaald door Shakir Mustafa; *Cell Block Five* van Fadhil al-Azzawi; *Literature from the "Axis of Evil"*, een bloemlezing van Words Without Borders; *The Occupation: War and Resistance in Iraq* van Patrick Cockburn; en *Nobody Told Us We Are Defeated: Stories from the New Iraq* van Rory McCarthy.